JN046218

A Perspective on
Subsidising Arts and Culture
Strategic Investment by Arts Council England

芸術文化助成の考え方
アーツカウンシルの戦略的投資

石田麻子

美学出版

芸術文化助成の考え方

アーツカウンシルの戦略的投資

Contents

本書について
・括弧の用法
　　（ ）……略語　《 》……作品名　『 』……書名・雑誌名
　　「 」……和文引用文および強調語句　［ ］……「 」内での引用文
・年度表記
　　2020－21年度……会計年度
　　2020／21年度……アカデミック・イヤー
　　2020／21シーズン……歌劇場公演シーズン
・円換算
　　1ポンド＝150円換算

A Perspective on
Subsidising Arts and Culture
Strategic Investment by Arts Council England

序　章

芸術文化活動への助成

1. 芸術文化活動と社会

　創造活動は人間の営みとして、豊かな社会を支える基盤となる。人びとが生きている証であり、息づかいそのものとも言える。この営為には、身体を構成する器官と言い換えられる場、そして血液のごとく常に循環するものを縦横無尽につなぐ血管のような機能が必要だ。それは、デジタル・ツールかもしれないし、発想と創意とをつなぐ人間同士のアナログな協働かもしれない。こうした関係のもとで生まれた創造的な活動が、われわれが生きている社会の確かな基盤となりうることを、いかにして社会に対して提示していけるのかが本書のテーマの一つである。

　もう一つのテーマは、舞台芸術をはじめ多くの芸術文化活動には相応の資金が必要となることから、活動の財政基盤の確保を目的として芸術文化助成を獲得しようとする際に必要となるプロセスや考え方、そして人材について述べることである。

　助成を得るために、芸術文化そのもの、そして芸術文化活動の意義を説き、社会とのつながりを示そうとする行為を通じて、人びとは最もプライベートな姿である芸術文化活動に、公という衣を纏う努力をすることになる。芸術文化活動に助成が必要だと説明する行為は衣服によって外と内とを分け、人の生命の見せ方を整えて世に問う作業なのである。

　いま、われわれはCOVID-19禍にみまわれて、社会構造が激変する真っ只中にいる。芸術文化を生み出す活動の継続が危ぶまれる状況にあって、活動への支援の意味がこれまでにないほどに問われている。人びとは、何か大きな社会問題がおきると芸術文化の力を求めようとするが、特に何もおきていないときには芸術文化の社会での役割に説明を求め、資金提供の効果を測ろうとする。しかし、「なぜ生きるのか」について一体どのように評価し、価値を測定できるというのだろうか。人間にとっての芸術文化の意味をあらゆる人が納得できるように、すなわち芸術文化こそ人間が命をつなぐために必要だと説明できるようになるというのか。これまで、人びとは社会における芸術文化の意義を問いかけ続けてきた。そのためにどれほどの努力が費やされてきたことか。芸術文化と人びとのくらしとのかかわりへの言説という観点で、われわれは人類の豊かな歩みの系譜を描けるほどだ。

芸術文化活動を支える助成は、本来、なんら妨げるものなく自由な発意のもとに生み出されていく創造活動に、一定の規則を持ち込むことになる。芸術文化活動を支援すること、逆に自らの活動に支援を受けることは、両刃の剣にもなりうる。芸術文化活動の継続性を確保するためとはいえ、助成する側も助成を受ける側も、創造活動と助成との相互作用を十分に理解したうえで、活動への公的資金の投入について考える必要がある。

　さらに、助成を受ける側にとって公的資金の活用は、自らの活動における公共性のありかを確認する作業だとも言える。すなわち、芸術文化助成を受けるというオフィシャルな行為の際に考えなければならないのは、助成を受けた活動がパブリックなものかどうか、助成を受けた組織がパブリックな存在であるかという点なのである。

2. アーツカウンシル制度を読み解く意義
1）芸術文化振興のあり方を考える

　大規模な舞台芸術など創造活動をおこなう組織は、ポピュラー音楽のように大きなマーケットを持たないため、活動に必要となる資金が巨額となるにもかかわらず、その確保にはチケット収入だけではどうしても限界が生じてしまう。結果として事業収入を高める努力はしながらも、公的助成に依存する傾向が強くなる。助成をする側は、助成を受ける各組織の創造活動を尊重する態度をとる一方で、助成の方針を明確に示して、十分な理解を被助成団体に求めている。そうして、被助成団体側に、組織の活動継続に向けたリスク軽減策の提示を義務化したり、組織の運営体制や企画決定の各プロセスの開示を求めたりするなど、公的助成を受けることに対する社会への説明責任を果たすよう要請する。このように、政府やアーツカウンシルなど、助成制度を企図し、制度運用を担う側が、制度運用の明確な方針を示すことが、芸術文化振興の方向性を社会に提示することにもつながるのだ。

　本書では、世界で運営されている「アーツカウンシル制度」の考え方や、制度の概要を知るために、イングランドのアーツカウンシルを取り上げて考えていく。

　イングランドの芸術文化関連組織の収入構造は特徴的だ。例えば、イングラン

ドのみならず英国を代表するロイヤル・オペラ・ハウスでは、収入内訳において、公的助成と、民間や個人からの支援、そして事業収入、さらに入場料収入が比較的均等という状況にある。このうち事業収入とは、舞台装置や衣装などのほか、舞台そのものの貸出による収入、プログラムやDVD、グッズなどの販売収入などを指し、各組織が収入増に注力している部分である。収入構造が年々変化して、総額に占める比率も変わってきているとはいえ、いまなお行政による助成が相当な割合を占める大陸ヨーロッパの国々や、寄付税制に支えられた多額の民間資金が導入されている米国と、イングランドをはじめとする英国のそれとは異なる。日本も公的助成の割合においては、ちょうど大陸ヨーロッパの国々と米国のあり方との中間のような位置づけにあるため、イングランドの文化政策が参考になる。

　COVID-19によって社会構造が変わるほどの危機が加速する2020年以降、公からであれ、民間からであれ、資金的援助を継続して必要としながら活動している芸術文化団体を、これからの社会がどのように支えていけるのだろうか。現在のように、瞬間的に芸術文化活動に携わる個人や団体に対する援助、さらに芸術文化活動そのものへの強力なサポートが必要となった場合、公的支援が不可欠となるのは間違いない。こうした危機の際にこそ、本来の組織力に加えて、組織と組織の間、そして組織と社会との関係性が明らかになるのだとも言える。

　やがて、人びとの動き方や考え方が大きく変わり、従来とはまったく異なるあり方で芸術文化活動が企図されるようになる日が来るかもしれない。新たな手法でそれらの活動を支える必要が出てきた時、どのように創造活動を支える基盤を作りうるのだろうか。芸術文化助成の現場で何が起きるのだろうか。こうした問いに対してわれわれ自身が答えを用意するために、実際にイングランドを中心としておこなわれてきた助成活動を、現段階で検証することが本書の意図だ。

　本書では、まず現在の助成制度が形成された英国の社会背景を振り返り、結果としてつくられた助成制度の運用実態に着目したうえで、さらに助成活動に携わる人材像に視点を定め、助成現場での実際の考え方や動き方を描きだすようにした。芸術文化振興の仕事について、国や地域によって背景とする制度や慣例は異なっていても、直接芸術文化振興に携わる人びとには共通の考え方があり、困難が立ちはだかる場面や解決に取り組む努力には通じるものがある。大規模な

舞台芸術制作をおこなっている芸術文化団体の事例からは、社会との関係や助成金を受ける行為をどのようにとらえて、実際に活用しているのかが理解できるだろう。本書を通じて、国や文化の違いをこえた共通項を読み取ることで、芸術文化活動と支援のあり方へのヒントをつかんでいただければ幸いである。

2) アーツカウンシル・イングランドにみる芸術文化助成のいま

　本書では、芸術文化助成を今日的に読み解くために、アーツカウンシル・イングランド Arts Council England（以下、ACE）を取り扱っている。ACE は、イングランド芸術評議会とも訳され、英国・イングランドにおいて芸術文化助成の中核を担う組織だ。イングランド各地域の芸術文化団体、美術館・博物館、図書館等に対して、デジタル・文化・メディア・スポーツ省 Department for Digital, Culture, Media and Sport（以下、DCMS）からの資金や国営宝くじから拠出された資金、教育省からの資金などを配分する活動をおこなっている。ACE の考え方や事業展開は、芸術文化振興にかかわる者にとって大いに示唆に富むものである。そのあり方の正確な実態把握により、助成制度を企図する人、助成制度を運用する人、助成制度を利用する人にとっては実際の活動のために直接参照できるはずであるし、芸術文化と社会の関係性を学ぶ人や関心を持っている人などにとっても興味深いものとなるだろう。

　本書で、芸術文化の範囲をどう考えるかという点は、ACE の使用する言葉に拠っている。2010 年に ACE から初めて発表された 10 年戦略は、『あらゆる人に素晴らしい芸術 Achieving Great Art for Everyone』と題し、舞台芸術、造形芸術、ビジュアルアートなど、数多くの芸術形態に言及する形で、振興のあり方を提言していた。その後、ACE が 2013 年に改訂発表した 10 年戦略『あらゆる人に素晴らしい芸術文化を Great Art and Culture for Everyone』では、美術館・博物館、そして図書館も対象範囲に加えたため、芸術文化という語句をタイトルに入れて、創造し、場を構成し、享受する人びとの活動を広く包含するようになったのである。これを受け、本書でも芸術文化という語句とそれが指す範囲とを扱っている。

3）芸術文化助成を読み解く視点

　基本的にどの章から読んでいただいても、イングランドでのアーツカウンシルの
あり方、さらに人材の動きや被助成団体との関係性などを事例にしながら、芸術
文化助成の考え方を把握できるようにしている。本書の意図を一層正確に読み解
いていただくために、特に6つの視点を取り上げて整理しておこう。

　第1に、イングランドでは、ACEをはじめとして助成する側が、芸術文化助成を
各活動に対する「投資Investment」であると述べている点に注目している。芸術
文化助成を戦略的な投資活動だと繰り返し強調しているのだ。ただし、芸術文化
助成の現場に身を置くと、この説明だけでは居心地が悪い思いをする。芸術文化
活動に対する投資行動に対し、いったいどのようなリターンが可能になるというの
だろうか。

　芸術文化助成をする側が、芸術文化団体の活動に対し、経済的リターンだけを
期待するわけではないだろう。では、芸術文化助成を投資だとする考え方が示さ
れるようになった経緯はいかなるもので、どのように助成の制度設計へと活かされ
ているのだろうか。そして、投資としての考え方が、現在の芸術文化助成の運用
において、どのように実現しているのだろうか。現在では、日本でも、断片的に投
資、戦略といった言葉が文化政策の様々な場面で使われるケースが増えている
ように感じられるのだが、助成を戦略的投資とする考え方がイングランドで用いら
れるようになった背景や意図などをあらためて確認しておこう。

　第2に、ACEが10年間有効となる戦略を発表している点に注目している。戦略
的な投資としての芸術文化助成を、アーツカウンシルがどのように方向づけようと
しているのかを明示する文書だ。なぜ10年もの長い期間の戦略が提示されてい
るのか、それをどのように活用しているのかなどの、策定意図の検証はアーツカウ
ンシル制度の理解につながるだろう。そして、戦略的な投資とするために芸術文
化助成において必要となる事項について明らかにしたい。

　第3に、アーツカウンシルが、政治と芸術の間の距離を一定に保つという「アー
ムズ・レングスの原則」に沿った組織だという点を検証する。これは政治の言説
や力学が芸術文化活動に直接影響を与えないようにするという考え方だ。同原
則の実現手法について確認することはもとより、現在の芸術文化助成において、

引き続き有効となりうる可能性を問いかけている。

　第4に、芸術文化活動に対しておこなわれる運営助成が、なぜ可能なのかということに視点を定めた。運営助成とは、個別のプロジェクトに対する事業助成などとは異なり、芸術文化活動をおこなう組織運営のために必要となる資金を、各芸術文化団体、美術館・博物館、図書館などに加えて、複数の芸術文化関連組織によって構成されたコンソーシアムが受け取るものである。運営助成の実態把握により、助成の考え方や、実際の審査、モニタリング、評価を通じたリスク管理の手法などを検証していく。

　第5に、芸術文化振興にかかわる専門性を持つ人材像をとらえたうえで、どのように彼らのキャリア形成がおこなわれているのかという点に着目している。アーツカウンシル制度運用の現場にあって、彼らはいかにして知識を身につけ、経験を蓄積しているのだろうか。彼らの存在と働きが芸術文化助成の最前線でどのように機能しているのかについてもあわせて検証する。アーツカウンシルの実態を描き出すため、芸術文化振興に携わる人材に特に視点を定めた点は本書の最大の特徴のひとつである。

　第6に、芸術文化助成の目的や意義を、どのように社会に対して表明しているのか考察している。公的資金を継続して投入しつづける行為を、助成する側は、さらに助成を受ける側は、どのようにステークホルダーに対して説明しているのだろうか。

　上記の検証を通じて、芸術文化支援の理想と現実が見えてくるだろう。さらに、芸術文化助成にかかわる人材や機関に求められる考え方や姿勢などを理解していただけるものと期待したい。

4）本書の構成

　本書は、以下のような構成をとっている。

　第1章では、芸術文化助成を戦略的投資であるとする英国政府やACEの考え方を読み解いていく。3）で述べた視点のうち、第1の「投資」および第2の「戦略性」については、主に第1章で述べている。そして、これらを示す方途としての10年戦略の示し方を検証した。また、第6の視点である芸術文化助成の意義を

社会に対して表明する手法についても、公式文書発行に至るコンサルテーション
のプロセスなどから詳述している。

　第2章では、英国の文化政策の背景、さらに第3の視点である「アームズ・レン
グスの原則」が、実際の助成の場において、どのように確保されようとしているの
かという点を取り上げている。特に、近年のアーツカウンシルと政府との関係から、
何が現場で起きているのかを理解していただけるだろう。機能や性質の異なる
組織の助成活動へのかかわりや組織間の力学は極めて興味深いものがある。

　第3章では、具体的な助成事業について述べている。ACEでは大規模な芸術
文化団体に対して、運営助成をおこなっている点が特徴である。ここでは、もう一
つの特徴となる教育省からの補助金運用についても取り上げている。第4の視点
である芸術文化団体の運営への助成制度については第3章および第4章で詳述
している。

　第4章では、助成事業にかかわる審査や評価など、現場でおこなわれている具
体的な作業の解説を通じて、助成する側の考え方が理解できるようにしている。

　それぞれの助成事業の特徴に加えて、審査をどのような立場の人びとが担い、
どのような観点で評価し、助成方針とのバランスをどのようにとるのか。こうした
現場の動きを把握することは、アーツカウンシル制度の真髄を知る醍醐味だ。審
査は、モニタリング、事業評価に進み、また新たな事業企画、実施へとつながる循
環の出発点である。事業実施の成果についての評価が助成金配分に反映され、
新たに事業が企図され、次のサイクルに進む入口でもある。このほか、ACEやス
コットランド政府の評価手法を事例に、自己評価や芸術性の評価などについても
取り上げている。これは、世界の芸術文化助成現場で共通認識でもある評価の
難しさを確認する作業となっている。

　第5章では、現代社会で芸術文化振興を担う人や機関に求められる考え方や
姿勢について、アーツカウンシルの内部ではたらく人たちの姿を通じて読み取っ
ていて、前述の第5の視点に対応する章となる。特定の分野に深い見識を持ちな
がら、公の立場を保持しつつ、芸術文化を創造する活動を支えている人材の働き
は、外からでは見えにくい。しかし、芸術文化助成の専門人材としての彼らの存
在と役割を知ることは、創造活動を支える組織のあり方の理解にもつながる。

第6章は、ロイヤル・オペラ・ハウス Royal Opera House（以下、ROH）とグラインド
ボーン音楽祭をケース・スタディしている。ROHというイングランドはもとより英国
最大の被助成団体とアーツカウンシルとの関係に着目し、大規模な芸術文化団体
の助成への意識づけの手法などを取り上げた。こうして、第4の視点である運営
助成の実態について明らかにしている。とりわけ、アーツカウンシルと被助成団体
のひとつとしての同歌劇場とのやりとりに関しては、責任者へのインタビューを通
じて具体的に切り込んでいるので、一層興味を持っていただけるだろう。また、グ
ラインドボーン音楽祭については、シーズン中の本公演に対して助成を受けない
という選択をしている姿勢を可能とする歴史的経緯やブランド価値維持の手法な
どについて取り上げている。

　第7章では、芸術文化活動や芸術文化団体に対する戦略的投資としての芸術
文化助成のあり方をまとめている。そのために、第6の視点である芸術文化活動
への継続的な支援を、社会に対してどのように示していくのかについて述べてい
る。ここで、芸術文化助成の現場で、助成する側と助成を受ける側との関係にお
いて必須となる考え方に言及した。そして、アーツカウンシルが、芸術文化助成
の現場において、いかに戦略的投資として芸術文化助成を実現する役割を果た
しうるのか検証している。さらに、アーツカウンシル制度の運用が、なぜ芸術文化
振興につながるのかまとめている。

　本書のうち、第1章、第2章、および第6章、第7章は、アーツカウンシル制度や
助成の考え方について、制度整備の経緯、現状、およびアーツカウンシルと被助
成団体との関係性を描き出す内容としている。第3章から第5章は、2018年に独
立行政法人日本芸術文化振興会から発表された『イングランド及びスコットラン
ドにおける文化芸術活動に対する助成システム等に関する実態調査　報告書』
の読み取りが主体となっている。そのため、同報告書もあわせて参照いただくと
理解が進むだろう。

　さらにその後の調査により、スコットランド政府の評価手法やACEにおける人
材起用のあり方などについても分析を進め、社会の状況にあわせて刻一刻と動く
助成事業の運用に関する新たな知見を加えている。そうした点にも注目していた
だければ幸いである。

A Perspective on
Subsidising Arts and Culture
Strategic Investment by Arts Council England

第 1 章
芸術文化助成とは
戦略的投資である

第1節　芸術文化助成の考え方

　芸術文化の創造活動と助成のあり方を語るとき、国や地域の政治・経済をはじめとする社会的背景への理解が必須となる。序章でも述べたとおり、芸術文化活動は社会との相互作用によって成立するもので、活動に対する支援とはそうした相互作用の歴史的蓄積によって形成された、芸術文化のあり方の社会的合意に沿って設計されるはずだからである。助成を受ける側はそれらを意識して自らのあり方を示す方途を見いだす作業をおこなう。そのため、芸術文化助成が展開される国や地域それぞれで積み重ねられている助成手法に加えて、助成する側や助成を受ける側双方の組織が、社会に対してどのように芸術文化への支援を説明しているのか、理解する必要もあるだろう。こうした点を念頭に置きつつ、公の立場で芸術文化助成を担うイングランドのアーツカウンシル制度の実像に迫ることを通じ、現代における芸術文化助成のあり方を考えてみたい。

1.「投資」としての芸術文化助成

　まず、英国における芸術文化団体をはじめ関連する組織に対する助成への考え方を検討してみよう。そのためには、芸術文化助成の背景となる社会の状況も考慮しなければならない。特に、近年の英国における政治的な背景が、芸術文化助成に対して与える影響は少なくないのではないか。それらも含めて、現状に至る経緯を概観してみたい。

　英国における芸術文化に対する助成を語る時、一つのキーワードが浮かび上がってくる。芸術文化助成とは、芸術文化活動への「投資」だという考え方で、「投資する invest」あるいは「投資 investment」などと言及されている。今でこそこうした考え方は各国、各地域での芸術文化助成において広く俎上に載るようになってはいるが、かなり早い段階から投資としてのとらえ方がクローズアップされるようになった英国における背景と経緯はどのようなものだったのだろうか。それを理解することで、あらためて現在に至る芸術文化助成の考え方を確認しておこう。

　英国では、1990 年代半ば頃から文化が経済を牽引するという考え方が、当時は野党だった労働党により提唱されるようになっていく。この時期に初めて出てきた発想ではないとはいえ、「この文化政策は経済政策の一つでもある。文化は富

をつくり出すのだ」としたオーストラリア政府の文書[1]などが影響して、トニー・ブレア[2]をはじめとする党の方針につながり、文化政策と経済政策が関連づけられていく。1997年に労働党が与党となり、後述するクリエイティブ産業が、政策の前面に打ち出されるようになった。経済活動を活性化し、雇用を生み、人の動きをつくり、都市の形を変える原動力として、その効果が強調されるようになったのである[3]。

労働党ブレア政権発足時の1997年5月に「クリエイティブ産業タスクフォース Creative Industries Task Force」が立ち上げられて、その考え方が政府の姿勢としてはっきりと示されていく[4]。

タスクフォースは、翌1998年に『クリエイティブ産業実態報告書 Creative Industries Mapping Document 1998』を発表する[5]。同報告書では、クリエイティブ産業を構成する13の芸術分野を特定した[6]。ファッション、工芸、建築、美術、映画、ソフトウェア、広告など、工業製品や娯楽の領域に近く、大規模なマーケットに直接つながりやすいために広く不特定多数の消費者を想定できる分野があげられた。「クリエイティブ産業とは、情報技術や知的財産権との結びつきを強く意識した概念」[7]ともとらえられ、大規模なマーケット展開の期待が前提となっていて、1998年の報告書でも雇用や経済効果などの可能性が着目されたのである。

それに続く『クリエイティブ産業実態報告書2001 Creative Industries Mapping Documents 2001[8]』でも、経済効果に対する言及が特徴となった。取り上げられた各分野が産業として奨励されて、それらがどのように効果をあげたのかが報告されたのである。言及された13の分野は、1998年版とは分類方法が少し変更されてはいるものの領域はほぼ似通っている[9]。

さらに『クリエイティブ産業経済統計2015年 Creative Industries Economic Estimates 2015』では、クリエイティブ業種を9つの分野に分類しなおしたうえで、関連する数字が報告された[10]。

ポピュラー音楽などを中心とするライブ・エンタテインメント、映画、ファッション、eスポーツとしての領域拡大もみられるゲームなどの世界では、先に述べたとおり、大規模な消費行動や知的財産権などを背景に、巨大なマーケットが動いている。芸術文化の創造活動を産業として位置づけたうえで、具体的な経済効果があがったとする各種報告書の数字が、これらの分野での成果を物語る。

また、芸術文化創造活動に携わる人たちは、同時に優れたアントレプレナーで
あるとして、それらの人びとを新たな産業をつくり育てる実業家と位置づける、クリ
エイティブ・クラスという考え方も提示されてきた[11]。クリエイティブ産業、クリエイ
ティブ・クラスが、国や都市の発展を担う役割として、さらに経済活動だけでなく
社会構造をとらえる際に注目されてきたのである。これらの概念は解釈や用法の
広がりを見せ、関連研究も数多く発表された[12]。

　その後、1998年および2001年のクリエイティブ産業に関する報告書の範囲へ
の指摘をはじめ、当時の公共政策の効果に対する検討がおこなわれていく[13]。加
えて2000年代後半以降、2008年のリーマン・ショックの影響が世界経済全体を
覆い、英国ではブラウン政権[14]下の政府の緊縮財政推進の時期とも重なり、公
的機関が芸術文化活動を支える意義と理由づけが、芸術文化振興の議論にお
いて一層求められるようになる。

　その過程でクローズアップされてきたキーワードが、「投資」としての芸術文化
助成のあり方である。投資とは、本来なんらかの活動への資金援助に対する具
体的なリターン、すなわち金銭的なリターンにつながる活動だと考えるべきであろ
う。しかしながらこれを、舞台芸術をはじめとする芸術文化の世界に当てはめる
困難さは、いまだ解決できないまま残されている。

　そこでここからは、現在の助成の枠組において「芸術文化への投資」をどうと
らえればよいのかを整理していこう。芸術文化助成の世界で、どれほどのリター
ンを獲得できたか測る行為は、芸術文化活動の評価とも重なる。ただしその成果
は、単に数値だけで測れるものとは限らないだろう。このことを前提としつつ、イン
グランドをはじめとする英国における芸術文化への助成は現在どのようにとらえ
られているのか見ていこう。

2.「投資」への意識づけ

　先述のとおり、2008年のリーマン・ショック以降、経済が低迷して一層の緊縮財
政に向かっていく時期に、英国内で発行された芸術文化関連の各種公式文書に
おいて、投資という語が頻繁に登場していることが確認される。2010年代の芸術
文化助成は、文化に対する資金投入を説明する手がかりを一層必要としており、

その1つが投資としてのあり方への言及であった。ここでは、それらの文書の中からいくつかを取り上げて、芸術文化分野において投資という語が使用されていく経緯を検討してみよう。

　英国では、現在のデジタル・文化・メディア・スポーツ省 Department for Digital, Culture, Media and Sports（以下、DCMS）[15] や、アーツカウンシル・イングランド Arts Council England（以下、ACE）、クリエイティブ・スコットランド Creative Scotland（以下、CS）をはじめとする機関が、文化政策の方向性を示す『カルチャー・ホワイト・ペーパー Culture White Paper』や各種の戦略文書を発行して、芸術文化政策における大きな方針を示してきた。図表1-1で、ACE や CS で発表された総合的な戦略を示した公式文書に着目して、2010年以降の主な動きをまとめている。

　『カルチャー・ホワイト・ペーパー』の「4. 文化への投資、レジリエンス[16]、改革」の項では、当時の財務大臣ジョージ・オズボーン[17]が、「国家としておこなえる最善の投資のひとつは、我が国の、目を見張るべきクリエイティブ産業への投資」だと述べている[18]。ここではっきりと、投資という語が使われている。

　2016年の『カルチャー・ホワイト・ペーパー』や2013年に改訂発行された10年戦略『あらゆる人に素晴らしい芸術文化を Great Art and Culture for Everyone』（以下、改訂版10年戦略）において、「投資」という語がどのようにクローズアップされているのか検証してみると、DCMS や ACE がいかにこの考え方に照準をあわせているかという点が一層理解できる[19]。助成する側が、助成活動は芸術文化への投資だとして意識的に意図を強調してきたことが際立つのだ。

図表1-1　『カルチャー・ホワイト・ペーパー』および各戦略文書の発行 (2010年以降)

2010年	ACE　10年戦略『あらゆる人に素晴らしい芸術を Achieving Great Art for Everyone』
2013年	ACE　改訂版10年戦略 『あらゆる人に素晴らしい芸術文化を Great Art and Culture for Everyone』
2014年	CS　10年計画 『可能性の扉を開き、大志を抱く Unlocking Potential, Embracing Ambition』
2015年	ACE　コーポレートプラン2015–2018
2016年	DCMS『カルチャー・ホワイト・ペーパー Culture White Paper』
2018年	ACE　コーポレートプラン2018–2020
2020年	ACE　新10年戦略『レッツ・クリエイト！ Let's Create!』

一方、スコットランド政府のもとで芸術文化助成を担うCSが、2014年に発表した10年計画『可能性の扉を開き、大志を抱く：芸術・映画・クリエイティブ産業の共通計画2014–2024年 *Unlocking Potential, Embracing Ambition: a shared plan for the arts, screen and creative industries 2014–2024*』では、「投資」という語はほとんど使われておらず、文書で示された5つのアンビションや優先課題、4つの統一テーマに関連して、特に芸術文化助成は活動への投資であるといった文脈での表現はおこなわれていない。CSにおいて、同計画策定時である2014年の段階では、芸術文化助成が「投資」活動だと意識的に表現されていたわけではないと言ってもよさそうだ。ただし、副題にも掲げられていることからわかるように、クリエイティブ産業への言及は頻繁におこなわれていることが見てとれる[20]。

2020年1月に発表された新しいACEの10年戦略『レッツ・クリエイト！ *Let's Create !*』（以下、新10年戦略）では、3つのアウトカムと4つの「投資」の原則が掲げられた。新10年戦略においても、「投資する」あるいは「投資」という語句は、クリエイティブ産業という語句とともに頻出していて、引き続き重要な考え方として位置づけられている[21]。

さらに、2018–2022年期のACEによる最新の運営助成の名称が、ナショナル・ポートフォリオ・インベストメント・プログラムへと変更された。制度名称そのものに「投資」という語が加わったのである。これも、芸術文化助成は投資であるとの表明の一環だとされている。こうしてあらゆる角度から、芸術文化助成が「投資」活動であると、助成を受ける側に対して意識づける努力がなされていく。芸術文化活動に公的資金を投入する行為への社会へのアピールが、「投資」というキーワードに託されているとしても過言ではなさそうだ。

第2節　アーツカウンシル・イングランドの10年戦略
1. 10年戦略発表の意味
1）10年という期間

イングランドでは、行動指針ともなる戦略フレームワークを、対象期間を10年に定めて発表している。芸術文化活動を活性化し、それを援けていく方針として、明確な拠りどころとなる文書の存在がどうして必要となるのだろうか。そして、な

ぜそれが10年間の戦略として発表されているのだろうか。発表当初は、10年という期間の長さについて、このフレームワークが、10年間も通用するものであり続けられるのだろうかと疑問が提示されたという[22]。

　しかしながら結果として、助成の大きな方向性を提示するうえで、ACEは、10年という期間設定を適切なものと考えたようだ。2020年には、再度10年の期間を設定して新たな戦略が提示されたことがそのことを物語っている。これは、イングランドにおける芸術文化振興のためのシナリオ・プランニングの結果だと考えてよいだろう。「いまの自分から、10年後の理想の自分に到達するには何をすべきか」という将来計画を、政策のうえで描く作業だとも言える。これまでに旧10年戦略（2010）や改訂版10年戦略（2013）で示されてきた施策の方向性や、評価するための指標の提示は、ACEの事業展開において極めて重要なポイントとなっているのだ。

　2020年発表の新10年戦略においても、10年という年月の確かな長さについて、チーフ・エグゼクティブのダレン・ヘンリー Darren Henley は、以下のとおりあらためて言及した。

　　10年は長い期間です。戦略がその期間成功したものとなるためには、固定的ではなく、柔軟であるべきです。すなわち、取り扱い説明書ではなく、誘導灯となる必要があります。そのためわれわれは、アクションプランではなくビジョンを発表しました。このビジョンは、この国で、創造性と文化が果たすことのできる、より豊かで、幅広く、深みのある役割に関するものです。そして、そのビジョンを達成するためにあらゆる人が適応し、ともに活用すべき手法として信頼に足るものです。[23]

　上記のとおり、新10年戦略は、明確な目的や具体的な数値目標を提示したものではなく、ビジョン、すなわち将来展望や構想を提示したものであると性格づけされた点に注目したい。社会の変化への柔軟な対応を前提としながら示されたビジョンは、2020年1月末の発表直後に世界中が見舞われたCOVID-19による大きな環境の変化を想定してはいなかったであろうが、結果として、いまの時代に即

応したものとなった。そうした状況変化への対応策も含めて、今後ACEが進む方向は、新10年戦略で示されたビジョンの読解が一つの手がかりとなるだろう。

2）タイトルにみるメッセージ

2010年に発表されたACEの旧10年戦略のタイトルは、『あらゆる人に素晴らしい芸術を Achieving Great Art for Everyone』だった。「芸術のための戦略的フレームワーク Strategic Framework for the Arts」と副題を付した初めての10年戦略は、表紙の色に由来して通称ピンクブックと呼ばれ、ACEの助成方針を大きく示すものとなった。提示された戦略目標に基づいて2012年4月から2015年3月までの期間を対象とする団体の運営への助成、個々の事業への助成など、創造活動を担う団体運営や彼らの創造活動そのものへの助成が企図されたのである。そして、「あらゆる人」という言葉には、多様性への意識が読み取れる。これは、居住地域、年齢、人種、障がい、そしてLGBT[24]など、各人の様々なバックグラウンドへの配慮の表明である。

その後、改訂版10年戦略『あらゆる人に素晴らしい芸術文化を Great Art and Culture for Everyone』が2013年に発表された理由は、助成対象の拡大に起因するものだった。ACEが、美術館・博物館および図書館に対しても助成するようになったことが要因である[25]。そのためタイトルには、「芸術」だけではなく、「芸術文化」の語が使用されて、対象範囲が広がったことを明示した。各文書の項目タイトルで使われている「エクセレンス Excellence」という語は、「優れていること」あるいは「卓越性」という訳をあてる場合が多い。

3）シンプルさに込められた戦略

2020年に新10年戦略が発表されるまで、ACEの助成活動の方向性は、改訂版10年戦略『あらゆる人に素晴らしい芸術文化を』に示された内容に沿って作られていった。

改訂版10年戦略で提示された5つの戦略目標は以下のとおりである。本書で言及している「戦略目標」は「Goal」の日本語訳である[26]。

戦略目標1 芸術、美術館・博物館、図書館において卓越性が花開き、称賛されること

戦略目標2 あらゆる人が芸術、美術館・博物館、図書館を体験し、触発される機会を持つこと

戦略目標3 芸術、美術館・博物館、図書館がレジリエンスを有し、環境的に持続可能であること

戦略目標4 芸術、美術館・博物館、図書館のリーダー層および従事者層が多様であり、適切なスキルを有していること

戦略目標5 あらゆる子どもと若者に、芸術、美術館・博物館、図書館の豊かさを体験できる機会があること

　2014年までACEのチーフ・エグゼクティブを務めたアラン・デイヴィAlan Daveyは、「本当に重要なことに焦点を合わせ、進路を決めなくてはいけません。それは、アーティストのアンビション、オーディエンスの好奇心と渇望です」[27]と簡明な表現を採用した理由を述べている。キーワードを定め、はっきりと示して表明する態度と、その意味をここで確認できる。相手に確かな理解をうながす戦略だと言ってもよいものだ。目標をシンプルな語句で示したうえで、何を達成するのかが極めて具体的に提示される。そうした目でこれまでに発行されてきた複数の10年戦略を読むと、戦略目標をはじめとする内容が整理された表現となっていることに気がつく。芸術文化助成の意図する点が明文化されれば、受け止める側、すなわち被助成団体側にとっても、理解しやすいものとなり、迷いや誤解も減るだろう。

　これまで発表されてきたACEの10年戦略は、将来の10年にわたる政策ビジョンという言葉に置きかえてよいものだ。明確な理念提示によって、多くの人たちに文化政策および助成制度の方向性を提示する方途ともなっている。芸術文化に直接関与する人たちだけではなく、イングランド文化にかかわるあらゆる人に対する意思表明だとする意識がシンプルな見せ方の理由にほかならない。

　では、10年戦略発表とそれに基づいた助成事業実施の効果はどのように測られているのだろうか。戦略を通じて、助成側だけではなく、被助成側が公的な芸術文化助成の意図や意味を理解し、どのように共通認識を持ちうるのだろうか[28]。

2. 10年戦略を読み解く

1) はじめての10年戦略

　ACEが、2010年にはじめて発表した10年戦略『あらゆる人に素晴らしい芸術を』（以下、旧10年戦略）は、2012年4月から2015年3月までの3年間にわたる新しいナショナル・ポートフォリオ・ファンディング・プログラム（旧運営助成[29]）によって芸術文化団体などに対して10億ポンド（約1500億円）を助成する投資戦略の考え方の基盤となった。

　さらに2011年に出された『文化、知識、理解 Culture, Knowledge and Understanding [30]』は、約1年間の図書館開発イニシアチブや、グラント・フォー・ジ・アーツ（旧事業助成[31]）を含むスキームによる59の図書館のプロジェクトと、「ルネッサンス・メジャー・グラント・プログラム Renaissance major grants programme [32]」による227の美術館・博物館に向けた助成の指針ともなるものだった。

　これら2つの文書は、カルチュラル・オリンピアード、すなわちロンドン・オリンピック・パラリンピックの文化プログラムに対する約3600万ポンド（約54億円）の芸術文化助成につながるものとなった。これらの助成活動により、5370の新しい芸術作品や委嘱作品の創作がおこなわれ、4万464人のアーティスト、6160人の新進アーティスト、806人の聴覚またはそのほかの障がいを持つアーティストの参加を実現したとされている[33]。

　旧10年戦略は、2012年のロンドン・オリンピック・パラリンピック前後の芸術文化活動に対する助成の考え方を示しただけではなく、戦略的事業助成のうち、たとえば芸術文化団体の資金調達スキルの育成や全国規模のツアーを支援する根拠にもなった。

　その後、これまで対象にしてきた芸術分野に、新たに美術館・博物館、図書館を助成対象に加えることになり、旧10年戦略の改訂版が2013年に『あらゆる人に素晴らしい芸術文化を（改訂版10年戦略）』と題して発表された。

　ここで、改訂版10年戦略の主旨や内容詳細を理解してみよう。発表当時のACE会長であるサー・ピーター・バザルジェット Sir Peter Bazalgette は、同戦略が作られた理由を、「芸術文化のビジョン」と題して、以下のように述べている。

なぜ10年戦略フレームワークが作られたのでしょうか。私たちアーツカウン
　　シル・イングランドは、芸術、美術館・博物館、図書館を支援し、発展させるた
　　めにあります。公的な投資を管理し、そこから最大限の価値を引き出す責任
　　があるのです。例えば、芸術文化がもたらす啓発とエンターテインメント、生
　　活を豊かにし、教育に活気を与えること、健康とウェルビーイングに不可欠な
　　貢献、地域再生・観光・海外事業の推進。こうしたすべてを網羅するような
　　目標を設定し、実現するための戦略を詳述していくのです。[34]

　このように、改訂版10年戦略で取り扱う範囲、および方向性に言及したうえで、
ACEの役割はそれらに対する公的な投資をおこなうことにあると定義しているの
がわかる。
　続いて、アラン・デイヴィが、「この枠組の最初の3年間を緊縮財政とチャレン
ジの時として振り返ることになるだろう」と述べ、2012年夏のロンドン・オリンピッ
ク・パラリンピック開催の翌年にあたるタイミングだったために、芸術文化関連分
野の活動継続には「できる限りの創意工夫が必要だった」と指摘、「そしてそれに
成功した」と述べた。オリンピック・パラリンピックの文化プログラムが華やかにク
ローズアップされていた一方で、英国政府が緊縮財政を余儀なくされてきた時期
とも重なり、芸術文化に対する助成の枠組を整理したうえで制度を再構築するこ
とが課題となっていたのである。

① 組織の性格と3つの活動項目
　改訂版10年戦略では、ACEの組織の性格が明示された。
　「私たちの組織と活動」の項で、ACEは、「イングランドの芸術、美術館・博物
館、図書館を対象とした全国規模の育成機関」だと定義している[35]。ここで、ACE
を「育成機関としての役割が第一義」とした点が注目される。その範囲として、
「ビジュアルアート、実演芸術、音楽、ダンス、演劇、文学などの幅広い芸術分野
を対象とする。加えて地域の美術館・博物館を助成する責任と、図書館と広義の
美術館・博物館セクターを育成する役割がある」と言及したのである。
　ACEの活動については、「アドボカシーとパートナーシップ」「育成」「投資」の

3つの項目があげられている[36]。

第1に、「アドボカシーとパートナーシップ」において、芸術文化の意義を提示している。

この項目での言及は、主に次のようなものだった。すなわち、「地域再生、観光客誘致、才能の育成とイノベーション、健康とウェルビーイングの改善、そして主要な公的サービスの提供において、芸術文化が重要な役割を果たす」のだと示すために、エビデンスに基づいた政策立案と他機関との協力を実施し、芸術文化が国内の大きな課題解決に寄与すべきだとしたのである。

ACEは、「イングランドにおける芸術文化の影響力に対する理解を深め、公的助成を受けた芸術文化と、より広い意味でのクリエイティブ経済との関係づくりを計画し強化」して、さらに「ACEの活動だけで、文化セクターを活況に導くことはできない。現在の経済情勢において公的投資を最大限に活用するには、パートナーシップが不可欠」だともしたのである。

そのための主要なパートナーには、政府レベルではDCMSと教育省があげられている。これに加えて地方自治体は、イングランドの芸術文化に対する最大の公的投資機関に位置づくものであり、イングランド全域の地方自治体と協働、さらに地域企業パートナーシップ Local Enterprise Partnerships（LEPs）、高等教育機関などの組織と、地域レベルと国レベルで効果的なパートナーシップを構築するように努めるとした。また、イングランド域内の芸術文化団体の活動原資となっている宝くじの売り上げを配分する責任を、英国映画協会、Big宝くじ基金[37]、文化遺産宝くじ基金[38]、スポーツ・イングランドと共に担う点にも言及した[39]。

第2に、「育成」に言及し、「芸術」「美術館・博物館」、そして「図書館」の3つのセクターにおいて、それぞれが最善の形で運営されるように慎重に投資をおこない、プログラムを提供し、これらのセクターを戦略的に育成するという責務を担うとした。これにより、ACEの助成事業の対象範囲を明確にしたのである。

第3に、「投資」をあげている。ACEは、「政府資金と国営宝くじを財源として、イングランドの芸術文化に投資している」と、芸術文化への公的助成の考え方を表現するとともに財源のバックグラウンドについても強調した。イングランドにおける芸術文化への投資活動がACEによる助成を通じて実施されると整理されてい

るのだ。既述のとおり、これらの視点が芸術文化に多額の公的資金を投入する
根拠となったのである。

② ACE の現状分析 ―2013年―

次に、現状分析がおこなわれている。

ここでタイトルに掲げられた5つの項目は、各戦略目標を象徴的な言葉に集
約、あるいは言い換えつつ、「卓越性の追求」「人びととつながる」「レジリエ
ンスと持続可能性」「成功を支える人材」「次世代のクリエイティブな人びと」と
なっている[40]。

第1に、「卓越性の追求」をあげている。芸術文化の持つ特性を踏まえ、「卓越
性が意味するところは、芸術文化の分野、団体、作品の制作や展示方法によっ
て異なる」点に言及した。

芸術文化分野の創造活動の卓越性は、「芸術的かつ文化的に卓越した作品
を創り出すこと、作品と鑑賞者とのかかわり方を意味」し、美術館・博物館は「コ
レクションを通じて人生に豊かさを届けることにより卓越性を提示」し、すべての
図書館は「人びとの知識を深め、審美眼を磨き、求めている技術や情報を得られ
るような、卓越したサービスの数々を開発できる」機能を持つとした。芸術、美術
館・博物館、図書館が、達成すべき卓越性をあらゆる人との関係性のもとで構
築、すなわち人びとへの提供手法を通じて構築すると考えられている。

第2に、「人びととつながる」をあげた。芸術文化に対する機会と関与の水準に
は格差があり、関与の度合いは、教育水準、社会経済的バックグラウンド、そして
居住地域によって大きく左右されているため、ACEや各芸術文化セクターにとっ
て大きな課題だと指摘された。

第3に、「レジリエンスと持続可能性」が取り上げられた。芸術文化セクターの
成長のため、「本質的な価値及び作品の質については、妥協せずに、変化を続
ける環境に適応しなければならない」としている。レジリエンスと持続可能性に
関する考え方は、ACEによる芸術文化助成の特に大きな課題となっている。

第4に、「成功を支える人材」として、それは「アーティスト、キュレーター、図書
館司書、技術者、プロデューサー、管理部門担当者、教育者、アーキビストなどの

人びと」だと、具体的にあげた。アーティストに加えて、彼らの活動を支える立場の人材が、「芸術文化セクターの心臓部である」としたのである。こうした ACE の考え方は、助成事業を展開するうえでも象徴的な視点である。

第5に、「次世代のクリエイティブな人びと」として、若年層への言及がなされた。「子どもや若者が人生の早い段階で芸術文化を体験し、図書館の知識にアクセスし、美術館・博物館の素晴らしい展示品を鑑賞してその背景を学ぶ権利を持っている」としたのである。「芸術文化、美術館・博物館、図書館は、子どもの好奇心と重要な能力の発達を促進」し、「学習と成長の場であるだけでなく、表現や創造による開放の場であり、子どもや若者が、世界とそこにおける自分の立ち位置を探求し、理解し、それに挑むことを可能にする」という考え方は、芸術文化の創造、参加、体験に関する事業実施の根拠となるだろう。

加えて「学習支援、若者への知識の提供、そして世界最高水準のコレクションを体験すること、アクセスの活性化」が、美術館・博物館の持つ機能であるとし、創造的なスペースとしての図書館は、「若者にとって、ひらめきを与えてくれる安全な空間であり、友人と集まり、コミュニティ活動と出会い、知的好奇心の赴くままに調べ、世界に対する理解を深める」場だと定義した。

上記のような現状認識の提示に基づいて、5つの戦略目標が示されている。詳細に見ると、政策目標の論点整理、ACE 内外の諸機関との協力にもとづく指標提示、具体的な評価項目の提示および評価のための手法が戦略文書にきめ細かく示されていることがわかる。

そこで次の項では、ACE から助成を受ける芸術文化団体の活動やアーティスト、彼らを支える人びとに対する方針として提示された5つの戦略目標と、それぞれの項目を測るために設定された評価指標にも言及しながら読み解いてみよう。

2）5つの戦略目標

ACE の改訂版10年戦略では、「私たちの戦略目標」として5つの戦略目標が極めて簡潔に、かつ明確に示されている。先述のとおり、戦略目標は Goal を訳したものである。10年後の目標とするあり方が、シンプルな言葉で示されている[41]。

各戦略目標のキーワードは、戦略目標1「卓越性」、戦略目標2「あらゆる人

に」、戦略目標3「レジリエンスと持続可能性」、戦略目標4「多様性とスキル」、戦略目標5「あらゆる子どもと若者に」である。

そのうえでACEのコア・ミッションは、「卓越した芸術が繁栄する」「できる限り多くの人びとがそこに関与する」の2点であるとした。そして、これら2点について特に言及されているのが、戦略目標1と戦略目標2だとしている。

「卓越性」と「関与(エンゲージメント)」が最も重要な事項であり、美術館・博物館においては、「優れたコレクションがどう解釈され、人びとを触発し、足を運んだり、作品と接した人びとをどう変えていくのかによって決まる」ものだとし、芸術文化団体が卓越性を獲得するのは「作品が鑑賞者を十分に魅了し、挑戦的であったり、鑑賞者との心のつながりが生まれる時」だとした。こうした考え方は、助成事業に対する評価指標にもつながっている。

そして5つの戦略目標それぞれに対し、「何をもって成功とするか」「何をおこなうのか」「どのように目標達成度を評価するか」の3つのポイントに関する考え方が示されている[42]。

これを読むと、具体的に何が求められてきたのか、5つの戦略目標を達成するために必要となる項目は何なのかについて一層深く理解できるだろう。さらに、いずれの項目においても、芸術文化団体あるいはアーティストなど創造にかかわる組織や個人、美術館・博物館、図書館に等しく配慮していることがわかる。そこでここからは、5つの戦略目標ごとに見ていこう。

① 戦略目標1：卓越性

戦略目標1に関しては、「アーティスト、芸術団体、美術館・博物館が、アンビションや才能、スキルの極みを表す芸術作品と文化体験を提供し、世界に作品を輸出、観光客がイングランドを訪問する理由に芸術文化をあげ、世界の優れた文化の中心としてのイングランドの地位が実証され、サービスが現代のイングランドの多様性を反映」していることを、成功の視点にあげている。

次に、「何をおこなうのか」について述べ、「専門性、全国的な調査、地域の知識を活用して、優れた芸術文化の卓越性が求められたり、促進されたりするための投資」や「平等と多様性にコミットし、それらが適用された制作活動への投資」

などのほか、複数の視点が示されて、卓越性を獲得するものとした。

「どのように目標達成度を評価するのか」については、以下のような方法が示されている。

まず、芸術文化団体による全国的な質的評価基準の開発と、自己評価プログラムへの統合を支援することがあげられた。質的な評価については、鑑賞者やユーザー、ピア・レビュー・プログラムにおけるピアとなる同業者の視点を含み、助成決定後の契約に関するファンディング・アグリーメントやピア・レビュー・プログラムの通知をおこなうとされている。

さらに、図書館サービスの質的評価は利用者がおこなうべきだと考えられており、CIPFA[43]による公共図書館の利用者に対するアンケートなどの情報源から、イングランド全域の利用者が図書館サービスをどう評価しているのかを把握する。そのうえで、地方自治体、図書館サービス、主なパートナーなど、ACEのステークホルダーによる調査データを利用し、ACEによる図書館サービス支援に関して、利用者からの評価を理解するといった方法が提示されている。

加えて、ACEの助成プログラムおよびコンテンツが文化的に多様であることが、どの程度理解されているのかを知るために、ACEのステークホルダーに対する調査データを活用して評価することもあげられている。

また、芸術文化に対する公的助成の支援レベルを評価するための調査委託のほか、サービス輸出のデータを利用し、イングランドの芸術文化の輸出レベルを立証するとともに、「インターナショナル・パッセンジャー・サーベイ International Passenger Survey」のエビデンスを利用して、インバウンド観光に対する芸術文化の影響を示すことも、評価方法として言及されている。

以上の評価手法は、戦略目標１のみならず各戦略目標の達成にも向けたものだ。卓越性の追求を通じて、イングランドへのインバウンド誘致、文化を中心としたイングランドの地位の向上、多様性の反映といった各戦略目標の達成も意識している。戦略目標１に関しては、「芸術作品と文化体験を提供し、世界に作品を輸出、観光客がイングランドを訪問する理由に芸術文化をあげ、世界の優れた文化の中心としてのイングランドの地位が実証され、サービスが現代のイングランドの多様性を反映する」ものであり、助成事業はこれらを達成するための投資活動で

あると位置づけたのである。

② 戦略目標２：あらゆる人に

戦略目標2では、以下の4点が成功の指標としてあげられている。

第1に「より多くの人びとが、素晴らしい芸術、美術館・博物館、図書館を体験し、参加する機会を持つ」、第2に「素晴らしい芸術、美術館・博物館、図書館を体験する人びとの数が増加し、より幅広い層に広がる」、第3に「芸術文化への関与が最も低い人びとの間で、関与のレベルが上昇する」、第4に「人びとの文化的な体験の深さと質において、明らかな改善が見られる」である。

これらを達成するためにおこなうことに言及している。

「高い品質の作品、コレクション、展覧会、そしてプログラムをできる限り多くの多様な鑑賞者に届けていくアーティスト、団体に投資する」ことや「デジタル技術およびデジタル・プラットフォームを通じた芸術の保存、創造、制作及び流通に投資する」などである。これらの手法を通じて、多様性を確保するという視点が盛り込まれているのである。

評価の方法については以下があげられた。

まず、「助成データを利用し、あらゆる人が素晴らしい芸術、美術館・博物館、図書館を経験し、参加する機会獲得の度合いを評価。データには、被助成団体への調査や、デジタル配信、巡回公演・巡回展、ターゲティングに関するACEの戦略的助成プログラムのエビデンスを含む」こと、次に「被助成団体、テイキング・パート調査 Taking Part Survey [44]、オンライン分析、CIPFAによるPLUS[45]など、信頼のおける情報源を利用し、関与度合いが最も低い人びとに関する情報も採り入れて、どのように文化施設が人びとと関与への理解を深めているか」ということ、さらに「芸術文化セクターによる関与と体験の質的評価の新たな全国的標準の開発と、その長期的な追跡調査を支援」することの3つである。

「あらゆる人に」への視点、すなわちアクセスに関する評価は、質的評価の開発や長期的な追跡調査が必要となる。それらが調査課題として設定され、複数組織との連携のもと、実施されていることにも注目される。

③ 戦略目標3：レジリエンスと持続可能性

　戦略目標3は、芸術文化助成のあり方の本質に対する問いかけにもつながる。被助成団体や創造活動そのものが芸術文化助成を通じて獲得可能な力、さらに獲得すべき点への問いである。

　レジリエンスは、「元の形に戻ろうとする力」という物理学や生物学の用語として使われていた言葉だとされる[46]。「弾力。復元力。また、病気などからの回復力。強靱さ」と訳され、企業におけるリーダーシップやマネジメントなどにおいても言及されてきた[47]。

　成功には4つの視点があげられた。まず、「外的環境に適応する能力を実証」すること、次に「様々な寄付金または利益を源とする収入の割合が増加」すること、さらに「ACEが育成機関としての役割を担い、芸術文化団体、美術館・博物館、図書館への支援の際、レジリエンスが高まったと地方自治体やそのほかのパートナーに評価される」こと、また「文化セクターが環境的持続可能性を有し、二酸化炭素排出を抑制」できるようになることである。レジリエンスおよび持続可能性というキーワードに即した能力の獲得を目指す取組みへの言及となっている。

　このために、民間寄付金の増加など、13の行動事例があげられている。

　評価方法については、以下のとおり整理されている。

　「被助成団体の年次調査のデータを利用して、利益・寄付金の増加を含む財務実績、留保金・収入割合の傾向を追跡、財政介入ほか団体支援を目的として設計されたスキームの適用を申請した団体のプロフィールと数を追跡」「被助成団体の年次調査を利用して、団体がデータを保存、利用、共有しているかを確認」することなどである。

　戦略目標3でのレジリエンス、持続可能性に関する言及は、ACEの助成が芸術文化関連組織に対する投資であるとする考え方にも通じる。芸術文化団体、美術館・博物館、図書館などの組織が、レジリエンスや持続可能性を獲得するために、ACEから助成を受けることで助成金以外の資金調達を可能にして、収入を増やすなどの効果があがる。こうして、芸術文化団体の助成金以外の資金調達が可能になり、その財政基盤の確保を目指していくとされたのである。

④ **戦略目標 4：多様性とスキル**

　戦略目標4で示された多様性は英国の政策において、最も重要なキーワードの一つだと考えてよいであろう。

　「芸術文化団体（特にACEが投資する団体）のリーダー層とスタッフ層が、イングランドの多様性を反映し、就職や昇進の過程が公平であると公表されている」こと、「被助成団体のリーダー層の資質が発揮されるとともにガバナンスの実践がなされていることがいずれも効果を表している」こと、「芸術、美術館・博物館、図書館のスタッフが適切なスキルを有している」ことの3点が成功の指標としてあげられた。多様性を反映した被助成団体内の体制整備も急務だと明示されている。

　そのために取り組むべき事項が指摘された。

　「芸術文化団体が、適切なプロフェッショナル人材とリーダー層の育成に投資することを支援、奨励」「被助成団体と戦略的事業助成を通じて人材の多様化を推進、芸術文化団体への就職と昇進の過程をより公平なものにすること、リーダーシップとガバナンスにおいてより多様性を高めることを目指す」など、一層の多様性の確保を目指すこと、さらに人材のスキルアップへの視点について、特に述べている。

　評価については、「被助成団体に対する年次調査などの情報源のデータを国勢調査と比較し、芸術文化団体のリーダー層（ガバナンス担当理事会と委員会を含む）と従事者の人材多様性の変化を追跡」すること、「雇用調査などの様々な情報源のデータを利用して、芸術文化団体で不足のスキルを追跡」することなどがあげられた。

　戦略目標4は、人材の多様性確保が主眼となったのと同時に、デジタルスキルや専門知識や技能の獲得、リーダー層を育成するなど、人材のスキルアップにも言及した。

⑤ **戦略目標 5：あらゆる子どもと若者に**

　戦略目標5において、何をもって成功とするかという視点ははっきりしている。子どもと若者が芸術文化に触れて、受容し、質の高い教育機会が確保されているかという点である。これを達成するために、「より多くの子どもと若者が、芸術、

美術館・博物館、図書館の豊かさを体験する機会を得る」「より多くの子どもと若者が、学校やそれ以外の場所で質の高い文化教育を受ける」「質の高い芸術文化体験を子どもと若者に提供」するなどの言及がなされた。

　そのために、以下のとおり、ステークホルダーを具体的にあげながら、方向性を示している点にも注目したい。

　「教育省、被助成団体、アーティスト、学校、文化的パートナー、放送局、地方自治体、高等教育機関など、そのほかのパートナーと協働し、卓越した芸術、素晴らしい美術館・博物館、図書館をすべての子どもと若者に提供するため、一貫性のある全国的な取り組みを実現」し、「他者との協働と協調により地域のパートナーシップを活性化・促進し、学校及びそれ以外の場所で、子どもと若者のための質の高い文化体験を実現」するとしている。

　そのうえで、「子どもと若者による、または彼らのための質の高い芸術学習体験の創造に重点的に取り組む芸術文化団体、美術館・博物館、図書館に投資」するとしているのだ。

　評価する方法については、以下があげられている。

　「文化教育ツールキット Cultural educational toolkit などの投資プログラム及びそのほかの情報源のデータの活用により、各地方自治体の子どもと若者が素晴らしい芸術、美術館・博物館、図書館を体験する機会を評価」すること、「アーツマーク Artsmark [48] のデータを利用すること、すなわち学校、更生施設、芸術文化団体などにおいて、キーステージ 1～5 の各学年での文化教育の幅と品質を評価する指標を活用すること」などである。

　戦略目標5は子どもと若者に対する芸術文化への関与の機会確保が主なポイントである。創造活動を担う組織のみならず、多様なステークホルダーの存在が指摘されたうえで、体験機会の確保から教育の視点などに言及された点が特徴となった。

⑥ ５つの戦略目標の読み取りとまとめ

　ここまでに取り上げた各視点により、5つの戦略目標に関して「何をするのか」という活動指針を示し、どの程度「成功」したか判断するための達成度をはかる

ための「評価」がおこなわれている。すなわち、ここで提示された一つひとつの評価手法が、ACEの活動の核心部を構成してきたのだと考えられる。

　この中で特に、戦略目標3にあるレジリエンスという言葉に込められた芸術文化団体と芸術文化助成との関係性について見てみよう。

　レジリエンスという言葉は、環境や社会問題等においても、回復する力を多分に含意しつつ、多くの場面で使用されている。芸術文化の現場にあてはめて考えた場合、例えば以下のような解釈を適用すると、一層整理できる。

　　レジリエンスという概念に特徴的なことは、それが自己と環境の動的な調整に関わることである。回復力とは、システム同士が相互作用する一連の過程から生じるものであり、システムが有している内在的性質ではない。レジリエンスの獲得には、当人や当該システムの能力の開発のみならず、その能力に見合うように環境を選択したり、現在の環境を改変したりすることも求められる。こうして、レジリエンスは、複雑なシステムが、変化する環境の中で自己を維持するために、環境との相互作用を連続的に変化させながら、環境に柔軟に適応していく過程のことである。[49]

　すなわちレジリエンスとは、完全に元通りに戻るという考え方ではなく、主体と環境が互いに作用し合いながら、周辺環境の変化に応じて自らもあり方を変えながら対応する力であり、適応力であり、さらにその力を発揮して整えていく過程という意味も併せ持っているものと解釈できる。

　上記の「複雑なシステム」は創造活動や芸術文化団体の運営に、「環境」は移り変わる社会や経済情勢のもとで制度設計される芸術文化助成だと置き換えることができるだろう。芸術文化にかかわる助成制度は、状況に合わせて整備変更されるため、被助成側との間の関係性や作用の仕方は継続的に移り変わっていく。ある時点の制度の中で最善のあり方を模索し、一定の期間を経た後で、さらに変化する助成制度の手法に対し柔軟に適応する能力の獲得を通じて、芸術文化団体の対応力が確保されるようになる。

　加えて、芸術文化助成の現場におけるレジリエンスとは、助成側と被助成側

が、相互の距離をはかりながら、それぞれが公的助成の意義を社会に対して示す力を獲得する過程だと言える。芸術文化助成の場で相互に作用し合いながら、そのプロセスにおいて備えていく柔軟さと考えてもよいだろう。

このような文書による提示を踏まえて、芸術文化団体の活動計画を立案する際には戦略目標の各項目に対する十分な理解が求められる。その理解を通じて、各組織が、企画、実施、自己評価、さらに新たな企画へとつなげて、創造活動の機会を確保する。政策立案側からの視点で換言すれば、シンプルな戦略目標を掲げ、それに基づいて項目を提示する手法が、政策を確実に実現するのだとも言えるだろう。

3.『カルチャー・ホワイト・ペーパー』と10年戦略
1)『カルチャー・ホワイト・ペーパー』と10年戦略との関係

英国で最初の『カルチャー・ホワイト・ペーパー』は、当時の文化大臣ジェニー・リー[50]により1965年に発行された。この中ですでに、「最高のものは、より広く利用できるようにしなくてはならない」と述べられたと2016年発表の『カルチャー・ホワイト・ペーパー』で引用されている[51]。「卓越性」は、より「あらゆる人が」利用できるようにしなくてはならないとして、ACEの10年戦略の戦略目標にも通じるメッセージが込められていたのだと、2016年版において読み解いたのである。

2016年発表の『カルチャー・ホワイト・ペーパー』は、1965年の第1弾発行から50年以上の時を経て、英国の歴史上、2番目のカルチャー・ホワイト・ペーパーとして発行された。新しい『カルチャー・ホワイト・ペーパー』は、複数の統計結果を収録しながらも、白書というよりは、政府による文化政策全般に対する考え方の表明という位置づけのものである。

同『カルチャー・ホワイト・ペーパー』作成にあたって、2015年8月から2016年2月にかけて、一般からの意見聴取がおこなわれている。イングランド全土の9か所（ロンドン、バーミンガム、ギルフォード、リバプール、マンチェスター、ノッティンガム、ニューカッスル、ピーターバラ、シェフィールド）で、円卓会議（ラウンド・テーブルRound table）が開催され、232団体の代表が参加した。そのほかに書面での意見提出63件、オンライン・ディスカッションへの意見投稿87件を受領している。加えて、

個別面談や協議の機会が設けられた。

　こうした手続きを経て発表された『カルチャー・ホワイト・ペーパー』の内容を、改訂版10年戦略との関連性から分析してみよう。ホワイト・ペーパーでは、大きく4つの項目が目標にあげられている[52]。

① 人生の出発点がどのようなものであろうとも、あらゆる人が、文化が提供する機会を享受できるようでなければならない
② 我が国の文化の豊かさは、その恩恵を国中のコミュニティにもたらすものでなければならない
③ 文化には、我が国の国際的地位を高める力がある
④ 文化への投資、レジリエンス、改革

　上記4つの項目は、ACEの10年戦略の5つの戦略目標の項目と共通する内容となっている点に気がつくだろう。それらの共通項目は、図表1-2のとおり整理できる。2013年の改訂版10年戦略と、2016年に政府が発行した『カルチャー・ホワイト・ペーパー』とが、互いの関連性を意識したうえで策定、発表されていることがわかる。

図表1-2　改訂版10年戦略とカルチャー・ホワイト・ペーパーの比較

ACE		DCMS	
Great Art and Culture for Everyone		The Culture White Paper	
戦略目標1	卓越性	達成目標	項目キーワード
戦略目標2	あらゆる人	あらゆる人	子どもの教育、アクセス改善、多様性
戦略目標3	レジリエンスと持続可能性	国と地域	コミュニティ、パートナーシップ、文化遺産、デジタル
戦略目標4	多様性	国際的地位	世界的評価、英国ブランド、文化遺産保護
戦略目標5	あらゆる子どもと若者	投資、レジリエンス、改革	投資、支援、改革

　とりわけ、ACEの戦略目標5つの項目のキーワードである「卓越性」「あらゆる人」「子ども」「多様性」「レジリエンス」などの語は、ホワイト・ペーパーにおいても言及されている。こうして、政府発行の指針が、既に発表されているACEの

指針と歩調をあわせている点は興味深い。政策官庁と執行機関の方針において、一貫性が意識され、策定、発表されたものだと理解してよいだろう。ただし、ACE発行の改訂版10年戦略が芸術文化を対象範囲とし、DCMS発行の『カルチャー・ホワイト・ペーパー』は広く文化への言及となっている点は留意したい。

2）『カルチャー・ホワイト・ペーパー』の評価指標について

『カルチャー・ホワイト・ペーパー』では、先述の4つの大項目に関するアンビションambition、アウトカム指標outcomeおよびアウトプット指標outputが示された。ここで、各語句が使われている意図を考えてみよう。

アンビションとは、強い想い、大志などの訳が可能だが、ここでは達成目標などの意ととらえてみよう。何を目標として活動がおこなわれるのか、4つの達成目標が示されたと考えてよいであろう。改訂版10年戦略で示された5つのゴールGoalを5つの戦略目標と訳したが、ここで示されたアンビションについても、達成を目指す大きな目標だととらえてよいであろう。

アウトプットとは、インプットinputによって得られた具体的な活動結果など、数値で表せる。アウトカムとは、アウトプットによって得られた変化や望ましい成果を指している。その成果指標をどのように設定するかがホワイト・ペーパーで示されているのだ。

これらは、「文化の価値に関するエビデンスを集約して、より多くの人びとが——その属性や居住地のいかんにかかわらず——文化の恩恵を享受することを可能にするという目的の達成度を測定する」ものだとしている。

以下、インパクト測定に関する4つの項目を読み取ってみたい。（　）内は用いる統計資料である[53]。

① 人生の出発点がどのようなものであろうとも、あらゆる人が、文化が提供する機会を享受できるようでなければならない

● アンビション：あらゆる人の生活を豊かなものにする
● アウトカム指標：
　－ 主観的なウェルビーイングの向上（テイキング・パート調査[54]またはONS[55]人口

調査［地域的指標のため］）

- 教育または職業実習を受けている16~18歳の人数の増加及び教育、雇用、訓練のいずれにもない16~18歳の人数の減少／教育省：教育、雇用また訓練への参加に関する統計
- 失業率の低下（労働力調査）

● アウトプット指標：
- 成人・子ども全体のうち、過去12か月間で文化に関与した人の割合の増加（テイキング・パート調査）
- 成人全体のうち、過去12か月間で文化にデジタルな方法で関与した人の割合の増加（テイキング・パート調査）
- 恵まれない集団及びBAME[56]層出身の成人のうち、過去12か月間で芸術文化に関与した人の割合の増加（テイキング・パート調査）
- 低所得層出身の子ども・若者のうち、文化に関与した人の割合の増加（新規の指標）
- 文化団体で活動するボランティアの人数の増加（新規の指標）
- 文化セクターの雇用者数の増加（DCMS統計・新規の指標）
- 文化団体が雇用する職業実習生の増加、文化団体の理事を務めるBAMEなどの増加（新規の指標）

　第1の項目では、主観的なウェルビーイングの向上、教育を受ける人数の向上、失業率の低下などの結果を通じて、直接にあるいはデジタルな方法で文化に関与する人の割合が増えるなど、多様な状況にある人びとが芸術文化に関与する機会を得ることを成果としている。

② 英国の文化の豊かさは、その恩恵が国中のコミュニティにもたらされるものでなければならない

● アンビション：コミュニティの繁栄
● アウトカム指標：
- 主観的なウェルビーイングの向上（ONSの4つの指標）（テイキング・パート調書またはONS人口調査［地域的指標のため］）

- 経済成長率の上昇／GDPの変化に関するデータ
- 貧困状態にあると定義される世帯の割合の減少（ファミリー・リソース調査）
- 失業率の低下（労働力調査）
- アウトプット指標：
  - 文化のGVA[57]の増加／文化のGVAと雇用に関するDCMSの統計（新規の指標）
  - 所属するコミュニティへの帰属意識の向上（Understanding Society[58]）
  - ボランティア活動をする人の割合の増加（Understanding Society）
  - 文化団体で活動するボランティアの人数の増加（全国についてはテイキング・パート調査、ただし地域については個別調査必要）
  - 文化セクターの雇用者数の増加（文化セクターの雇用者数に関するDCMSの統計）
  - 文化を中心に据えた地域計画の増加（Great Placeスキーム申請通過12件を目指す）
  - 文化遺産主導の再生の増加（ヘリテージ・アクション・ゾーン4～5か所）
  - 「リスクにさらされた」遺跡の数の減少（ヒストリック・イングランドのHeritage at Risk）
  - 文化遺産を最大限に活用している場所の数の増加（RSA[59]のHeritage Index）
  - 文化団体のうち、既存の記録または展示をデジタルで利用できるようにしている団体、同時配信またはライブストリーミングをおこなっている団体、および実際の展覧会のインタラクティブな見学ツアーをオンラインで提供している団体（Digital Culture Research programme提供団体）の割合の増加

第2の項目は、芸術文化発展がよい影響を及ぼして人びとが所属するコミュニティが繁栄することを成果としている。

③ 文化には、我が国の国際的地位を高める力がある

- アンビション：英国に対する評価を高める
- アウトカム指標：
  - ソフト・パワーに関する英国のランキングを上昇させるか維持する（SP30[60]または国家ブランド指数 Anholt NBI[61]）
- アウトプット指標：
  - 文化面でのソフト・パワーに関する英国のランキングを上昇させるか維持す

る（SP30）
- 文化交流の数（The Culture Diary に掲載されるイベント数）の増加
- 英国文化の輸出数の増加（ALBs[62]と協力して新たに収集するデータ［新規］）
- 英国文化の輸出額の増加（DCMS のクリエイティブ産業経済推計）
- 「文化保護基金」の初年度のマイルストーンを達成する（「文化保護基金」の3
  つの成果を網羅した既存文化遺産保護プロジェクトの策定・強化）

　第3の項目は、英国の国際的地位の向上を図る数値を指標とし、成果をはかる
ものである。

④ 文化投資、レジリエンス、改革

- アンビション：文化機関を繁栄させる
- アウトカム指標：独自のアウトカム指標なし。④のアウトプットは①～③のアウト
  カム指標を支える
- アウトプット指標：
  - 公的助成を受けている文化団体に対する公的助成以外の出資額の増額
    （チャリティによる寄付に関する DCMS の指標、NPO[63]・NPM[64] に関する ACE の
    データ）
  - ロンドン以外の文化団体に対する民間の出資額の増加（チャリティによる寄付
    に関する DCMS の指標、ACE のデータ、アーツ・アンド・ビジネスによる文化投資に
    関する調査の最新版［新規］の組み合わせ）
  - ロンドン以外の文化団体に対する出資額全体の増加（チャリティによる寄付に
    関する DCMS の指標、ACE のデータ、DCLG[65] のデータ、アーツ・アンド・ビジネス
    による文化投資に関する調査の最新版［新規］の組み合わせ）
  - 減税を受ける文化団体の数の増加（HMRC[66] のクリエイティブ産業に関する統計）
  - 文化財寄付控除のスキームを通じて寄付された文化財の数および金額の増加
    （ACE：文化財寄付控除のスキームと文化財寄付による相続税控除に関する報告）

　第4の項目は、公的支援を受けることに伴い、ロンドン以外での民間支援や、
ロンドン以外の団体への支援が増加すること、また文化財への寄付が増加する
ことなどが評価指標となっている。

DCMSは文化に関する目的の達成度をはかるために、政府統計や外部組織による統計データ、あるいはACEのデータとそれらの組み合わせによる統計データなど、公式に発表されているデータを各項目の達成度をはかる指標として活用することを表明している。

　英国の地域統計では、基本価格表示のGVAが、経済規模の尺度として用いられるが、前述の第2の項目にあるとおりこれも文化のGVAという考え方を取り入れて指標としている[67]。

　戦略目標を達成する目的で、アウトカム指標を示し、さらにアウトプット指標測定のためのデータ、そのために有用な統計資料が示されている。政府による徹底したデータ収集手法、および活用方法は、我が国の芸術文化政策立案にも直接参照できるだろう。

4. コーポレートプラン

　ACEは10年戦略に加えて、コーポレートプランを発表している。

　コーポレートプランは、ACEの業務の指針を記したもので、10年戦略との相互関係が特に意識されている内容だと考えてよいだろう。また、3年程度で新しいプランが発表されていくため、10年戦略に沿いつつも、社会や経済状況の変化に応じた方針表明がなされる。

　被助成団体はコーポレートプランに示された各項目も意識し、ACEの助成意図を読み取りながら、毎年提出するビジネスプランを策定する必要がある。

1）コーポレートプラン 2015–2018

　コーポレートプラン2015–2018での記載事項の特徴は、以下のような点である。

　まず、アーツカウンシルの役割は「イングランドの芸術文化を支援し、発展させ、これに投資すること」だと冒頭で明記している。そして、ACEの「ミッション」は「あらゆる人に優れた芸術文化 Great Art and Culture for Everyone」であるとして、10年戦略のタイトルをあげた。

　さらに「価値」「ガバナンス」「投資」「背景」の各項目、さらに大項目で「平等と多様性」がまとめられている。

「価値」の項目では、ACEやスタッフが目指す考え方として例えば「熱意を持つ」「勇敢である」「人を育てる」「豊富な知識を持つ」「協力する」「責任を持つ」といった表現が示されている。

「ガバナンス」では、組織構造が述べられたうえで、文化観光の重視、芸術文化セクターのレジリエンス強化、国際文化交流の支援、音楽教育、オリンピック・パラリンピックのレガシーに対するリーダーシップや支援など、政府の方針に基づく優先事項が示されていて、アーツカウンシルの位置づけが読み取れる。

「投資」では政府からの資金と国営宝くじからの資金が投資されている点が強調された。

「背景」においては、2015年に政府からの助成金が減少したこと、地方自治体の資金減少に触れたうえで、芸術文化がクリエイティブ産業の確立に大きく貢献することを実証し続け、公的投資を訴え続ける必要があるとしている。また、財務リスクを最小限に抑えながらチャンスを確実にものにできるよう、芸術文化セクターのレジリエンスを引き続き高めなければならないとしていて、助成金の確保とあわせて芸術文化団体の自助努力についても言及されている。

「平等と多様性」については、多様性に向けた創造的実践 Creative Case for Diversity の推進、多様な鑑賞者やスタッフの育成、平等や多様性についての意思決定に参照できるデータの質の向上といった事項が指摘された。

そして、各項目に対応する責任者が具体的に示されたことが特徴である。

例えば、10年戦略の戦略目標1に基づいて設定された項目「芸術的才能の開発に取り組む芸術組織に投資する」のうち、「個人の芸術家のキャリアアップに対し、私たちの資金提供プログラムがどれだけ支援できているのか評価」する活動は、ビジュアルアート分野のディレクターと文学分野のディレクターを実行責任者とし、報告責任者はビジュアルアートのディレクターが担当すると記載されている。報告責任者は、活動やタスクの達成状況について必要に応じて理事会責任者に報告する責任を負っていて、年間運営計画を通じて毎年の進捗状況を報告することが期待されている。

こうした主要説明事項に加えて、2014年6月時点で設定された2015–2018年の3年間のACEの各年度予算の予定額が発表されている。このようにACEの

コーポレートプランは、組織の公的助成運用に関する考え方とその裏づけとなる資金の提示により、組織の方向性の全体像が示されたものとなっていることがわかる。

2）コーポレートプラン 2018-2020

2015年7月に発表された2015–2018年版に続いて、2018年5月には、2018–2020年版が発行された。コーポレートプラン2018–2020には、前期間に引き続き、「目的」「ミッション」が示され、さらに「価値」「ガバナンス」「背景」「投資アプローチ」が述べられた。「アーツカウンシル・イングランドの役割は、イングランドの芸術、美術館・博物館、図書館を支援し、発展させ、投資すること」であり、私たちの「ミッション」は、「あらゆる人に優れた芸術文化を」にあると前期間のコーポレートプランと同じ言葉が繰り返されている。

さらに、以下の6つの項目が「優先事項」として取り上げられている[68]。

1. 平等性と多様性を促進する
2. 次の10年戦略を構想する
3. セクターにおける組織文化やイノベーションを開発する
4. 芸術文化への投資を通じて、各地域の価値を高める
5. 2019年の次期スペンディング・レビューに備えるために芸術文化団体、美術館・博物館、図書館での事例を検証する
6. データや新しい技術の活用を促進する

加えて、組織の活動については「人材育成」「オープン性の向上と顧客重視」「インパクトの測定と報告」「環境への影響の低減」「効率性の向上」の5つの点が強調されている。特に「アームズ・レングスの原則を何よりも大切にする、効率的・効果的・知的で責任ある投資家としてのアーツカウンシルの評価を守る」と述べて、ACEが組織として取り組む姿勢を提起、記載していることなど、意識すべき事項が各項目において表現されたものとなっている。

2018–2020年版の主な特徴は、特に地域での活動の多様性が重点的に言及さ

れていることにある。6つの優先事項を各地域でどのように達成していくのか、地域の課題と優先事項達成に向けた具体的な内容が示されたのである。

　例えば、マンチェスターを中心とするノース・エリアでは、戦略目標1に関わる事項の一つとして、以下について取り組むこととされた。

　　重要プロジェクトであるマンチェスター・ファクトリーの開発や、その運営者となるマンチェスター・インターナショナル・フェスティバルの持続可能な成長に関し、2020年の開場の成功に向けたモニタリングや支援をおこなう。プロジェクトが十分に管理されること、ACEが投資を監視し、DCMSや財務省に対する責任が確実に果たされるようにする。[69]

　上記優先事項のための、人材育成、効率性の向上などへの取り組みについても言及された。コーポレートプランでの実際の計画の記載にあたっても、その原点となるのは10年戦略となっている。

5. 新10年戦略『レッツ・クリエイト！：2020-2030』

　新しい10年戦略『レッツ・クリエイト！：2020-2030 *Let's Create! :2020-2030*』（以下、新10年戦略）が2020年1月27日に正式に公開された。2010年に発表された最初の10年戦略から、改訂版を含めると3代目となる。新10年戦略が発表されるまでに、複数の調査報告書が発行されている[70]。

　図表1-3のように、数々のコンサルテーション結果やエビデンスを提示、さらに市民や芸術文化関係者たちと議論を交わす手続きを経たうえで、新10年戦略が発表されたのである。戦略が世の中に発表されるまでに、いくつもの調査実施とそれに伴う報告書の発行、ラウンド・テーブルやインタビュー、アンケートなどを通じた意見聴取がおこなわれる過程から、英国におけるエビデンスに基づく政策形成の過程[71]が読み取れる。公式文書の発行に至るまで、形式的なプロセスにとどまらない幅広い意見集約の手順が、文化政策形成プロセスにおいて観察できる。

　新10年戦略を策定するプロセスについては、以下2019年11月におこなったACEのリチャード・ラッセルへのインタビューが参考になる[72]。「約1年半から2年

図表1-3　新10年戦略発表までの行程

2018年3月15日

『実験的な文化：ホライゾン・スキャン *Experimental Culture: A Horizon Scan*』
　2020年からの10年間を見通した鍵となる傾向、影響、課題、機会を整理。①観客と参加　②労働力とスキル　③助成環境とビジネスモデルの変化　④新しい技術　が主な内容。

2018年7月18日

『カンヴァセーション *The Conversation*』
一般の人びととステークホルダーに対して、ワークショップやアンケートなどを広く実施して、芸術文化に対する意見をまとめたもの。意見聴取の対象や手法が読み取れる。

『次の10年に向けて：エビデンス・レビュー *Next ten-year strategy: Evidence Review*』
　2010年以降、芸術文化、美術館・博物館および図書館セクターがどう進化したか評価。視点は、①芸術文化セクターにおける芸術のクオリティへの認識と理解　②芸術文化への参加　③芸術文化セクターのレジリエンスと持続可能性について。

『10年戦略のエビデンス：子どもと若者 *Ten year strategy evidence: Children and young people*』
　7歳から25歳までの子どもと若者に対する4つの調査機関による意見聴取とワークショップ実施結果の報告。

2018年9月25日

『レジリエンスとはいったい何なのか？ *What is resilience anyway?*』
芸術文化の世界における「レジリエンス」への理解とは。組織はレジリエンスを獲得しているのか。どのように獲得しているのか。将来的なレジリエンス向上の機会とは。

『文化の変化：芸術、美術館・博物館と図書館の改革のリーダーシップ *Changing cultures: Transforming leadership in the arts, museums and libraries*』
これからの10年で必要となるスキル、アウトカム、評価など。リーダーシップに関する報告書。

『芸術、創造と文化セクターにおけるリーダーシップ、ワークフォースの展開とスキル *Leadership, workforce development and skills in the arts, creative and cultural sector: Evidence Review*』
芸術、創造、文化の分野におけるリーダーシップ、スキル、労働力の多様性と発展に関する評価。

2018年9月28日

『次の10年を形づくる：ACEの新戦略開発2020–2030 *Shaping the next ten years: Developing a new strategy for Arts Council England 2020–2030*』
オンライン・コンサルテーションに応じる前に ACE の考え方を理解するために読むドキュメント。改訂版10年戦略からの6項目の変更点、7項目のアウトカムを提示。

2018年10月1日〜2019年1月2日

『次の10年を形づくる：調査レポート *Shaping the next ten years: Finding report*』
オンライン・コンサルテーションとワークショップで得られた結果の報告。

2018年11月23日

『健康とウェルビーイング、そして刑事司法制度における芸術と文化の位置：エビデンス・サマリー *Arts and culture in health and wellbeing and in the criminal justice system: a summary of evidence*』
芸術文化は不快さを減らせるのか。生涯を通じて芸術文化が健康とウェルビーイング与える影響とは。芸術文化の身体的、心理的、社会的健康に与える影響とは。これらに関するエビデンス・ベースの調査研究報告。

2019年6月13日
『次の10年を形づくる：コンサルテーションのための戦略の草案 *Shaping the next ten years: Draft strategy for consultation*』 新しい10年戦略の草案。18か月にわたって5,000人に対して聴取、収集したエビデンスにより作成した最終版を確定するために公表したもの。
2019年6月18日
『次の10年を形づくる：2020–2030の戦略草案への国民の関与 *Draft Strategy for 2020–2030: Public Engagement report*』 新しい10年戦略の草案に対する反応を確認するために、18歳以上の一般の人びとに対しておこなったワークショップの実施報告書。
2019年7月1日〜9月23日
『次の10年を形づくる：コンサルテーションにむけた草案 *Shaping the next ten years Consultation: 1 July to 23 September 2019*』 新10年戦略の草案に対する最後のコンサルテーション。これまでの経緯、ワークショップなどで得られた意見等を集約。
2019年12月→2020年1月27日
『レッツ・クリエイト！：2020–2030 *Let's Create!: 2020-2030*』 2019年12月に発表予定だったが、総選挙実施の影響を受け、実際の発表は2020年1月に延期。

出典：ACE, *Introduction, Overview of process and evidence up to the summer 2019, consultation, Shaping the next ten years: Consultation 1 July to 23 September 2019*, p. 3

程度の期間、内部でプロジェクトチームを立ち上げて、そのプロジェクトチームが新しい戦略の執筆をおこなう」としたうえで、インタビューでは主に2点述べられた。

　1点目は、戦略策定の際に「セオリー・オブ・チェンジ Theory of change」を使うとした点だ。どういった変化が起きなければならないのか、すなわちどういったことを特定、どう変化を起こすかということをまず設定する。次にエビデンス収集のために多様なデータや情報をリサーチし、エビデンス・ベースで戦略の問題点などを提起して、戦略の基礎となる事項を積み上げる。そうした変化のプロセスを常に取り入れていくというものだ。

　2点目に、コンサルテーションの実施対象の幅広さについてである。まず、直接この戦略によって影響を受ける人たち、現在、助成金を受けている組織に対して実施している。それと同時に、直接は影響を受けない人たち、一般の人、あるいは特に子どもや若者などに幅広く実施したと述べた。

　コンサルテーション実施にあたっては、外部のレファレンス・グループを作り、芸術文化セクターから20人の代表者に集まってもらい、定期的に会って、ACEの

考え方を説明し、反応を尋ねる方法をとったという。最後に、ACEが、どのような経緯を経て結論に至ったのかを知らしめるべく、収集した材料、報告書、データ、ドラフト版の要旨なども全て一般公開していると述べている。ステークホルダーからの意見聴取を実施し、その結果も10年戦略の策定プロセスで報告書にまとめ、発表しながら内容を固めていく様子がわかる。

　こうした手続きを経て発表された新10年戦略の特徴を読み取ってみよう。まず、支援対象領域が以下のとおり幅広く定義された点が特徴となる。

　　ここでは、イングランドのアーツカウンシルが投資する芸術文化団体や関連する組織すべての活動領域（コレクション、複合芸術、ダンス、図書館、文学、美術館・博物館、音楽、演劇、ビジュアルアート）を意味します。これらを「芸術」「美術館・博物館」「図書館」とするのではなく「文化」として総称することで、私たちが支援する全ての活動を含むことを目指しているのです。私たちが戦略策定のために委託実施した調査では、人びとが、クラシック音楽、オペラ、バレエ、または美術に対して「アート」および「アーティスト」という言葉を使用する傾向だということを反映しています。同様に、わたしたちは「アーティスト」ではなく「クリエイティブ・プラクティショナー」を、新しい文化コンテンツを作成したり、既存の文化コンテンツを再形成したりするすべての人びとを指す包括的な用語として使用しています。

　　また、新しいテクノロジーやそのほかの社会の変化により、多くのアーティスト、キュレーター、司書、そのほかのプラクティショナーの働き方や、文化の作られ方や共有方法が変化するため、文化活動間の伝統的な境界がなくなっていることも認識しています。[73]

　このように、対象領域の拡大にともない、領域区分を明示するのではなく広く「文化」ととらえるという考え方、またアーティストではなく、クリエイティブ・プラクティショナーと表現して、芸術文化活動を担う人材をとらえる考え方が示された。

　そして、アウトカムを3つ、さらに投資の原則に4つの項目を掲げた点も特徴だ。

【3つのアウトカム】

　① クリエイティブな人びと Creative People

　② 文化的なコミュニティ Cultural Community

　③ クリエイティブで文化的な国 A Creative & Cultural Country

【4つの投資の原則】

　1. アンビションと質 Ambition & Quality

　2. ダイナミズム Dynamism

　3. 環境への責任 Environmental Responsibility

　4. 包括的で適切であること Inclusivity & Relevance

　3つのアウトカム項目は、それぞれ以下のように言及された。

　「クリエイティブな人びと」では、あらゆる人は生涯を通じて創造性を育み、発揮しうるとしている。創造的なコミュニティ活動への参加は、寂しさをやわらげ、心身の健康とウェルビーイングに役立つと述べた。

　「文化的なコミュニティ」では、市町村は文化への協働を通じて発展するとした。文化および文化体験は地域やそこに住まう人びとに深く継続的な影響を与えるものだとしている。

　「クリエイティブで文化的な国」では、前記2つのアウトカムを達成するための文化セクターの役割が述べられている。芸術を生み出す手法、コレクションの活用、図書館を発展させる想像力や専門知識、さらに創造し共有する文化において、世界をリードすることを目指すともした。

　さらに、フリーランスのディレクター、作家（著述および作品制作）、パフォーマー、デザイナー、作曲家、プロデューサー、画家、キュレーター、司書、彫刻家やコレオグラファーなどが具体例としてあげられ、それぞれが持つバックグラウンドに相応しいキャリア形成がなされるべきだとされている。

　また、4つの投資の原則として、以下のようなトピックが取り上げられている。

　「アンビションと質」：文化関連組織は、意欲的で作品の質の向上に取り組んでいる。

　「ダイナミズム」：文化関連組織は、ダイナミックであると同時に、次の10年間の

課題に対処できる。

「環境への責任」：文化関連組織は、環境に対する責任への取り組みを推進する。

「包括的で適切であること」：われわれが支援する組織や個人、さらに彼らが創造する文化において、イングランドの多様性が充分に反映されている。

　こうして2030年までのビジョンは示された。新10年戦略の特徴は、ビジョンの発表だという点にある。改訂版10年戦略がシンプルな表現でありながら、その指標などを詳細に示したこととは性質を異にする。

　発表のタイミングが、COVID-19が世界を覆いつくす直前だったとはいえ、激しい社会構造変化の時代において、文書で比較的緩やかに示された戦略発表は、むしろ時宜に適ったものとなったと言えるかもしれない。ACEはまったく予測のできない今後の変化にどのように対応していくのだろうか。最善の方法で対応したとしても、社会環境の変化に大きく左右されて、10年後に向けたシナリオ・プランは、再びどこかで改訂の場面が出てくるであろう。しかし現時点で、少なくとも一定の方向性が発表され、芸術文化助成の進む方向が提示されたのである。

注

1　Commonwealth of Australia, *Creative Nation: Commonwealth Cultural Policy*, 1994から筆者訳。

2　トニー・ブレア Anthony Charles Lynton Blair、労働党を率い、1997–2007年、第73代首相を務めた。

3　これらの経緯は複数の書籍で言及されている。Robert Hewison, Cultural Capital, Verso, 2014, pp. 31–62（小林真理訳『文化資本　クリエイティブ・ブリテンの盛衰』美学出版、2017年、46–84頁）. デヴィッド・スロスビー著、後藤和子／阪本崇訳『文化政策の経済学』ミネルヴァ書房、2014年、101–119頁。

4　クリエイティブ産業に関するコンセプトの正式な起源は、1997年にトニー・ブレアが率いる英国の労働党政府が新たに選出され、新しい文化省であるDCMSの中心的な活動としてクリエイティブ産業タスクフォース（CITF）設立を決定したことがあげられる。Terry Flew, *The Creative Industries: Culture and Policy*, Sage, 2012, p. 9. タスクフォースを設立するという考えは、英国の最初のDCMS担当大臣としてブレアによって任命されたクリス・スミスから生まれたものだ。（中略）スミスは、「卓越性」「アクセス」「クリエイティブ産業」「教育」のDCMSの4つの目標を就任後ただちに確定した。（以上、筆者訳）Jonathan Gross, *The Birth of the Creative Industries Revisited: An Oral History of the 1998 DCMS Mapping Document*, King's College London, 2020, p. 5.

5　Creative Industries Task Force, *Creative Industries Mapping Document 1998*, Department for Digital, Culture, Media & Sport (DCMS), 1998.

6 13分野とは、「広告」「アンティーク」「建築」「工芸」「デザイン」「ファッション」「映画」「レジャー・ソフトウェア」「音楽」「実演芸術」「出版」「ソフトウェア」「テレビ＆ラジオ」である。

7 後藤和子・増淵敏之「クリエイティブ産業」文化経済学会〈日本〉編『文化経済学』ミネルヴァ書房、2016年、192頁。

8 DCMS, *Creative Industries Mapping Documents 2001*, 2001.

9 2001年に示された13分野は、以下のとおり、1998年から大きな変更は見られない。「広告」「アート＆アンティーク・マーケット」「建築」「工芸」「デザイン」「デザイナー・ファッション」「映画＆ビデオ」「インタラクティブ・レジャー・ソフトウェア」「音楽」「実演芸術」「出版」「ソフトウェア＆コンピューター産業」「テレビとラジオ」。

10 9つの分野とは、「広告とマーケティング」「建築」「工芸」「デザイン：プロダクト・デザイン、グラフィック・デザイン、ファッション・デザイン」「映画、TV、ビデオ、ラジオ、写真」「IT、ソフトウェア、コンピューター産業」「出版」「美術館、ギャラリー、図書館」「音楽、実演芸術、ビジュアルアート」である。DCMS, *Creative Industries Economic Estimates January 2015*, 2015.

11 クリエイティブ・クラスとは、アーティストはもとより、たとえばコンピューター技術者、メディア人材なども含めて創造的な活動をおこなう人びとを指す。クリエイティブ・クラスの存在と働きによって生み出されるものごとが社会や経済を牽引する「新たな革新」を生み出すととらえる考え方だ。これらの分野で創出された雇用などの数字への言及が特徴である。

12 例として、Florida, Richard. *The Rise of the Creative Class*, 2002（井口典夫訳『クリエイティブ資本論』ダイヤモンド社、2008年）、Florida, Richard. *The Flight of the Creative Class*, Harper Business, 2005（井口典夫訳『クリエイティブ・クラスの世紀』ダイヤモンド社、2007年）、Florida, Richard. *Who's your City?*, Basic Books, 2008（井口典夫訳『クリエイティブ都市論』ダイヤモンド社、2009年）、後藤和子『クリエイティブ産業の経済学』有斐閣、2013年、Hewison, Robert. *Cultural Capital*,verso, 2014（小林真理訳『文化資本』美学出版、2017年）などがある。
　　これらの研究に加えて、ジェントリフィケーション、すなわち都市空間変動現象の観点からの、芸術文化活動と都市の関係性の議論などにも目を向ける必要がある。アーティストたちの活動によってもたらされる都市空間の変動に着目し、結果として形成される都市像とは何かを問いかけ、その帰結を吟味する必要性が指摘されてきた。これについては、笹島秀晃「SoHoにおける芸術家街の形成とジェントリフィケーション」（『日本都市社会学会年報』32、2014、65–80頁）などが参照できる。

13 Jonathan Gross, *The Birth of the Creative Industries Revisited, An Oral History of the 1998 DCMS Mapping Document*, King's College London, 2020, p. 21.

14 ゴードン・ブラウン Gordon Brown、ブレア政権を引き継いで、労働党を率いて、第74代首相となる。2007年から2010年まで首相を務めた。

15 2017年に文化・メディア・スポーツ省 Department for Culture, Media and Sports の組織改編がおこなわれ、デジタル部門が統合された。それまでの略称である「DCMS」は変更せずに使われている。

16 レジリエンスは「『負荷がかかって変形したものが、元の形状に戻る力』という意味が転じて、ストレスからの回復力、困難な状況への適応力、災害時の復元力、といった意味合いでも使われる」とされ、現在では多様な使い方がされる語である。Lynda Gratton, *The Key: How Corporations Succeed by Solving the World's Toughest Problems*, McGraw-Hill Education, 2014（吉田晋治訳『未来企業』プレジデント社、2014年、3頁）. この語については、本章において後述する。

17 ジョージ・オズボーン George Osborne は、2015年当時の下院議員、財務大臣。

18 DCMS, *Culture White Paper*, 2016, p. 49（「カルチャー・ホワイト・ペーパー」『イングランド及びスコットランドにおける文化芸術活動に対する助成システム等に関する実態調査 報告書別冊（以下、ES報告書別冊）』日本芸術文化振興会、2018年、22頁）.

19 2013年発表のACEの改訂版10年戦略では、表紙も含めて全67ページのうち61か所で「投資」あるいは「投資する」「投資家」の語句が登場し、「クリエイティブ産業」は1か所で使用されているのみである。2016年発表のDCMS『カルチャー・ホワイト・ペーパー』には、同じく表紙も含めて全72ページのうち84か所で「投資」あるいは「投資する」「投資家」の語句が使用され（2か所の写真のクレジット表記は除く）、「クリエイティブ産業」は12か所で使われている（資料出典の提示を除く）。こうして、とりわけイングランドで芸術文化助成が語られるとき、その行為が芸術文化への「投資」であるとする考え方が確認される。

20 CSの10年計画『可能性の扉を開き、大志を抱く Unlocking Potential, Embracing Ambition』では、「投資」という語が全31ページのうち6か所で使われ、「クリエイティブ産業」への言及は副題を含めて62か所でおこなわれている。

21 新10年戦略には、表紙を含めて全80ページのうち「投資」「投資する」「投資家」という語句が72か所、「クリエイティブ産業」という語句が16か所で使用されている。

22 Arts Council England (ACE), *Great Art and Culture for Everyone: 10-Year Strategic Framework*, 2013, p. 5.

23 筆者訳、ACE, *Let's Create!: Strategy 2020–2030*, 2020, p. 60.

24 LGBTは、レズビアン Lesbian、ゲイ Gay、バイセクシュアル Bisexual、トランスジェンダー Transgender をあらわしている。現在では、クエスチョニング Questioning/ クイア Queer の頭文字Qを加えて、LGBTQ ともあらわすようになった。また、インターセックス Intersex の頭文字Iを加えて、LGBTI、あるいは LGBTIQ と表記される場合もある。

25 2011年に Museums, Libraries and Archives Council（略称 MLA）から継承。「芸術文化という用語は、芸術、美術館・博物館、図書館のすべてにおける私たちの総合的な責任を簡潔に意味する表現として使用している」（ACE, *Great Art and Culture for Everyone*, 2013, p. 9）。

26 2018年に独立行政法人日本芸術文化振興会が発表した『イングランド及びスコットランドにおける文化芸術活動に対する助成システム等に関する実態調査　報告書（以下、ES報告書）』において、その語の意図する背景や文脈などの十分な検討を経て採用された。10年後に達成する理想の姿をゴールととらえて、戦略的に助成事業に取り組むために位置づけられた目標だとしたことが理由となっている。

27 日本芸術文化振興会『ES報告書別冊』、35–36頁。

28 ここからは、改訂版10年戦略が参照できる。日本芸術文化振興会『ES報告書別冊』、35–50頁。

29 芸術文化団体の運営への助成として2017年度までおこなわれていた。

30 ACE, *Culture, Knowledge and Understanding: Great Museums and Libraries for Everyone*, 2011.

31 運営助成を受けていない芸術文化団体がプロジェクト実施のために申請する事業助成の枠組として2017年度まで設けられていた。

32 「ルネッサンス・メジャー・グラント・プログラム Renaissance major grants programme」は、2012年から2015年まで実施された地域の美術館・博物館に対する助成事業である。

33 ACE, *Great Art and Culture for Everyone: 10-Year Strategic Framework* (2nd edition), 2013, pp. 3–22.（「あらゆる人に素晴らしい文化芸術を：10年戦略フレームワーク」、日本芸術文化振興会『ES報告書別冊』、35–40頁）。

34 *Ibid.*, p. 3（同上、35頁）. 一部、筆者改定。

35 *Ibid.*, p. 13（同上、37頁）. 一部、筆者改定。

36 *Ibid.*, pp. 14–22（同上、38–40頁）. 一部、筆者改定。

37 Big宝くじ基金 Big Lottery Fund は、2019年に国営宝くじコミュニティ基金 National Lottery Community Fund へと名称が変更された。

38 文化遺産宝くじ基金 Heritage Lottery Fund は、2019年に国営宝くじ文化遺産基金 National

Lottery Heritage Fund へと名称が変更された。

39 国営宝くじの資金は、英国全体では、4つのアーツカウンシルをはじめ、12の団体を通じて、芸術、スポーツ、映画などの活動に配分されている。

40 ACE, *Great Art and Culture for Everyone*, pp. 23–37（日本芸術文化振興会『ES 報告書別冊』、40–44頁）を参照。一部、筆者改定。

41 この節は、次の資料を要約したものである。*Ibid.*, pp. 39–60（同上、44–48頁）.

42 *Ibid.*, pp. 42–60（日本芸術文化振興会『ES 報告書別冊』、45–48頁）.

43 CIPFA: The Chartered Institute of Public Finance and Accountancy、英国勅許公共財務会計協会

44 テイキング・パート調査 Taking Part Survey：イングランドの16歳以上の大人と5歳から15歳の子どもを対象とした継続的な対面世帯調査。2005年から運用されている。同調査は、デジタル・文化・メディア・スポーツ省（DCMS）と3つのパートナー組織（ACE、ヒストリック・イングランド、スポーツ・イングランド）の協働で実施されている継続調査である。https://www.gov.uk/guidance/taking-part-survey, Published 31 August 2016, Last updated, 24 June 2021.

45 PLUS：Public Library User Survey 公共図書館利用者調査

46 ACE による報告書『レジリエンスとはいったい何なのか』では、Crawford. S. Holling, *Resilience and stability of ecological systems, Annual Review of Ecology and Systematics*, Vol. 4 (1973), pp. 1–23. で、1970年代には生態系に関する論文で登場している語で、そこでの使用が最初だとしている。ACE, *What is Resilience, Anyway?*, 2018, p. 7.

47 Lynda Gratton, *The Key How Corporations Succeed by Solving the World's Toughest Problems*（吉田晋治訳『未来企業』プレジデント社、2014年）をはじめ、多くの書籍が刊行されている。

48 「アーツマーク Artsmark」は、ACE によって設定された学校や教育施設における創造性に関する唯一の品質基準。芸術と文化教育への取り組みを発展させ、表彰するための環境を支援する仕組み。ACE, *About Artsmark*, https://www.artsmark.org.uk/about-artsmark（2020年11月5日取得）

49 河野哲也『境界の現象学』、筑摩書房、2014年、207頁。

50 ジェニー・リー Jennie Lee（1904–1988）は、1964年から1970年まで、労働党政権下で、文化大臣を務めた。

51 DCMS, *Culture White Paper*, 2016, p. 5（「カルチャー・ホワイト・ペーパー」、日本芸術文化振興会『ES 報告書別冊』、3頁）.

52 *Ibid.*, pp. 8–11（同上、4–6頁）.

53 *Ibid.*, pp. 58–64（同上、27–32頁）. ホワイト・ペーパーでは、カルチュラル・オーガニゼーションなどと表記されているため、文化団体や文化セクターと訳している。

54 Taking Part Survey（テイキング・パート調査：前掲注44）は、2021年6月24日に最新版が発表されている。UK Gov., Taking Part Survey, https://www.gov.uk/guidance/taking-part-survey,

55 ONS：Office for National Statistics、国家統計局

56 BAME：Black, Asian and Minority Ethnic、黒人、アジア系及びエスニック・マイノリティの略。BME とする場合もある。

57 GVA：Gross Value Added、粗付加価値

58 Understanding Society、エセックス大学社会経済研究所による調査

59 RSA：Royal Society for the encouragement of Arts, Manufactures and Commerce、王立技芸協会

60 SP30：Soft Power 30、英国を本拠とするコンサルティング会社ポートランド・コミュニケーションズが毎年発表しているランキング。「デジタル」「企業」「教育」「文化」「政治」など合計6つの評価項目と世論調査により、世界30か国の国際的な影響力を測定している。2019年の英国ランキングは、文化分野はアメリカ合衆国に次いで2位、総合でもフランスに次いで2位だった。https://softpower30.com/

61 Anholt NBI：Anholt Nations Brand Index、国家ブランド指数

62 ALBs：Arm's Length Bodies、アームズ・レングス・ボディ。第2章第1項で詳述する。

63 NPO：National Portfolio Organisation、ナショナル・ポートフォリオ・オーガニゼーション

64 NPM：National Portfolio Museum、ナショナル・ポートフォリオ・ミュージアム

65 DCLG：Department for Communities and Local Government、コミュニティ・地方自治省

66 HMRC：HM Revenue and Customs、歳入関税庁

67 粗付加価値（GVA）と域内総生産（GDP）の関係は、「GVA + taxes on products - subsidies on products = GDP」、すなわち「粗付加価値額＋生産品にかかる税－補助金＝域内総生産」とされる。菅幹雄・森博美著「日本と英国のビジネスデモグラフィーの比較分析」『総務省統計研修所リサーチペーパー』第33号、2014年、10頁。

68 筆者訳、ACE, *Corporate Plan 2018–20*, 2018, pp. 10–13.

69 筆者訳、*ibid.*, p. 24.

70 ACE, *Shaping the next ten years: Developing a new strategy for Arts Council England 2020–2030*, 2018, p. 3. 図表1–3の各報告書概要に関しては、公式ウェブサイト上の資料を翻訳したものである。

71 英国の政策形成については、惣脇宏「英国におけるエビデンスに基づく教育政策の展開」『国立教育政策研究所紀要』第139集、2010年、153–168頁などが参照できる。

72 リチャード・ラッセル Richard Russell は、ACE のチーフ・オペレーティング・オフィサー（COO）の職にある。インタビューは、筆者が2019年11月20日におこなった。

73 筆者訳、ACE, *Let's Create!: Strategy 2020–2030*, p. 12.

A Perspective on
Subsidising Arts and Culture
Strategic Investment by Arts Council England

第2章

芸術文化助成を担う
政府と機関

第1節　英国政府と文化政策

1. 英国政治の多層構造

　本章では、英国の芸術文化助成事業を取り巻く状況をより広く把握するために、英国政府の動向を概観してから、英国政府の文化政策の執行機関として、芸術文化活動に対し戦略的投資をおこなう機関と位置づけられたACEのあり方と、活動の実態を明らかにしていこう。

　英国政府とACEとの関係は実際にはどうなっているのだろうか。実態として「アームズ・レングスの原則」はどのように機能しているのだろうか。こうした疑問にこたえ、英国の芸術文化助成におけるACEの位置づけを把握するために、まず、英国政府について簡単に取り上げておきたい。

1）ゆれる議会

　英国の正式名称は、グレートブリテン及び北アイルランド連合王国United Kingdom of Great Britain and Northern Ireland であり、イングランド、スコットランド、ウェールズ、そして北アイルランドから成る人口約6680万人の国である[1]。

　英国議会での議論の様子はニュース映像などで目にすることも多い。英国議会と言えば二大政党制、すなわち保守党と労働党の二つの政党による政治が長らく特徴となってきた。いわゆる富裕層が保守党に投票し、労働者層は労働党に投票する傾向が強く、2つの政党でほぼ全議席の100%近くを占め、あわせて96%超の得票率だった時期もある[2]。

　ところが近年、二大政党のいずれかによる過半数の議席確保が難しくなるケースが出てきている。EU離脱をめぐる議論などで英国国内の意見が分かれていることを反映して、二大政党もそうした国家的課題に対して党内意見をまとめることが困難になっているのだ。EU離脱を主張する英国独立党UK Independence Party（UKIP）による2015年の総選挙時の得票率が12.6%（ただし、獲得議席数は2議席から1議席に減少）となるなど、二大政党以外の勢力が台頭している。2010年の下院総選挙では、第1党の保守党が全650議席中307議席となり単独過半数を獲得できなかったために、第3党の自由民主党との連立政権が結成された。その後も、2017年の総選挙で第1党となった保守党は過半数を確保できず、再度ハング

パーラメント3の状況に陥ったため、北アイルランドの地域政党である民主統一党 Democratic Unionist Party（DUP）との連立政権をつくった。第3党にはスコットランド国民党 Scotland National Party（以下、SNP）が台頭している。こうして、二大政党制の基礎となってきた中央集権的性格に変化がみられるようになったのである4。

　地方分権への動きも各地で着実に実施されている。1990年代後半には、英国議会からの権限移譲の手続きを経て、イングランド以外のスコットランド、ウェールズ、北アイルランドに議会が設置される。このうちスコットランドでは、1997年にスコットランド議会設置と課税権の移譲に関する住民投票がおこなわれ、74.3％の支持を得て可決されたのち、1998年スコットランド法 Scotland Act 1998が成立、翌1999年にはスコットランド議会選挙がおこなわれ、同議会は一部、立法権限も持つに至る5。これらは、労働党のトニー・ブレアが政権をとった1997年以降の大きな動きである。

　現在では、英国以外の国でも地方議会や自治政府に一部の権限が移譲され、それぞれ一定程度独立して機能している。こうして、「単一国家とされてきた国で、権限移譲により地域レベルの統治機構が新たに形成される事例」が見られるようになっている6。

　こうした中でとりわけ激しい対立の歴史を刻んできた北アイルランドでは、1998年の「グッド・フライデー合意 Good Friday Agreement」により、北アイルランドは過半数が望むうちは英国に残留する、さらに北アイルランド議会の設置が合意され、英国にとどまりながら自治の移譲がおこなわれるという和平合意が成立する。ただし、北アイルランドでは政党間の対立などにより、2017年から約3年間議会が充分に機能しない状況に陥るなど、必ずしも地域分権の理想像が実現しているわけではなさそうだ。

　最近では特に、スコットランドで英国からの独立を主張する活動が活発である。2014年9月にスコットランド独立の是非を問う国民投票 referendum がおこなわれた。結果として、反対55.3％、賛成44.7％と反対の数が上まわった。国民投票では、有権者半数以上が賛成をする必要があり、否決された7。しかしながら、いまだ独立の機運が下がる気配は見えない。スコットランド政府と英国政府とでは、2020年1月におこなわれたブレグジット Brexit（EU離脱）を巡るEUとの関係への

姿勢が異なる。そのためスコットランドでは、2019年にも再度スコットランド独立に向けた国民投票実施の議論がおこなわれている。

2019年12月の総選挙では、EUからの離脱を強く押し出したボリス・ジョンソンが率いる保守党が単独過半数を獲得してサッチャー政権以来とも言われるほどの大勝利をおさめ、労働党が大きく議席を減らし、SNPが引き続き第3党の座にある。

一方で、英国議会には、スコットランド、ウェールズ、北アイルランドの議員が各選挙区から一定数選出されていて、それぞれの地域で選出されている議員の賛否がイングランド域内の政治を左右する場合もある。英国政治を理解するには、この多層性を知る必要がある。英国政治の多層構造を象徴する動きが頻繁に起きている状況や背景を理解しながら今後の英国国内の文化政策にどのような影響を与えるのか注目したい。

2）政府と文化政策

英国政府では、デジタル・文化・メディア・スポーツ省（以下、DCMS）がイングランドの文化政策を担当している。同省において、デジタルの分野が含まれるようになったのは2017年で、それまでの文化・メディア・スポーツ省 Department for Culture, Media and Sport から名称変更され、人員も増えている。略称のDCMSは、そのまま引き継がれた。COVID-19への対応が急務となる今後、より一層デジタル政策が重要視されるようになるのは間違いないだろう。

英国ではDCMS以外の省も文化政策領域にかかわる施策をおこなっている。教育省 Department for Education は、アーツカウンシル・イングランドを通じてミュージック・エデュケーション・ハブ Music Education Hubs（以下、MEH）に資金を出している。MEHは、劇場、オーケストラ、芸術系大学など芸術文化関連機関の力を地域での教育機会や場の確保に活用しようとするものである。「イン・ハーモニー In Harmony」も、教育省とACEの共同事業となっている。

貿易省がコーディネートする「グレート・キャンペーン the Great Campaign」は、文化、遺産、スポーツ、音楽、田園風景、食とショッピングをテーマにして英国を国際的にプロモーションしようと、2012年からACEとの協働で実施されている。

保健省 Department of Health and Social Care（以下、DHSC）とACEとの連携も不

可欠となっている。創造活動や文化活動が人びとの心身の健康とウェルビーイングを増進しうるとして、DHSCとの連携が重視されているのである[8]。健やかな生き方に対する一人ひとりの意識が高まる中で、芸術文化と保健福祉の分野との協働は、今後一層の重点施策になるだろう。

　芸術文化の各ジャンルを通じて、福祉、外交、経済、環境、地域振興などに資するような他省庁主導の施策がおこなわれている事例は、日本でも数多く確認される。ただしイングランドでは、DCMSの所管するアームズ・レングス・ボディ Arm's Length Bodies（以下、ALBs）であるACEに対して、他省により資金も配分されたうえで、各事業が実施されている点に注目したい。さらに他省とACEとの協働が明確に謳われている点も特徴となっている。

　イングランド以外の英国内3か国の文化政策は、スコットランド政府をはじめとする各国政府に対して移譲された政策領域である。スコットランド政府には現在、文化・観光・対外関係総局 Culture, Tourism and Major Events Directorate [9]が設置されている。

　スコットランド政府の設置したクリエイティブ・スコットランド Creative Scotland（以下、CS）も、次項で述べるアームズ・レングスの原則に則った組織である。2014年4月に10年計画『可能性の扉を開き、大志を抱く Unlocking Potential, Embracing Ambition』を発表するなど、スコットランド域内の芸術文化振興を担うため、独自の助成方針を明らかにしている。CSの助成対象の特徴は、映画への助成を扱っている点にある。これは、2010年にCSがスコティッシュ・アーツカウンシルとスコティッシュ・スクリーンの統合により発足したという経緯に由来するもので、ACEの所管する領域と異なる点である。このほか、ウェールズ、北アイルランドにも、それぞれアーツカウンシルが設置されている。

3）文化振興を担う機関 ―アームズ・レングス・ボディ―

　DCMSの予算内訳に相当する各分野に関しては、DCMSが所管するALBsが設置されている[10]。DCMSの所管するALBsは、図表2-1のとおりである。ALBsとは、政府から一定の距離をおいて運営される公的機関を指す。

　ALBsには、エグゼクティブ・エージェンシー Executive Agencies、政府外公共機関

図表2-1　DCMS所管のアームズ・レングス・ボディ（ALBs）

美術館・博物館とギャラリー Museums and Galleries	
大英博物館	王立武具博物館
ジェフリー博物館	王立グリニッジ博物館（複数からなる）
ホーニマン博物館	サイエンス・ミュージアム・グループ
帝国戦争博物館	サー・ジョン・ソーン美術館
ナショナル・ギャラリー	テート（複数からなる）
英国自然史博物館	ヴィクトリア・アンド・アルバート博物館
国立リバプール博物館（複数からなる）	ウォレス・コレクション
ナショナル・ポートレート・ギャラリー	

スポーツ Sport	メディア／クリエイティブ産業 Media / Creative Industries
2022コモンウェルスゲームズ・バーミンガム 　2022組織委員会	BBC 英国映画協会
スポーツ・イングランド	S4C（チャンネル4ウェールズ）
スポーツ競技場安全機関	
UKアンチ・ドーピング機構	
UKスポーツ	

ヘリテージ Heritage	観光 Tourism
教会保存トラスト	英国観光庁
ナショナル・ヘリテージ・メモリアル・ファンド ／国営宝くじヘリテージ・ファンド	（ビジット・ブリテン、ビジット・イングランド）
ヒストリック・イングランド	

芸術文化と図書館 Arts and Libraries	シビル・ソサエティ Civil Society
アーツカウンシル・イングランド	Big宝くじ基金
大英図書館	（国営宝くじコミュニティ基金として運用）
	ナショナル・シチズン・サービス・トラスト

規制機関 Regulators	カルチャー・プロパティ Cultural Property
インフォメーション・コミッショナー・オフィス 　（ICO）	芸術品や文化的関心に基づく物品の輸出に関する 　検討委員会（RCEWA）
放送通信庁（Ofcom）	財評価委員会

ギャンブル Gambling	そのほか Other
ギャンブル委員会	電話有料サービス規制機関（PSA）
競馬場賭博賦課金委員会	

出典: Department for Digital, *Culture, Media & Sport – Annual report and accounts for the year ended 31 March 2020*, p. 12.

Non-Departmental Public Bodies（以下、NDPB）、非大臣省 Non-Ministerial Departments、パブリック・コーポレーション Public Corporation が含まれていて、DCMSはALBsに直接交付金を拠出している。

　DCMS所管のALBsにおける11のカテゴリーは、「美術館・博物館」「スポーツ」「メディア／クリエイティブ産業」「ヘリテージ」「観光」「芸術文化と図書館」「シ

ビル・ソサエティ」「規制機関」「カルチャー・プロパティ」「ギャンブル」「そのほか」とされている。

　ACEは、大英図書館と共に、「芸術文化と図書館」のALBsに分類されている。そのほかには例えば、ナショナル・ギャラリーや大英博物館は「美術館・博物館」、ヒストリック・イングランド Historic England などの文化遺産関連のALBsは「ヘリテージ」に、BBCは「メディア／クリエイティブ産業」に分類されるALBsである。

　DCMSは、文化政策上の優先事項6つの項目とリスクを整理したうえで、各ALBsがそれらのリスクに対応する方針を提示した。EU離脱、すなわちブレグジットにも関連する「グローバル化」のほか、「成長」「デジタルを通じてつながること」「参加」「社会」「即戦力と効率化」が6つの項目である。このうち、「グローバル化」「参加」の2つが、ACEが関与すべき事項だとされている。

　まず「グローバル化」については、「国際貿易、投資を呼び込み、世界中の人びとと価値を分かち合うこと─英国はくらし、はたらき、訪れる場所として優れていることを伝える」などを目的にあげて、英国の観光客の増加や国際大会でのメダル獲得数などの成果に言及した。

　次に「参加」については、「社会的行動、文化的、スポーツ、および身体活動を最大化する」点を掲げた。16歳以上の英国国民のうち2017年度に芸術にかかわった人79%、文化遺産を訪れた人73%、美術館・博物館を訪れた人50%、公共図書館を利用した人は33%など具体的な統計結果が示されている[11]。

　このように具体的な数値で成果を示しながら、各ALBsの役割説明がおこなわれているので、これらの文書を通じて、ACEに期待される事項が理解できる。

2. 予算からみた文化政策

　イングランドの文化政策を担う2018年度のDCMSの年間予算は、72億1600万ポンド（約1兆824億円[12]）である[13]。

　これ以前のDCMSの予算額の変化を見てみよう。2012年のロンドン・オリンピック・パラリンピック時の予算は88億200万ポンド（約1兆3203億円）だった。前2017年度の68億500万ポンド（約1兆207億5000万円）は、2012年度に比べると減少してはいるものの、2018年度は若干の伸びを示している。

図表2-2 DCMSの予算内訳（2018年度 単位：百万ポンド）

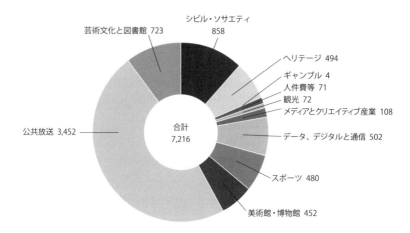

芸術文化と図書館 723

シビル・ソサエティ 858

ヘリテージ 494

ギャンブル 4

人件費等 71

観光 72

メディアとクリエイティブ産業 108

データ、デジタルと通信 502

スポーツ 480

美術館・博物館 452

公共放送 3,452

合計 7,216

出典：Department for Digital, *Culture, Media & Sport – Annual report and accounts for the year ended 31 March 2019*, p. 9.

　DCMSの年間予算は、図表2-2のとおり、DCMSの運営経費も含めると、11のカテゴリーに分類されていて、「芸術文化と図書館」は、7億2300万ポンド（約1084億5000万円）の予算となっている[14]。ACEの予算は、このカテゴリーに含まれ、4億8691万ポンド（約730億3650万円）が配分されている[15]。

　スコットランド政府の文化・観光・対外関係総局の2020年度予算は、3億6550万ポンド（約548億2500万円）である[16]。そのうち、スコットランドにおける芸術文化助成機関であるCSに対する関連予算は、6730万ポンド（約100億9500万円）となっている。

3. アーツカウンシルの展開

　現在の制度運用に至るまでの、英国におけるアーツカウンシル制度の変遷を見てみよう。図表2-3は、ACEの公式ウェブサイトの発表[17]に、スコットランドほかにも目を向け、関連事項を加えて整理したものである。イングランドを中心とするアーツカウンシル制度の整備と組織再編を通じた英国の文化政策上の地方分権の経緯が見て取れる。

　1994年は、国営宝くじからの収益の一部が政府の補助金とあわせてアーツカ

図表2-3　アーツカウンシルの展開　　　　　　　　　（太字はアーツカウンシル相当機関）

1940年	**音楽・芸術振興協会 Council for the Encouragement of Music and the Arts**（以下、**CEMA**）が設立
1942年	ジョン・メイナード・ケインズ John Maynard Keynes が **CEMA** の議長に就任[18]
1945年	**CEMA** から、46の団体が資金援助を受ける
1946年	ケインズ死去（4月21日）。**CEMA** から**アーツカウンシル・グレート・ブリテン Arts Council for Great Britain（ACGB）**へ[19]（8月9日に勅許状交付）
1955年	**ACGB** がロイヤル・オペラ・ハウスなど92の団体に助成金交付
1964年	ジェニー・リー Jennie Lee が初代文化大臣に就任
1965年	文化省から「カルチャー・ホワイト・ペーパー」にあたる『芸術のための政策：ファースト・ステップ *A Policy for the Arts: the first steps*』発表
1989年	ワイルディング・レポート[20]公開。**ACGB** と地域との関係への提言[21]
1992年	国家遺産省 Department of National Heritage が発足
1993年	国営宝くじ法が可決
1994年	**ACGB** が**アーツカウンシル・オブ・イングランド、スコティッシュ・アーツカウンシル、アーツカウンシル・オブ・ウェールズ**に分割。国営宝くじからの資金配分開始
1995年	**アーツカウンシル・オブ・北アイルランド**が現行の形態へと改革
1997年	文化、メディア、スポーツ省 Department for Culture, Media and Sports（DCMS）創設。クリス・スミス Chris Smith が DCMS の最初の閣内大臣に
2002年	**アーツカウンシル・オブ・イングランド**と10の地方芸術委員会が統合
2003年	**アーツカウンシル・イングランド Arts Council England（ACE）**の名称に
2008年	マクマスター・レポート発表[22]。**ACE** がマンチェスターにサービス・センターを設置
2009年	ノース・エリア・オフィスに併設される形で、マンチェスター・オフィスが整備され、**ACE** の業務の地方移転への動きが加速
2010年	**ACE** が初めての10年戦略『あらゆる人に素晴らしい芸術を』発表 スコティッシュ・アーツカウンシルとスコティッシュ・スクリーンが統合、**クリエイティブ・スコットランド（CS）**発足
2011年	MLA[23] 所管の業務のうち、美術館・博物館や図書館に関するサポートを **ACE** に移管
2012年	「2012ロンドン・オリンピック、パラリンピック」開催。DCMS が「アーツカウンシル・イングランド　マネジメント・アグリーメント 2012–2015」で、一般管理費の実質値50% カットなどを発表
2013年	**ACE** の組織再編実施、職員数が559.5人から442人に[24]。新しく拡大した美術館・博物館、および図書館への対応を反映して、改訂版10年戦略『あらゆる人に素晴らしい芸術文化を』発表
2014年	**CS** が10年計画『可能性の扉を開き、大志を抱く』発表
2016年	DCMS が『カルチャー・ホワイト・ペーパー』発行
2017年	DCMS がデジタル・文化・メディア・スポーツ省 Department for Digital, Culture, Media and Sports（DCMS）に再編される。
2020年	**ACE** が新10年戦略『レッツ・クリエイト！』発表

ウンシルに配分されるようになった年でもあり、現在に至っている。国営宝くじからの収益がACEやCSを通じて各芸術文化組織に配分されている事実は、助成事業の名称に「国営宝くじ」と冠することで、現在では一層強調されるようになっている。

　アーツカウンシルの歴史は、国全体の芸術文化振興を担う機関としてのあり方から、地域に根差した芸術文化振興に目配りをする機関へと、その性格を徐々に変化させ、組織が分割される過程でもある。政策官庁としてのDCMSや各国政府が国の政策全体を担う立場を確保しつつ、各事業を執行する機関として、アーツカウンシルを各エリアで機能させている。そのためのオフィス分散であり、人員配置となっているのである。

第2節　アーツカウンシル・イングランドの組織構造

　ここからはACEの組織について見てみたい。ACEの組織構造について知ることが、イングランドにおける芸術文化助成の理解につながるのはなぜなのか、読み進めるうちにその理由が見えてくるであろう。

1. エリア
1) 5つのエリア

　ACEは、イングランド全体を活動の対象範囲としており、図表2-4のとおりイングランド域内を5つのエリアに分割、体制を整備している。5つのエリアとは、ノース・エリア、ロンドン・エリア、ミッドランズ・エリア、サウス・ウェスト・エリア、サウス・イースト・エリアである。現在は、ノース・エリアには、マンチェスター・オフィスとして、ナショナル・ザ・ハイブ National the Hive が、ロンドン・エリアには、ナショナル・ブルームズベリー National Bloomsbury が、それぞれ地域の中核オフィスとして開設されている。

　これら2か所に加えて、バーミンガム、ブライトン、ブリストル、ケンブリッジ、リーズ、ニューカッスル、ノッティンガムの7か所、合計9か所のオフィスが設置されて運営されている。

図表2-4　ACE エリア・マップ

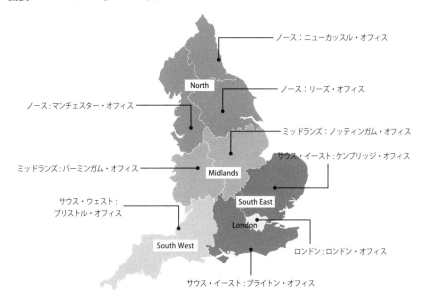

ノース：ニューカッスル・オフィス

ノース：リーズ・オフィス

ノース：マンチェスター・オフィス

ミッドランズ：ノッティンガム・オフィス

サウス・イースト：ケンブリッジ・オフィス

ミッドランズ：バーミンガム・オフィス

サウス・ウェスト：
ブリストル・オフィス

ロンドン：ロンドン・オフィス

サウス・イースト：ブライトン・オフィス

2）マンチェスターへのオフィス移転

　ACEは、2021年現在ノース・エリアにあるマンチェスターにメイン・オフィスを置いている。これは、英国、およびイングランドの政治経済にかかわる主要機能の、ロンドンへの一極集中解消を目的としたものである。

　ロンドンからのACEのオフィス移転経緯は以下のとおりである。

　2008年7月にマンチェスターに新しく開設されたオフィスに、IT関連業務などを取り扱う新しいサービス・センターが置かれる。同時に5つのエリア・オフィスも各地に設置された。各エリア・オフィスへのディレクターの配置などにより、エリア統括機能がそれぞれに整備されていく。

　2009年には、財務チームとコールセンター業務がマンチェスターで立ち上げられており、これらがノース・エリア・オフィスに併設されて、マンチェスター・オフィスが拠点として整備される。ACEにおける地方分権が実現したのである。

　これはブレア政権以降の地方分権の流れとも合致した。助成の執行機関としてのACEが、地域に密着した活動をおこなう体制を整えるために、ノース・エリアの

中核都市マンチェスターへの移転が企図されたのである。政府にとって、地方分権の実質化が大きな課題となる中で、ACEによる地域での戦略的活動を高める目的とも重なった。すなわち、ACEが芸術文化助成の実務を担うにあたって、各エリアでの助成事業に目配りをするために、メイン・オフィス機能の地方移転はACEの業務の実態に即して取られた措置なのである。

　アーツカウンシルが、国全体の芸術文化振興を担う機関としてのあり方から、地域振興に一層注力して芸術文化支援を担う機関としての役割を明確に提示し、組織構造を再整備する過程だとも言える。そうして、地方への機能分散の実現のために、そのマネジメント機能を分割、移転するに至った。

2. 組織

　ACEに関わる組織として、ナショナル・カウンシルと5つのエリア・カウンシルおよび専門委員会が設置されている。加えて、6つの限定的な目的のための専門委員会も設置されている。

　ACE本体は、エグゼクティブ・ボード、ナショナル・リーダーシップ・グループを構成する複数のシニア・オフィサー、さらにナショナル・オフィス・チームとしてACEの組織マネジメントなどを担うオフィス・スタッフ、さらに助成現場の最前線で活動するリレーションシップ・マネージャーなどの現場スタッフで構成されている。

1) ナショナル・カウンシルとエリア・カウンシル

　ACEに対して、ナショナル・カウンシルと、各エリアに設置された5つのエリア・カウンシルの2種類の評議会が、外部委員会として設置され、ACEの組織ガバナンス(組織統治)が外側から形作られている。

　それぞれの役割と体制は以下のとおりである[25]。

【ナショナル・カウンシル】

　ACEのガバナンスを担い、ACEの組織運営全体に対する責任を持つ。ミッション、目的、優先事項、戦略に関する決定をする。特定の金額以上の助成を承認するとともに、10年戦略を「モニタリング」する。コーポレート・プラン、助成金と国営宝くじの会計を承認する。さらに、芸術文化とACEの擁護者(唱道者)となる。

15名のメンバーで構成され、ACEの会長と5つのエリア・カウンシルの5名の議長を含む。任期は4年。人選はACEがおこない、任命はDCMSの大臣による。

【エリア・カウンシル】

　政策や戦略へのアドバイスやナショナル・ポートフォリオ（団体）の決定や推薦をおこなう。

　5つの各エリアにそれぞれ配置されている。各エリア・カウンシルには、議長、9名のメンバー、5名の地方自治体代表で構成されていて、議長はナショナル・カウンシルのメンバーを兼ねる。アーティストや芸術文化関係者が就任する。

　メンバーと地方自治体代表は基本的にナショナル・カウンシルが任命する。

2）専門委員会

　上記の2つの外部委員会に加えて、6つの特定の目的を持った専門委員会がACEに対して助言するために設置されている[26]。ACEの会計監査、リスク監視、ACEのシニア・エグゼクティブの給与や賞与の額を決めるなど、ACEの組織や制度そのものに直接かかわる事項や国に寄贈された美術品や展示物へのアドバイスなど専門的な事項を取り扱う機関として設置され、ACEを組織外から形作る役割として機能している。

【執行・監査委員会】

　組織の財政リスク、パフォーマンス・マネジメント、ガバナンス、バリュー・フォー・マネー[27]に対する評価とアドバイスをおこない、会計とリスク委員会の責任を果たす。

　ナショナル・カウンシルのメンバーが委員長を務め、ナショナル・カウンシルのメンバー4人と3人の委員会独自のメンバーから構成される。

【報酬委員会】

　シニア・エグゼクティブの給与、ボーナス、およびそのほか契約条件を決定する。

　委員長はナショナル・カウンシルのメンバー、後の4名もナショナル・カウンシルのメンバーから選ばれ、構成される。

【美術館・博物館認定委員会】

　英国における美術館・博物館の認定申請を決定し、質の保証をする。さらにスキームを唱道する。16〜20名で組織される。

【指定とスキーム・パネル】

　収蔵品指定制度に対する美術館・博物館、図書館、公文書館からの申請を決定し、品質を保証する。さらに、スキームを唱道する。10名で組織される。

【芸術品による代替納税制度 Acceptance in lieu（AiL）パネル[28]】

　国家へ寄贈された美術品や展示物への助言をおこなう。6〜24名で構成される。

【アーツカウンシル・コレクション取得委員会】

　アーツカウンシル・コレクションに新しく追加される作品に助言をおこなう。8名で構成される。

3）アーツカウンシル・イングランドのチーム配置

　2017年度のACEの職員数は492名と発表されている[29]。その後、2018年度当初には521名（フルタイム換算では490名）とされたが、以降の増員予定もアナウンスされた[30]。

　この段階では、人員の増加傾向が見て取れるものの、ACEの組織がこれまで拡大の一途を辿ったというわけではない。ACEの職員数は、2013年にはフルタイム換算で559.5人から442人へと削減されている。当時は、2012年ロンドン・オリンピック・パラリンピック終了後のタイミングであり、芸術文化助成に対する資金確保を目的として、ACEの運営費削減、ロンドン一極集中を避けるためのマンチェスター・オフィスへの移転を進めるなどの組織改編を伴うものとなった。経済情勢や社会の変化の波を直接受け止めつつ、職員数を増減させながら、形を変えるACEのあり方が見て取れる。

　それでは、ここからACEの組織構成を詳しく見ていこう。

　ACEは、エグゼクティブ・ボードとナショナル・リーダーシップ・グループが統括している。そして、ナショナル・オフィス・チームのスタッフ、およびリレーションシップ・マネージャーたちが配置されるという構造になっている。

　図表2-5は、ACEが発表しているスタッフのリクルート資料に記載された組織図である。ACEにおけるチームの設置状況を可視化したうえで、組織構造がシンプルに示されていて、どのようなチームがACEに置かれているのか一覧できる。ただし、実際の詳細な人材配置を見ると、その実態はかなり複雑だと理解できる。

図表2-5　ACEの組織図[31]

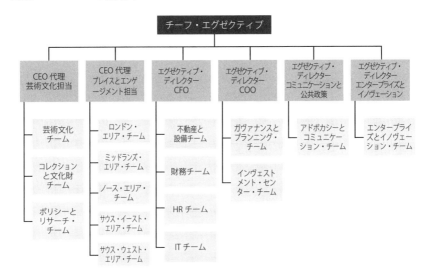

出典：Arts Council England, *Join Our Team*, 2019, p. 6.

4）エグゼクティブ・ボードとナショナル・リーダーシップ・グループ

　まず、ACEの組織をリードするエグゼクティブ・ボードとナショナル・リーダーシップ・グループの配置状況を把握してみよう。

　図表2-6「エグゼクティブ・ボードとナショナル・リーダーシップ・グループ」のとおり、エグゼクティブ・ボードはチーフ・エグゼクティブに加え、6人の責任者たちの合計7人で構成されている。

　ナショナル・リーダーシップ・グループの組織図は、各分野を束ねるディレクターたちの関係を示している。各ディレクターは、各専門分野の責任者であるとともに各エリアの責任者を兼ねていることが見て取れる。例えば、音楽分野のディレクターはロンドン・エリアのディレクターを兼務しており、クリエイティブ産業のディレクターはミッドランズ・エリアのディレクターを兼ねるという具合である。それぞれが専門分野のディレクターを務めながら、ロンドンやノースなどのエリア・クラスのディレクターや、バーミンガムやケンブリッジなど、より一段階、細分化された地区のディレクターの任にも就いている。

図表2-6　エグゼクティブ・ボードとナショナル・リーダーシップ・グループ

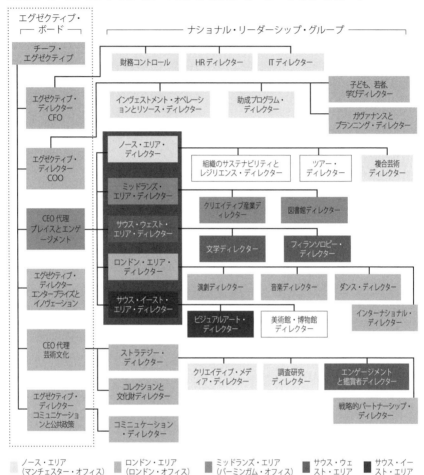

出典：『イングランド及びスコットランドにおける文化芸術活動に対する助成システム等に関する実態調査報告書』日本芸術文化振興会、2018年、37頁を参考に筆者改訂

　マンチェスター・オフィスは組織運営の中枢となっていて、ノース・エリアのディレクターは、HRや技術、財務など、多くの職員が配置されているACEの総務系のディレクターを兼務している。また、ロンドン・エリアには演劇、音楽、ダンス、国際など、特定の専門分野のディレクターたちが配置されていて、ロンドンが創造活動の中心である状況を物語っている。

5) ナショナル・オフィス・チーム

　ACEには、主に事務局として組織運営を担うオフィサーたちと、被助成団体との接点となり、助成現場の最前線を担うリレーションシップ・マネージャーたちが配置されている。

　そのうち、イングランド全域の組織運営を担うスタッフ群を、ナショナル・オフィス・チームと呼んでいる。図表2-7のとおり、財務、IT、不動産・設備など、ACEの組織全体にかかわる運営業務を担当している人材である。彼らナショナル・オフィス・チームは、マンチェスター・オフィスの人員が8割以上で本部機能を担っていて、ロンドン・エリアやそのほかのエリア・オフィスに残りの人が配置されている。

図表2-7　ナショナル・オフィス・チームのスタッフ配置 (2018年)

オフィス	部署		人数	合計
マンチェスター	コミュニケーション		9	127
	不動産・設備		2	
	財務		16	
	ガバナンスとプランニング		5	
	HR		7	
	IT		16	
	インベストメント	顧客サービス	13	
		助成プログラム	13	
		運用とリソース	46	
ロンドン	コミュニケーション		9	20
	不動産・設備		3	
	ガバナンスとプランニング		4	
	インベストメント	助成プログラム	4	
バーミンガム	不動産・設備		1	5
	ガバナンスとプランニング		3	
	インベストメント	助成プログラム	1	
ブリストル	不動産・設備		2	2
(在宅勤務)	HR		2	3
	インベストメント	助成プログラム	1	
総計				157

出典:『イングランド及びスコットランドにおける文化芸術活動に対する助成システム等に関する実態調査報告書』日本芸術文化振興会、2018年、39頁を参考に筆者改訂

6）リレーションシップ・マネージャー

　リレーションシップ・マネージャー Relationship Manager（以下、RM）は、被助成団体との間をつなぐACE側の窓口となる「専門スタッフ」である。彼らの存在と働きこそが、ACEの被助成団体との信頼関係を結ぶ役割であり、ACEの活動を特徴づけている。RMについては、第5章でも詳述している。

　RMの配置は、図表2-8のとおりである。フルタイム換算で184名のスタッフの地域配分、および分野配分が詳細に見て取れる。RMを統括する役割のシニア・リレーションシップ・マネージャー Senior Relationship Manager（以下、SRM）の数、さらに配置されたRM数の多寡は、各エリアの活動の状況を反映したものだと図表2-8と合わせて考えるとよい。

　RMの専門性がどのように設定されているのか見てみよう。

　まず、8つの専門分野「音楽」「ビジュアルアート」「複合芸術」「演劇」「美術館・博物館」「ダンス」「文学」「図書館」が設定されている。次に、5つの政策領域が設定されている。「多様性」「クリエイティブ・メディア」「子ども、若者、学び」「関与（エンゲージメント）と鑑賞者（オーディエンス）」「ツアー」である。各分野、あるいは分野を横断する課題に対応するポスト設置の状況がわかる。

　これらの具体的な専門分野や政策領域の設定などから、ACEが担う文化政策の方向性を読み取ることが可能だ。もちろん、ACEの助成を受けている芸術文化団体の存在が前提とはなるものの、各エリアへのこれら各分野を担当するRMの配置数に地域における活動の状況や重点課題などが結果として反映されるのである。

第3節　アーツカウンシル・イングランドと政府の関係
1. 芸術文化助成と政治

　「アームズ・レングスの原則 Principal of Arm's Length」とは、文字通り「腕の長さ」の距離を保った関係構築が望ましいという、当事者間の独立性を表すものである。その言葉に由来するアームズ・レングス・ボディ Arm's Length Bodies（以下、ALBs）は、芸術文化の分野をはじめ、政策実現のための事業を展開する各機関を指す。ALBsの一つであるACEは、政府補助金を芸術文化団体に対し配分す

図表2-8　リレーションシップ・マネージャーの配置（2018年）

		ノース	ロンドン	ミッド ランズ	サウス・ ウエスト	サウス・ イースト	合計
シニア・リレーションシップ・マネージャー		9	8	4	4	4	29
分野	音楽	7	7	5	1	4	24
	ビジュアルアート	5	5	2	2	2	16
	複合芸術	9	4	2	2	2	19
	演劇	5	10	3	2	2	22
	美術館・博物館	5	1	2	1	2	11
	ダンス	2	2	3	1	1	9
	文学	2	3	1	1	1	8
	図書館	1	1	1	1	1	5
政策領域	多様性	1	1	1	1	1	5
	クリエイティブ・メディア	2	1	2	1	1	7
	子ども、若者、学び	3	2	2	2	5	14
	関与と鑑賞者	3	1	2	1	2	9
	ツアー	1	1	2	1	1	6
合計		55	47	32	21	29	184

出典：『イングランド及びスコットランドにおける文化芸術活動に対する助成システム等に関する実態調査報告書』日本芸術文化振興会、2018年、40頁を参考に筆者改訂

る機関として、文化行政において芸術の自由と独立性を保つための存在となる。

　加えてこの考え方は、資金の提供元である政府と資金を提供する先である被助成団体との関係において、助成事業の安定した運用のためにも必要だと言えそうだ。既述のとおり、英国国内政治は多層構造となっている。加えて、英国内の各国が望むEUとのそれぞれの関係、その現実など、国内の政治や対外政策は一言で言えばダイナミズムに満ちた状況、すなわち変化がおこりやすい状態にある。その状況に直接左右されないために、アーツカウンシルが緩衝材の役割となって創造現場の活動に一定の安定をもたらしているとも言える。だからといって、政府がALBsのありかたに責任を持たないというわけではなく、戦略策定には関与するし、レビューも実施している。

　ACEのリチャード・ラッセルによると[32]実際のところ、組織間の一定の距離を表現した言葉である「腕の長さ」は、時と場合によって長くも短くもなるという。「国家」が一丸となって一つの物事に取り組む時、政府と芸術文化との距離は近くな

らざるを得ない。その典型的な事例が、2012年ロンドン・オリンピック・パラリンピックだ。この時は、一国の威信をかけておこなわれる文化プログラムのために、多額の助成金がACEを通じて投入された。国家として総合的な政策が推進されることから、現場への政府の関与度は強くなる。そのため、一時的に「腕の長さ」が短くなるというのである。「腕の長さ」が、状況によって伸縮自在になるとは言い得て妙だ。政治と芸術文化との間の距離を保つという考え方は、あくまで「原則」だとする。注意したいのは、腕の長さが一方的な都合で短くなることはないという点である。本節2.3）で詳述するが、あくまでも「アームズ・レングスの原則」は守るべき理念として尊重されているのだ。

　COVID-19禍に見舞われ、芸術文化団体の経営が揺らぐ事態となって、追加資金の提供などがおこなわれているが、今後ACE、あるいは政府からの関与がどの程度のものになるのかは注意して見守らなければならないだろう。芸術団体やアーティストなどの個人に直接届くような施策が要請される中で、各国各機関のリーダーたちには緊急事態への対応が求められている時である。

　こうした大規模な国家的イベントや危機管理などの必要のない「平時」におけるDCMSからACEへの実際の関与も、コミュニケーションの頻度や内容などから見て、完全に分離して任されているというわけではない。DCMSとACEとの間のミーティングのスケジュールは具体的に定められ、報告の義務が課されている[33]。

　しかし、芸術文化団体、美術館・博物館、図書館など被助成団体との関係性の構築やリスク・マネジメントはACEに一任されており、助成事業の企画立案、運用についてもACEに任されている状況にある。これらを通じて各芸術文化団体の活動の自由が守られていると言ってよいだろう。

2.「アームズ・レングスの原則」の実際　—政府との距離—
1）人事への関与

　ACEの人事に対するDCMSによる直接の関与は、基本的にはおこなわれていない。とはいえ、ACEの外部委員会の位置づけにあるナショナル・カウンシルの会長、およびほかの評議員は、DCMSの閣内大臣による任命手続きがとられる。加えて、ACEのチーフ・エグゼクティブはDCMSの閣内大臣からの承認が条件

となっていて、ナショナル・カウンシルにより任命される。さらにチーフ・エグゼクティブは、DCMS から ACE のアカウンティング・オフィサーにも任命されて兼務する。アカウンティング・オフィサーは、英国議会、DCMS、ACE のナショナル・カウンシルおよびエリア・カウンシルなどに対して会計報告をおこなう責任がある。

このほか、ナショナル・カウンシル、エリア・カウンシル等を構成する外部専門家、さらに ACE のシニア・オフィサーにも採用規定がある。ACE で実際にはたらくディレクター・レベルの人事は組織内でおこなわれており、一部のトップ人事の任命を除き DCMS の関与はほぼないと言ってよいし、DCMS からの出向者がいるわけでもない。そのほかのスタッフについても ACE が独自に採用している[34]。

2）新10年戦略の策定と政府の関与

新10年戦略が発表される直前に、10年戦略の策定のプロセス、さらに芸術文化助成への政府の関与について、リチャード・ラッセルは「戦略策定や資源配分に関しては、ACE の意思決定が重要だとは言っても政府からの資金なので、事業計画立案などの際に一定の政府の意向は反映する」と語った。また、「10年間の戦略計画を策定するにあたって、メインテーマや目的については大臣たちと協議して、どのように資源配分に影響が出るか話し合う」とも述べた。

このように、10年戦略を策定する過程で、さらに戦略に基づいた計画策定などの際にも、政府との協議が実施されていることがわかる。先に検証したように、『カルチャー・ホワイト・ペーパー』と10年戦略の相互関係が深い理由は、上記のインタビュー内容をふまえれば理解できる。

3）芸術文化助成とリスク・マネジメント

被助成団体の運営や各団体による助成金運用に対するリスク・マネジメントは、第4章第2節で述べる。ここでは ACE におけるリスク・マネジメントの基本となる考え方について、あらかじめ取り上げておこう。

2019年秋に、日本国内で芸術文化活動の補助金をめぐる論議が大きくクローズアップされた。直後の2019年11月、芸術文化助成への政府の関与についても ACE のリチャード・ラッセルに直接問いかけた[35]。ラッセルは、「そうした問題が

出てきた場合には、その組織のリーダーシップで対応してもらうというのが私たちのスタンス」だとして、被助成団体側の適切な対応を期待すると述べた。すなわち「助成金を受けている各組織が、自らのガバナンスやマネジメントの範囲で責任を取るべきだというのがACEとしてのアプローチ」だとしたのである。ただし、「当該組織に対してACEが認める組織のリスクレベルには影響が出てくるので、ACEからの組織に対するモニタリングが一層強化されることはあり得る。が、問題自体は組織独自の責任で対応してもらうというのがACEの立場だ」と明言した。被助成団体の活動が社会的な問題となった場合、当該組織側の自己責任が問われるべきだというスタンスをとるのである。決定するのはあくまでも活動を主催する各芸術文化団体だとしているのだ。さらに、ACEは自らの組織の立場とRMの立場について、さらに巨額の資金提供を受けるナショナル・ポートフォリオ・オーガニゼーション（以下、NPO）との関係性と責任の所在について、公式文書で以下のようにアーツカウンシルとのやりとりを明らかにしている。

リレーションシップ・マネージャーはACEとNPOがやりとりをおこなう窓口の役割を果たす。彼らはコミュニケーションの維持に加え、団体のモニタリングを主導し、助成決定を通知するなどの判断をする。

　リレーションシップ・マネージャーは、クリティカル・フレンドcritical friend、すなわち時には批判もいとわない友人であり、団体の活動に対するフィードバックを提供するとともに、助言や支援を得られるような情報源を提案する。ただし、法務、財務、またはそのほかの専門的な助言をすることはできないし、作成中の申請書にフィードバックの提供を期待するべきではない。

　そして、イングランドの法の下で、法的責務を適切に果たすように努めるのは、常に、各団体のディレクター、スタッフ、または団体の事案に主導権を持つ人物の責任である。[36]

　上記のとおり、ACEはあくまで芸術文化団体を見守る立場であり、とりわけRMは交渉の窓口となり、モニタリングをおこなう立場、決定の通知者ではあるが、法務、財務ほかの専門的な助言はおこなわないとしている。そのうえで、団体が実

施した活動に対する責任は、各組織が持つべきだとするACEの方針が公式文書でも確認できる。具体的な危機に対して対応を決定するのはあくまでも実施者である芸術文化団体側であり、助成側はモニタリングする姿勢を保つ。

　被助成団体が経営危機に陥ったり、何か不祥事が起きたりしたときの責任は、団体側にある。公的助成金を受けている組織であること、さらにそれによって実施する活動に関する社会的責任は、団体自らが果たすべきであると明言しているのだ。

3. 政府とのコミュニケーション
1） デジタル・文化・メディア・スポーツ省と　　アーツカウンシル・イングランドの関係

　政府とALBsとの間では、マネジメント・アグリーメントが締結される。これは、英国議会や国民に対する説明責任を担保するためだとされる。2016年に発表されたDCMSとACEの間のマネジメント・アグリーメントは、DCMSの閣内大臣と、ACEの会長、およびACEのアカウンティング・オフィサーがサインしたものである[37]。

　ALBsとしてのACEと政府すなわちDCMSとの関与、さらにコミュニケーション頻度と内容などについては、このマネジメント・アグリーメントに具体的に示されている。最新の『マネジメント・アグリーメント *Management Agreement 2016–2020*』の内容は、「優先事項、助成と関与」「財務管理について」「ACEのガバナンスの枠組について」の3部構成による41ページにわたる文書である。

　マネジメント・アグリーメントに記載された事項の要点を抜粋してみよう。

パートA：優先事項、助成と関与

1. DCMS閣内大臣による優先事項
　テイラード・レビュー[38]の実施、メンドーサ・レビュー[39]の実施[40]
2. 資金配分
3. 業績の測定
　2018–2020年度の重要業績評価指標 Key Performance Indicator（KPI）は以下のとおりである。
　KPI1：NPOとメージャー・パートナー・ミュージアム Major Partner Museum（以下、

MPM）の鑑賞者や訪問者。総鑑賞者数／総訪問者数、5つの地域ごと

KPI2：NPOとMPMの理事会メンバーのうち、BAME、LGBT、女性、障がい者の割合

KPI3：期間中、少なくとも一度は映像配信あるいは放送されたNPOの割合

KPI4：NPOとMPMの寄付や収入が増加すること。総額、5つの地域ごと

KPI5：国際的な活動をおこなうNPOの割合

KPI6：ブリッジ・オーガニゼーションへの助成により、意義のあるコンタクトを確保した学校の数

KPI7：ACE内部で把握している助成申請の割合

4.関与

パートB：財務管理について

パートC：ACEのガバナンスの枠組について

23. ACEのビジネス・プランは、2～3年あるいはそれ以上の期間について示されるべき

32.「平等法」へのコンプライアンスとして、多様性については、次のとおり言及されている。

年齢age、障がいdisability、ジェンダー適合gender reassignment、妊婦pregnancy and maternity、人種race、宗教あるいは信仰religion or belief、性sex、性的指向sexual orientation

　前回、2012年に発行された『マネジメント・アグリーメント』と比べると、KPIが示された点、多様性に関する言及がなされた点が特徴である。会合の頻度については、エンゲージメント・カレンダー[41]に以下のように示されている。

　それによるとDCMSの閣外大臣とACEのチーフ・エグゼクティブとのミーティングは、毎月実施され、DCMSのディレクターとACEとの対話は必要に応じておこなわれる。さらに、DCMSのディレクターとACEのチーフ・エグゼクティブとのミーティング、また、DCMSのスポンサー・チームとACEとの打ち合わせも、それぞれ毎月あるいは必要に応じて実施されている。そして、DCMSの閣内大臣とACE議長とのミーティングは、少なくとも年1回は実施することが発表されている。

ほかにも実際には、様々な職務レベルで、常時コンタクトが取られているとされ[42]、コミュニケーションが図られていることが見て取れる。

2）組織の評価

　2017年4月に、DCMSが実施した『テイラード・レビュー・オブ・アーツカウンシル・イングランド *Tailored Review of Arts Council England*』（以下、テイラード・レビュー）が公表された。

　同レビューは、政府資金に依っている組織に対して、組織体制、事業実績とガバナンスを評価するために実施される。これは5年に1度程度おこなわれるもので、ACEにとっては、2010年に公共機関改革プログラムが開始されて以来、初めて、さらにテイラード・レビューの名称による評価をACEが受けるのも今回が初めてとなった[43]。テイラード・レビューは、組織および活動全体に対する評価であり、ACEの実施している個別の助成事業に対する具体的な評価は実施されていない。

　レビューは、DCMS内部に8人からなる「チャレンジ・パネル」が構成され、さらに4人のレビュー担当チームによって実施された。ACEへのテイラード・レビュー実施時の「チャレンジ・パネル」のメンバーも発表されている[44]。

　レビューは、ACEのステークホルダーから各種データを収集分析して、担当のチームが作成する。レビューの際に使用する資料は、インタビュー、意見交換会、及び一般からの意見収集の場であるパブリック・コンサルテーションに拠っている[45]。

　こうした一般からの意見収集は広くおこなわれている[46]。質問項目は大別すると、「回答者プロフィール」や、アーツカウンシルの「目標」「機能」「全体の活動成果」に関する各項目である。

　テイラード・レビューは、上記のプロセスを経て発表されており、以下のように調査結果と勧告事項が整理された。

【調査結果[47]】

● ACEへの評価
　‒ 政府の助成を受けているが、独立して運営されているNDPB（政府外公共機関）モデルが事業には最適である

- ACEの「バリュー・フォー・マネー」は高い
- ACEの支援が、芸術文化セクターに対して、さらに地域コミュニティに向けて、一定の、あるいは大きな価値をうみだした
- 「卓越性」を行き渡らせている。ACEから投資を受けていることは芸術性の高さを証明している
- ACEの中核スタッフへの評価
  - （ステークホルダーから）会長、CEO、RMへの高い評価を獲得
- ACEの運営に関する評価
  - （ステークホルダーは）ACEの削減努力を評価[48]。ACEに対して、効率的な組織だと結論づけた

【ACEの形態および事業に関する結論[49]】
- ACEが事業を継続する必要性とNDPBが助成事業を担うべきかどうか
  - ACEの事業そのものが必要とされていて、実行されている。ACEに与えられた権限の範囲は現状に留めるべきである
  - ACEの事業は、運営上独立しているNDPBとして現在の形態で政府から独立して担うべきである

　加えて、大きく以下の3項目に分類して細かい勧告が発表されている[50]ので、概要をまとめておこう。
- 開発・育成機関としての役割：14項目
  - DCMSと協働し、ACEの開発・育成機関としての役割を明確にするべきである
- 助成および投資：9項目
  - ACEは、芸術文化セクターに対して、助成の決定方法や幅広い戦略において、投資先にどのように配分するのかについて明らかにするべきである
- 実績およびガバナンス：7項目
  - ACEが実施する組織としての業績のモニタリングや評価は、より体系的かつ意欲的な、戦略的に構築された実践の枠組を開発することにより、改善する余地がある
  - ACEは適切に運営され、良く統治された組織である。透明性のあるガバナン

スに向けて取り組むべき課題も残る。リスクの取り方については、改善の余地がある

　こうして実施された初めてのテイラード・レビューでは、DCMSに対してもACEとの関係を見直すように5つの勧告がなされている[51]。

- DCMSがACEに対して、芸術、美術館・博物館、および図書館の「開発・育成機関」としてアーツカウンシルに期待する役割および事業を明確にし、アーツカウンシルの運営の枠組、および優先課題の判断基準を定めるべきである
- DCMSは、ACEと協力して、文化財に関する事業の調査を引き受けるべきである
- DCMSは、ACEと協力して、その内部実績評価の枠組を見直し、政府の優先課題を実行するように保証すべきである
- DCMSは、ACEのマネジメント・アグリーメントに定められている3点のKPIを見直して適切かつ有用であることを確認すべきであり、それらのKPIに照らして、モニタリングに向けたこれまでより体系的なアプローチを採用すべきである
- DCMSは、少なくとも年に一回はACEの理事会にオブザーバーとして出席するべきである

　上記から、ACEの芸術文化団体への助成事業執行においては、一層の透明性や体系化が必要だとされていることが読み取れる。また、政策官庁であるDCMSと芸術文化助成の執行機関であるACEとの間には、一定の管理監督関係の構築が望まれるともされた。DCMSに対する勧告もおこなわれているものの、基本的には現状の関係保持が望ましいと判断されている。

　DCMSおよびACEは、政策提示の方向性を合致させながら、互いにコミュニケーションを取りつつ、結果として現段階では比較的よい関係だと言えるのではないだろうか。しかし、DCMSによるACEの理事会への出席が必要だとされるなど、一定の緊張感を持つべきだとも考えられていて、運営面や実績評価など、ACEのアーツカウンシルとしてのあり方については、見直しが要請されている。ただし、ACEのおこなう事業は政府から独立して担うべきだとして、現状維持の方向が是認されたと考えてよいであろう。

注

1 2019年時点で6679万6800人と発表されている。Office National Statistics, *Population estimates for the UK, England and Wales, Scotland and Northern Ireland: mid-2019*, https://www.ons.gov.uk/（2020年10月8日取得）

2 池本大輔「「ブレアの後継者」から「サッチャーの息子」へ」梅川正美ほか編著『イギリス現代政治史［第2版］』ミネルヴァ書房、2016年、244–245頁。松尾秀哉ほか『教養としてのヨーロッパ政治』ミネルヴァ書房、2019年、9頁。

3 ハングパーラメント（英 Hung Parliament）議院内閣制をとる国において、総選挙などの結果、いずれの政党も単独で過半数の議席を獲得していない状態のことを言う。

4 松尾秀哉ほか『教養としてのヨーロッパ政治』ミネルヴァ書房、2019年、10頁。

5 近藤康史『分解するイギリス』ちくま新書、2017年、158頁。

6 英国のみならずフランスも該当すると指摘された。力久昌幸『スコットランドの選択』木鐸社、2017年、10–11頁。

7 Gov.UK, Scottish independence referendum, https://www.gov.uk/government/topical-events/scottish-independence-referendum/about（2020年6月13日取得）.

8 ACE, *Let's Create!: 2020–2030*, 2020, p. 38.

9 Scottish Government, https://www.gov.scot/about/how-government-is-run/directorates/culture-tourism-major-events-directorate/（2020年10月8日取得）

10 DCMS , *Annual Report and Accounts 2018–2019*, 2019, p. 10.

11 *Ibid.*, p. 39.

12 DCMS の予算には英国内のほか3か国の文化予算は含まない。

13 DCMS, *Annual Report and Accounts 2018–2019*, p. 9.

14 「芸術文化と図書館」に加えて、「美術館・博物館」4億5200万ポンド（約678億円）、「公共放送」34億5200万ポンド（約5178億円）、「ヘリテージ」4億9400万ポンド（約741億円）、「メディア／クリエイティブ産業」1億800万ポンド（約162億円）の予算配分となっている。このほか、「スポーツ」は4億8000万ポンド（約720億円）、観光は7200万ポンド（約108億円）の予算となっている。

15 これに加えて、ACE に対しては、国営宝くじから2億2329万ポンド（約334億9000万円）が配分されている。ACE, *Let's Create !: Strategy 2020–2030*, p. 77.

16 Scottish Government, *Scottish Budget 2020-21*, www.gov.scot/publications/scottisch-budget-2021-21/, pp. 211–220.

17 ACE, *Our History*, https://www.artscouncil.org.uk/our-organisation/our-history（2020年5月24日取得）

18 ACE の『Our History』のサイトでは1941年に就任と掲載されているが、ケインズの書簡集によると1942年4月に就任となっていて、ここでは書簡集での記載を採用している。Keynes, John Maynard.The Collected Writings of John Maynard Keynes: Social, Political and Literary Writings, Vol. 28, Cambridge University Press; Reprint, 2012., pp. 358–359.（ドナルド・モグリッジ編、那須正彦訳、東洋経済新報社、2013、[ケインズ全集／ John Maynard Keynes 著；中山伊知郎（ほか）編]第28巻、358–359頁）

19 UK Parliament, *Funding of the Arts and Heritage - Culture, Media and Sport Committee*, https://publications.parliament.uk/pa/cm201011/cmselect/cmcumeds/464/46405.htm（2020年12月26日取得）

20 Richard. Wilding, *Supporting the Arts, A Review of the Structure of Arts Funding, presented to the Minister for the Arts*, 1989.

21 ワイルディング・レポートでは、ACGBと地域の助成への関係見直しが提言された。National Audit Office, *Office of Arts and Libraries: Review of the Arts Council of Great Britain*, 1990.

22 ブライアン・マクマスター Sir Brian McMaster は、ウェルシュ・ナショナル・オペラでのキャリア（1976–1991）ののち、エディンバラ国際芸術祭ディレクター（1991–2006）を務めた。DCMSからの依頼により、2007年に実施した調査の報告書を2008年1月に発表した。アーティストをはじめとする幅広い人材へのインタビュー調査を実施。政府からの問いかけである「芸術に対する公共部門の支援システムが、卓越性、リスクテイク、革新をどのように促進できるか」「芸術的卓越性が、鑑賞者による芸術への、より幅広い、より深い関与をどのように促進できるか」「未来の芸術の質を判断するために、軽快に（a light touch）非官僚的な方法を確立する方法」などが報告されている。

23 MLA: Museum, Libraries and Archives Council のこと。図表2-1にあるように、大英博物館やナショナル・ギャラリーなどは、それぞれALBsの一つとして独立している。

24 『芸術文化活動に対する助成制度に関する調査分析事業』日本芸術文化振興会、2013年、68頁。

25 ACE, *Arts Council England, Grant-in-Aid and National Lottery Distribution 2018/19 Annual Report & Accounts for the Year Ended 31 March 2019*, 10 July 2019, p. 54.

26 *Ibid.*

27 Value for money 金額に見合う価値があるものと訳される。

28 AiL: Acceptance in lieu、芸術品による代替納税制度。同制度を利用して寄贈された美術品等に対して助言をおこなう。各種博物館・博物館のキュレーターや業界のディーラー等の専門家、並びに関連の法律家等から構成される。

29 ACE, *Grant-in-Aid and National Lottery Distribution 2017/18 Annual Report & Accounts for the Year Ended 31 March 2018*, p. 65.

30 ACE, *Grant-in-Aid and National Lottery Distribution 2018/19 Annual Report & Accounts for the Year Ended 31 March 2019*, p. 66. この雇用者数は、2018年度末の段階で、数字は581名（フルタイム換算で541名）に増員したと公表された。

31 Arts Council England, *Join Our Team*, 2019, p. 6.

32 リチャード・ラッセルへの筆者によるインタビュー（2019年11月20日）。

33 ミーティングの頻度は「エンゲージメント・カレンダー」で公表されている。ACE, *Management Agreement 2016–2020*, Final Version, https://www.artscouncil.org.uk/sites/default/files/download-file/Final%20DCMS%20ACE%20Management%20Agreement.pdf, p. 9.

34 職員の公募時に示されるジョブ・ディスクリプションには、職掌範囲、勤務時間、給与額等が具体的に示されている。第5章第2節「ジョブ・ディスクリプション」の項参照。

35 愛知県知事を会長とする実行委員会形式で企画された「あいちトリエンナーレ2019」に対し、一旦交付決定していた文化庁の補助金を不交付とする決定発表の際の論議を指す。多くの報道がなされ、SNS上での議論も過熱し、2019年11月7日に実施された文化審議会文化政策部会でも議論された。この件を2019年11月20日のインタビューでラッセルに問いかけた。

36 ACE, *National Portfolio Investment Programme 2018–22: Relashionship Framework*, 2016, p. 14, https://www.artscouncil.org.uk/sites/default/files/download-file/NPO_2018-22_Relationship_Framework.pdf（2020年10月8日取得）

37 実際には、調整に時間がかかり、結果として2018年度になってから発表された。DCMS, *ACE Management Agreement 2016–2020, Final Version*.

38 テイラード・レビューは、2017年にACEに対して実施されたレビュー。次項で詳述。*Tailored Review of Arts Council England*, DCMS, 2017.

39 メンドーサ・レビューは、2016年の『カルチャー・ホワイト・ペーパー』に対応して発行されたイング

ランド域内の政府あるいは地方の美術館・博物館に対するレビュー。Neil Mendoza, *The Mendoza Review: An Independent Review of Museums in England*, DCMS, 2017.

40 これらレビュー実施のほか、1.1～1.10まで多数の項目が列記されている。

41 DCMS, *ACE, Arts Council England Management Agreement 2016–2020,* 2018, p. 9.『イングランド及びスコットランドにおける文化芸術活動に対する助成システム等に関する実態調査 報告書』日本芸術文化振興会、2018年、155頁.

42 同上、154頁。

43 ACEに対する組織評価はこれまでにも実施されていたが、「テイラード・レビュー」の名称でおこなわれるのは初めてである。DCMS, *Tailored Review of Arts Council England Annexes to Main Report*, 2017.

44 *Ibid.*, p.6. ACEのチャレンジ・パネルは以下の通り構成された。議長は、Fields Wicker-Miurin OBE, FKC, DCMS Non-Executive Director, Chair of the DCMS Audit and Risk Committee and non-executive director of various companies、7人のメンバーは以下のとおりである。Sally Bacon OBE, Executive Director of the Clore Duffield Foundation、Elliott Ball, HM Treasury: Head of DCMS Spending and Strategy、Hannah Barry（Founder of Hannah Barry Gallery and Bold Tendencies CIC）、Deborah Bull CBE（Assistant Principal (London), King's College London）、Sarah McCrory（Director of the Gallery at Goldsmiths）、Lesley-Ann Nash（Cabinet Office: Director of the Public Bodies Reform Team）、David Ross（Entrepreneur and Trustee of the National Portrait Gallery）。実際の評価実施および報告書執筆を担当するレビュー担当チームは以下の4名である。Tony Strutt, Head of DCMS ALB Public Body Reform Team、Alexandra Gillespie（Lead Reviewer）、Hannah Hughes（Project Support）、Anoushka Kenley（Project Support）。

45 被助成団体をはじめとするステークホルダーへの53件の個別のインタビュー、匿名の2名のアーティスト、スコットランド政府や地域カウンシルなどへの10件のインタビュー、さらに意見交換会は、マンチェスター、ニューカッスル、ブリストルの3か所で開催され、書面による意見も8組織と個人から提出された。

46 このほかに、ACEが新しい10年戦略を策定する際にも、大規模な意見収集が実施された。2016年8月9日から9月20日までに提出された意見は、芸術文化団体、個人、美術館等から634件だった。Britain Thinks, *Arts Council England: The Conversation*, 18th July 2018.

47 DCMS, *Tailored Review of Arts Council*, 2017, p. 7.

48 2010年に政府からの補助金の50%削減を要請された後に、ACEは人員削減、不動産の処分、助成金管理システムの見直しをおこなっている。『テイラード・レビュー』においてACEは将来的な費用削減を計画して、削減計画が確実に実行されるようにモニタリングする必要があるとされた。

49 DCMS, *Tailored Review of Arts Council England*, 2017, p. 7.

50 *Ibid.,* pp. 10–13.

51 *Ibid.,* p. 13.

**A Perspective on
Subsidising Arts and Culture**
Strategic Investment by Arts Council England

第3章

芸術文化助成の構造

第1節　アーツカウンシル・イングランドの助成制度

　本章では、ACEの助成制度の構造を概観してから、個々の助成制度について詳しく見ていこう。

　まずACEの資金面、つまり歳入の財源と助成金などへの支出額に関して述べ、次に助成制度の基幹を成す3つの事業を取り上げる。その3つとは、ナショナル・ポートフォリオ・インベストメント・プログラム National Portfolio Investment Programme（以下、運営助成）、アーツカウンシル・国営宝くじ・プロジェクト・グラント Arts Council National Lottery Project Grants（以下、事業助成）、アーツカウンシル・国営宝くじ・ディベロップメント・ファンド Arts Council National Lottery Development Funds（以下、戦略的事業助成）である。

　運営助成は、芸術文化団体の個々の活動も含め、費目を限らず運営全体に活用できる制度である。同助成制度は、ACEの制度の中でも、芸術文化団体の継続的な運営に対して最も多額の資金を投入する助成制度であり、組織の理念の実現において最も重要な位置づけとなる事業である。そのため本章では、運営助成を受けている被助成団体の特徴などの詳細を取り上げていく。

　さらに事業助成と戦略的事業助成は、芸術団体が企図した各活動に対して助成する制度である。ここでは、事業助成の特徴、さらに戦略的事業助成の事例を述べていく。

　加えて、教育省から多額の資金をACEが受けて運用されているミュージック・エデュケーション・ハブ Music Education Hubs（以下、MEH）事業にも触れる。これは、DCMSのアームズ・レングス・ボディ Arm's Length Bodies（以下、ALBs）であるACEが、他省からの資金により運用している点で注目に値する。

1. アーツカウンシル・イングランドの資金

　ACEの歳入の財源は大きく2つある。1つは政府からの交付金であり、もう1つは国営宝くじからの資金である。

　図表3-1のとおり、2019年度は政府からの交付金は約4億9206万ポンド（約738億900万円）、国営宝くじからの配分は約2億4787万ポンド（約371億8050万円）などで、合計約7億4216万ポンド（約1113億2400万円）となった。

図表3-1　ACE の歳入内訳 (2015年度から2019年度　単位：千ポンド [千円])

	政府交付金	国営宝くじ	そのほか	合計
2019年度	492,060 (73,809,000)	247,870 (37,180,500)	2,230 (334,500)	742,160 (111,324,000)
2018年度	486,910 (73,036,500)	223,290 (33,493,500)	3,180 (477,000)	713,380 (107,007,000)
2017年度	497,030 (74,554,500)	228,192 (34,228,800)	2,265 (339,750)	727,487 (109,123,050)
2016年度	494,161 (74,124,150)	227,475 (34,121,250)	2,589 (388,350)	724,225 (108,633,750)
2015年度	463,095 (69,464,250)	268,419 (40,262,850)	2,002 (300,300)	733,516 (110,027,400)

出典：ACE, *Annual Report and Accounts* 各年度版

図表3-2　財源別の助成額と ACE の運営費への支出額
(2017年度から2019年度　単位：千ポンド [千円])

	政府交付金を財源とした助成金	国営宝くじを財源とした助成金	ACE の運営費
2019年度	469,540 (70,431,000)	173,320 (25,998,000)	36,780 (5,517,000)
2018年度	466,000 (69,900,000)	130,500 (19,575,000)	33,390 (5,008,500)
2017年度	477,941 (71,691,150)	460,990 (69,148,500)	30,730 (4,609,500)

出典：ACE, *Annual Report and Accounts* 各年度版

　2018年度は政府の交付金収入が約4億8691万ポンド(約730億3650万円)、国営宝くじからの収入が約2億2329万ポンド(約334億9350万円) など合計約7億1338万ポンド(約1070億700万円) である[1]。これには、教育省からの資金提供が政府の交付金に含まれていて、7930万ポンド(約118億9500万円)となっている[2]。

　2015年度7億3351万6000ポンド、2016年度7億2422万5000ポンド、2017年度7億2748万7000ポンド、2018年度7億1338万ポンドと、2015年度以降は、ACEの歳入総額は漸減傾向だったが、2019年度は5か年で最も金額が大きい[3]。

　図表3-2は、ACEの3年間の各助成事業およびACEの運営費への支出額である。

2019 年度は、政府交付金から各助成金への支出は約4億6954万ポンド（約704億3100万円）、国営宝くじから各助成金への支出は約1億7332万ポンド（約259億9800万円）、運営費が約3678万ポンド（約55億1700万円）である。

2018 年度は政府交付金からの助成金支出は約4億6600万ポンド（約699億円）、国営宝くじからは、助成金として約1億3050万ポンド（約195億7500万円）の支出である。運営費は約3339万ポンド（約50億850万円）と発表されている。

2017 年度は政府交付金から各助成金へは約4億7794万ポンド（約716億9100万円）の支出、国営宝くじからの助成金支出は約4億6099万ポンド（約691億4850万円）である。運営費は3073万ポンド（約46億950万円）となっている。

歳入額には、さほど大きな増減がない中で、国営宝くじから各芸術文化団体への助成金配分の総額は年によって大きく変化していることがわかる。

運営助成は政府交付金からの配分が主で、毎年一定額が配分されている。一方で、国営宝くじの配分金を主な財源とするのは事業助成、戦略的事業助成である。ACE の助成事業において、年度をまたいでおこなわれる事業助成は各芸術団体の申請に基づくものであり、戦略的事業助成は ACE の募集テーマに応じた申請に基づくものだ。事業助成と戦略的事業助成は、ともに申請ベースであることや助成メニュー・公募時期が異なることなどに起因して毎年の助成額は一定ではない。ACE の助成制度設計における緩衝部分と考えてよいだろう。後述するが、COVID-19 の危機対応において、この特徴が一層明らかになっている。

2. 3つの助成制度と1つの音楽教育関連の助成制度

図表3-3のとおり、ACE は、運営助成、事業助成、戦略的事業助成の3つの助成制度を設けている。

これらの制度のうち、運営助成は2017年度までは3年間の助成期間だったが、2018年度からは2021年度までの4年間に変更されて新制度の運用中である。

運営助成は、大規模な活動をおこなうイングランドの各芸術文化分野を牽引するナショナル・ポートフォリオ・オーガニゼーション National Portfolio Organisation（運営助成の被助成団体、以下NPO）への助成制度である。現在はナショナル・ポートフォリオ・インベストメント・プログラムの名称で運用されている。名称に「インベ

図表3-3　ACE による3つの助成制度と1つの音楽教育関連の助成制度

		運営助成	事業助成	戦略的事業助成	MEH
2018年度から	名称	ナショナル・ポートフォリオ・インベストメント・プログラム	アーツカウンシル・国営宝くじ・プロジェクト・グラント	アーツカウンシル・国営宝くじ・ディベロップメント・ファンド	ミュージック・エデュケーション・ハブ
		National Portfolio Investment Programme	Arts Council National Lottery Project Grants	Arts Council National Lottery Development Funds	Music Education Hubs
	助成期間	4年間	基本的には3年間	助成プログラムごとに設定	アカデミック・イヤーに基づく
	助成分野	音楽、演劇、ダンス、ビジュアル・アート、文学、総合芸術、美術館・博物館、図書館	音楽、演劇、ダンス、ビジュアル・アート、文学、総合芸術、美術館・博物館、図書館	助成プログラムごとに設定	音楽教育
	助成対象	芸術文化団体、SSOなど	芸術文化団体・個人	助成プログラムごとに設定	ハブ・リード機関を中核に芸術文化団体、教育機関、地方自治体など
（2017年度まで）	名称	ナショナル・ポートフォリオ・ファンディング・プログラム	グラント・フォー・ジ・アーツ	ストラテジック・ファンド	ミュージック・エデュケーション・ハブ
		National Portfolio Funding Programme	Grant for the Arts	Strategic Fund	Music Education Hubs

出典：ACE, *Annual Report and Accounts* 各年度版

ストメント」と付されたことが、同助成の考え方を象徴している。この制度は、個別の事業に対するプロジェクト助成ではなく、芸術文化団体の運営のための助成として、ACE の制度の最大の特徴とも言えるものである。

　運営助成は、ACE の助成制度の中でも最も大きな金額、配分する全助成金の割合の半分以上を占めるプログラムとして、ACE の助成制度の中核を成す。同助成は、芸術文化団体、美術館・博物館、図書館の各芸術文化団体への個別の運営に対する助成に加え、分野を統括するセクター・サポート・オーガニゼーション Sector Support Organization（以下、SSO）を対象に各組織が活動するための資金を助成している。

芸術文化団体やアーティスト個人が企画した個別の活動に対するプロジェクト助成は、旧名称のグラント・フォー・ジ・アーツ Grant for the Arts（以下、旧事業助成）から、アーツカウンシル・国営宝くじ・プロジェクト・グラント Arts Council National Lottery Project Grants（以下、事業助成）へと名称変更のうえ、継承されている。

　特定の課題解決のために ACE が企画したテーマに対して募集する助成制度の名称は、ストラテジック・ファンド Strategic Fund（以下、旧戦略的事業助成）からアーツカウンシル・国営宝くじ・ディベロップメント・ファンド Arts Council National Lottery Development Funds（以下、戦略的事業助成）へと変更されている。

　事業助成と戦略的事業助成の名称変更は、国営宝くじが主たる財源となっている事実に対して、被助成団体がそれぞれ認識を強めるように意図したものだ。国営宝くじを財源とする資金提供は、ACE のほか、英国映画協会、国営宝くじコミュニティ基金（旧 Big 宝くじ基金）、国営宝くじ文化遺産基金（旧文化遺産宝くじ基金）、スポーツ・イングランドの合計 5 つの組織に対しておこなわれている。

　事業助成は、芸術文化団体などから提案されるプロジェクトのための助成であり、戦略的事業助成は、ACE が社会的課題の所在を示したうえで設定したテーマに対する助成制度である。

　加えて MEH は、学校教育の場での音楽教育の機会拡充を図る目的で実施されている助成制度だ。教育省からの補助金によるこの制度を別の省である DCMS 管轄の ACE が運用している。地域での活動の核となる組織を形成し、あらゆる子どもや若者に、優れた音楽への関与の機会提供を目的としたプログラムである。省庁の垣根を越えて、教育省から ACE に資金が提供されている点がここで確認される。教育現場における機会格差解消のために企図された事業が、DCMS の ALBs である ACE を通じておこなわれているのだ。音楽分野における施策実現のための専門家集団として ACE が認識されている証であり、きめ細かい現場対応が必要な芸術文化の助成金配分に関する専門性を備えた組織として認められている。そうした政府の姿勢の表れだと言える。

　図表 3-4 のとおり 2018 年度は、621 の NPO に対して、693 のナショナル・ポートフォリオ・インベストメント・プログラムへの助成がおこなわれ、総額 3 億 3500 万ポンド（約 502 億 5000 万円）の事業規模となった[4]。

図表3−4　ACEによる助成制度などに対する支出内訳（2018年度　単位：百万ポンド）

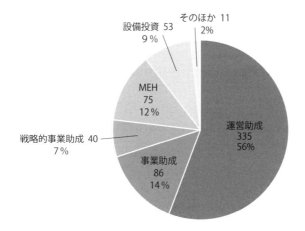

設備投資 53
9％

そのほか 11
2％

MEH
75
12％

戦略的事業助成 40
7％

事業助成
86
14％

運営助成
335
56％

出典：Arts Council England, *Grant-in-Aid and National Lottery Distribution 2018/19,*
Annual Report & Accounts for the year ended 31 March 2019, p. 13.

　同じく2018年度の事業助成では、4,318の個人や組織に対して、8600万ポンド
（約129億円）の助成をおこなった。戦略的事業助成は、669のセクターに対して、
4000万ポンド（約60億円）、さらにMEHに対しては、121のネットワークに7500万
ポンド（約112億5000万円）の助成がおこなわれている[5]。

　それでは次節から、各助成制度について詳細を見ていこう。

第2節　運営助成

　ACEの助成制度のうち最も多額の資金が投入され、大規模な芸術関連組織
に対して適用されるスキームが、ナショナル・ポートフォリオ・インベストメント・
プログラムNational Portfolio Investment Programme（以下、運営助成）である。同助
成では、審査から採否決定、助成開始までに多くのプロセスを経るため1年以
上の時間をかけており、助成開始後のACEとのコミュニケーションの機会も多
く、ACEの助成活動の根幹を成す制度として運用されている。

　組織に対する助成制度として、芸術文化団体、美術館・博物館、図書館、さらに
それらを統括する団体あるいはネットワークなどへの助成がおこなわれる。助成
名称に付されたポートフォリオとは、これらの組織一つひとつを指す言葉である。

1. 旧運営助成からの変更点

　運営助成は2018年度に新制度の運用が開始された。2017年度までの旧運営助成と、2018年度からの運営助成とを比較すると、大きく5つの変更点があげられる。

　第1に、ナショナル・ポートフォリオ・ファンディング・プログラムからナショナル・ポートフォリオ・インベストメント・プログラムへと名称変更がなされた点である。助成の名称が変更されても、同助成を受けている被助成団体が、ナショナル・ポートフォリオ・オーガニゼーション、略してNPOと呼称される点は変わらない。一方、助成名称にインベストメントという語が入ったため、ACEの根幹をなす同助成制度が、「戦略的な投資」だという意図が明確に示されている。

　第2に、美術館・博物館への助成、および図書館への助成が、これまでの芸術文化団体に対する運営助成のスキームへと統合された点である。

　2015–2017年度は、メージャー・パートナー・ミュージアム Major Partner Museum と呼ばれる美術館・博物館に対して、メージャー・パートナー・ミュージアム・インベストメント・プログラム Major Partner Museums Investment programme が実施されてきた。美術館・博物館に対する助成、さらに図書館に対する助成は、2018–2021年度から運営助成に統合されている。

　第3に、被助成団体を、受け取る助成額別に、バンド1、バンド2、バンド3に区分した点があげられる。年間の助成額は、バンド1は4万ポンド以上25万ポンド未満、バンド2は25万ポンド以上100万ポンド未満、バンド3は100万ポンド以上とされている。被助成団体の領域や組織の枠組を明確化し、助成規模によって義務として課す事項を差別化するなど、助成金を受ける側の利便性を促進する傾向が見られる。

　第4に、3年から4年へと助成期間が変更された点があげられる。これは、長期的な計画を一層立てやすくするためである。

　第5に、芸術創造活動をおこなう組織のみならず、そうした組織をサポートする団体（統括団体・ネットワークなど）への助成拡大がおこなわれている。2015–2017年度は、NPOブリッジ・オーガニゼーションの名称で、10のネットワーク組織に対して助成された。それを拡大した形で、より多くの各分野を代表する統括団体や

ネットワークなどを対象として助成している。それまでの10のブリッジ・オーガニ
ゼーションは、SSOで引き続き採択され、イングランドの各地域で幅広い活動を
おこなっている。

　こうして助成金の安定性と利便性を向上させる努力の一方で、運営助成を受
ける団体は、受けている助成金の背景や目的を明示して、意識づけをおこなう
改革の意図が読み取れる。

２．被助成団体の特徴

　運営助成の対象は、2018年度からは音楽、演劇、ダンス、ビジュアルアート、文
学、複合芸術、美術館・博物館、図書館、そのほかの各分野で9分野となった。
2017年度までは、図書館を除き、MPMとして助成した美術館・博物館を含めて
8分野への運営助成がおこなわれ、2018年度からは、図書館が加わっている[6]。

　これらのNPOは、助成金額に応じて3つのカテゴリー（バンド1、2、3）にSSO
を加えた合計4つのカテゴリーに分けられている。そのうちバンド1〜3の各NPO
に対しては、ACEが設定した5つの戦略目標のうち達成すべき項目が定められて
いる。これは、各NPOに期待する点として具体的に整理、提示され、被助成団体
の達成すべき戦略目標や報告事項、報告回数の差別化を目的としたものである。

　最も多額の助成を受ける組織群であるバンド3に対しては、10年戦略におい
て示された5つの戦略目標全てへの対応を義務づけている。一方で、バンド1
やバンド2の被助成団体に対しては、5つの戦略のうち戦略1と2、可能であれ
ば戦略5に対応することとして、負荷を軽減している。

　さらに、多くの報告事項や回数、スケジュールが決められており、受けている
助成金額が少ないバンド2やバンド1であれば、報告義務の事項や回数は少な
くなる。これも被助成団体の負担の軽減のためである。

　バンド3は、助成額が大きいため、ACEの掲げる5つの戦略目標すべてに対応
するように要請されているだけでなく、自らの組織のみならず、分野を代表する存在
として、他組織に対する支援につながるような活動計画を通じて、各分野を牽引
するリーダーシップが求められているのも特徴だ。多額の公的資金投入に対する
自己認識を確かなものとし、社会的な責任を果たすように問われているのである。

図表3-5は、NPOへの助成数を2015–17年度と2018–21年度で比較したものである。全カテゴリーで助成数、および助成額が増加していることが見て取れる。

　図表3-6は、NPOへの助成数と助成金をまとめたものである。補助金、国営宝くじによる助成数を分けて表示している。2018年度からの841件は、828の組織に対する助成数である。そのうち、187件が新たな助成で、助成範囲の拡大傾向が読み取れる。

図表3-5　NPOへの助成数と助成額

	2015–17年度（3年間）		1年間平均	2018–21年度（4年間）		1年間平均
	助成数 （件）	助成額 （ポンド）	助成額 （ポンド）	助成数 （件）	助成額 （ポンド）	助成額 （ポンド）
バンド1	386	140,988,042	46,996,014	527	280,113,004	70,028,251
バンド2	170	254,846,909	84,948,970	190	378,577,996	94,644,499
バンド3	64	637,282,314	212,427,438	66	877,952,324	219,488,081
SSO	34	41,762,344	13,920,781	58	89,875,708	22,468,927
合計	654	1,074,879,609	358,293,203	841	1,626,519,032	406,629,758

出典：ACE, *National Portfolio Organisations 2018–22* [7]

図表3-6　NPOへの助成額（2018–2021年度）

	助成数（件）	新規（件）	補助金（件）	国営宝くじ（件）	総額（ポンド）	総額（千円）
バンド1	527	141	433	94	280,113,004	42,016,950
バンド2	190	20	157	33	378,577,996	56,786,700
バンド3	66	2	54	12	877,952,324	131,692,800
SSO	58	24	48	10	89,875,708	13,481,400
合計	841	187	692	149	1,626,519,032	243,977,850

出典：ACE, *National Portfolio Organisations 2018–22* [8]

　次に図表3-7で、エリア別助成件数について見てみよう。多様性 Diversity に対する意識づけも強い。

　ロンドン・エリアは、2015–2017年度は35％、2018–2021年度は全体の30％と大きく割合を減らしている。対象件数は増加したものの他エリアの件数の伸びには及んでいない。一方で、ミッドランズ、サウス・イーストとサウス・ウェストが1％ず

図表3-7 NPOへのエリア別助成件数

	2015–17年度		2018–21年度	
	助成数 (件)	割合 (%)	助成数 (件)	割合 (%)
ロンドン	228	35	252	30
ミッドランズ	91	14	130	15
ノース	178	27	223	27
サウス・イースト	73	11	101	12
サウス・ウエスト	72	11	101	12
ナショナル	12	2	34	4
合計	654	100	841	100

出典：ACE, *National Portfolio Organisations 2018–22*[9]

つ増加、さらにエリアをまたがって活動するナショナルが2％から4％に増えるなど、ロンドン以外の地域への配分が増しているのである。

　さらに、マンチェスターを中心とするノース・エリアの数字が伸びたため、2018–2021年度の助成期間においては、ロンドン・エリアが252件、ノース・エリアが223件と件数のうえでは、拮抗しつつある。

　地域の広がりの確保、すなわちロンドン一極集中の緩和に配慮しようとしていることが見てとれる。

3. BIG10

　2018–2021年度の運営助成におけるバンド3の助成件数は66件である。特に多額の助成金を受けている上位10団体は特にBIG10と呼ばれている。特に上位4位の、ロイヤル・オペラ・ハウス（音楽、以下ROH）、サウスバンク・センター（複合芸術）、ナショナル・シアター（演劇、以下NT）、ロイヤル・シェイクスピア・カンパニー（演劇、以下RSC）は、各分野を代表する組織である。各分野を代表する創造活動をおこなうというだけではなく、英国を代表する芸術文化団体として、国内外にその創造活動を活発に発信する巨大な組織だ。ACEの戦略目標の中でも、とりわけ戦略目標1に掲げた卓越性の達成において重要な役割を担う芸術文化団体群である。

図表3-8　BIG10への助成額[10]

（単位：ポンド［千円］）

順位	組織名	分野	エリア	2018–2021年度	1年間平均
1	ロイヤル・オペラ・ハウス	音楽	ロンドン	96,115,360 (14,417,304)	24,028,840 (3,604,326)
2	サウスバンク・センター	複合芸術	ロンドン	73,440,000 (11,016,000)	18,360,000 (2,754,000)
3	ナショナル・シアター	演劇	ロンドン	66,800,000 (10,020,000)	16,700,000 (2,505,000)
4	ロイヤル・シェイクスピア・カンパニー	演劇	ミッドランズ	59,936,000 (8,990,400)	14,984,000 (2,247,600)
5	イングリッシュ・ナショナル・オペラ	音楽	ロンドン	49,520,000 (7,428,000)	12,380,000 (1,857,000)
6	オペラ・ノース	音楽	ノース	41,544,000 (6,231,600)	10,386,000 (1,557,900)
7	マンチェスター・インターナショナル・フェスティバル	複合芸術	ノース	38,166,536 (5,724,980)	9,541,634 (1,431,245)
8	バーミンガム・ロイヤル・バレエ	ダンス	ミッドランズ	31,564,000 (4,734,600)	7,891,000 (1,183,650)
9	イングリッシュ・ナショナル・バレエ	ダンス	ロンドン	24,856,000 (3,728,400)	6,214,000 (932,100)
10	ウェルシュ・ナショナル・オペラ	音楽	ミッドランズ	24,492,000 (3,673,800)	6,123,000 (918,450)

出典：ACE, National Portfolio Organisations 2018–22

　ROHは、イングランドにおいて最も多くの助成金を得ている芸術組織である。ACEでは音楽分野に分類されているものの、オペラ上演やコンサート実施に加えて、バレエやダンス等のプロダクションを制作しており、それらを含め年間300回以上の大小規模の劇場内外の会場における多彩な公演事業を実施している。海外でのツアーなど、英国を代表する芸術組織として盛んに国内外への芸術発信をおこなう。

　サウスバンク・センターはテムズ河畔に位置する複合施設である。同センターの建物内部は一部リニューアルされて、2018年に再オープンした。ロイヤル・フェスティバル・ホール（2500席）、クイーン・エリザベス・ホール（916席）、パーセル・ルーム（295席）のほかにも、美術系の展示をおこなうギャラリーなどを持つ巨大な複合施設で、ACEの助成カテゴリーでは複合芸術分野に分類されている[11]。日

中や夜間を問わず、多くの人びとが訪れる場所となっていて、センター建物内のオープン・スペースでもイベントを開催する等、一年間を通じて多くの事業が実施されている。

　サウスバンク・センターを拠点とするオーケストラが4つあることも特徴である。ロンドン・フィルハーモニー管弦楽団、フィルハーモニア管弦楽団、ロンドン・シンフォニエッタ、古楽演奏を専門とするエイジ・オブ・エンライトゥンメント管弦楽団と、いずれも英国を代表するオーケストラが同センターを拠点に活動している。サウスバンク・センターでは、1年間に3,428のイベントが実施されて、240万人がおとずれ、4万人の子どもたちが教育プログラムに参加したと発表されている[12]。

　サウスバンク・センターは、上記の理由から音楽分野における重要な拠点である点に加え、ギャラリーなどを併設して、ダンス、演劇なども含め、それぞれの分野においてジャンルを牽引するような重要な創造活動を実施しつつ、あらゆる人が芸術文化に触れる機会を提供している。こうした大規模な複合施設に関しては、ACE側の担当者も、音楽やダンスなどのいずれかのジャンルの専門家であるよりも、各ジャンルの特性を踏まえて芸術文化活動全体を見わたすことができ、組織経営に知見のある人材をあてるなど、各芸術文化分野に対するバランス感覚を持つ人材が起用される。

　上記2つの組織と、演劇分野に分類されるNT、RSCの4組織は、2015–2017年度と比べ、2018–2021年度の年間助成金額は、それぞれ3〜4％減少している。例えばBIG10第3位の被助成団体であるNTは、2015–2017年度の助成額は1年間で1721万7000ポンド（約25億8255万円）、3年間で5165万1000ポンド（約77億4765万円）だったが、次の期間である2018–2021年度は、毎年同額1670万ポンド（約25億500万円）が助成され、4か年合計6680万ポンド（約100億2000万円）となっていて、年間3％強の減額だった。減額は申請時までに、あらかじめACEから各組織に対して提示されていた。

　この措置は、芸術文化活動や助成金配分のロンドン一極集中への回避を目的に、ロンドンに拠点を置く組織の中でも特に巨大な組織から新たな芸術文化団体への助成に配分し直すためだった。

　BIG10に対しては、助成される金額や総収入に占める助成金の割合がメディア

でも特に取り上げられて注目されるなど、厳しい世論にさらされている。そのため各団体も常に、「あらゆる人のために」「優れた芸術文化を」といった姿勢を社会に積極的に示すことを通じて、公的助成に対する人びとからの理解が得られるような努力を怠らない。

4. セクター・サポート・オーガニゼーション（SSO）

ACEは、SSOには、対象とする地域において当該分野全体にいきわたるような支援サービスの提供を重視した活動をおこなうことを助成要件としている。SSOは、各専門分野に対する幅広い目配りをする機関としての活動が期待されているのである。その中に、ブリッジ・オーガニゼーション Bridge Organisation があり、ACEは、SSOの採択組織のうち10の組織に対して、年間1000万ポンド（約15億円）を投じている。これら10の組織は、イングランド全域の100か所におよぶ地域で活動を実施している。対象となるのは、各地の地域団体との関係を構築、芸術教育の機会設定を橋渡しする組織の活動に対する助成である。その際に設定される対象エリアは、ACEが通常設定している5つのエリアとは異なる。

これら10の組織と活動エリアは以下のとおりである[13]。

- タイン・アンド・ウィア・アーカイブ・美術館（カルチャー・ブリッジ・ノース・イースト）— ノース・イースト
- We are IVE — ヨークシャー・アンド・ザ・ハンバー
- キュリアス・マインド — ノース・ウェスト
- アーツ・コネクト — ウェスト・ミッドランズ
- マイティ・クリエイティブ — イースト・ミッドランズ
- ニュー・ディレクション — ロンドン
- ロイヤル・オペラハウス・ブリッジ — イースト（対象 エセックス、ハートフォードシャー、ベッドフォードシャー、ノース・ケント）
- フェスティバル・ブリッジ — イースト（対象 ケンブリッジシャー、ノーフォーク、ピーターバラ、サフォーク）
- アーツワーク — サウス・イースト
- リアル・アイディア・オーガニゼーション — サウス・ウェスト

ROHはブリッジ・オーガニゼーションの一つでもある。ROHは、ワークショップをロンドンの東にあるサロックに置いている。ここには、舞台美術や衣装などを製作する工房や倉庫などがある。ROHは、そこに教育機関としての役割を担わせ、ワークショップの敷地内外でエデュケーション・プログラムを実施しているのだ。ACEはこれらの活動をSSOとして支援しているのである。ROHは、サロックのワークショップにもうひとつの活動拠点として、工房や倉庫としての機能以上の役割を与えて、ここでの活動に対する助成金の獲得にも努めている。

第3節　アーツカウンシル・国営宝くじ・プロジェクト・グラント（事業助成）

事業助成は、基本的に3年以内に終了するプロジェクトに対する助成制度である。申請から審査、採択に至る期間の短さなどの機動力が大きな魅力となっている。2018年度以降は4年助成の枠組も設定されるなど、助成期間にも変化が出てきている。NPOに採択されている芸術文化団体は事業助成には応募できない。事業助成を受けて芸術文化活動を実施することで実績を積み、芸術面や運営面で組織の力を蓄えた芸術文化団体が、一歩進んで芸術文化団体を総合的に支援する制度である運営助成に応募できるようになることが期待されているためである。

1. 事業助成の枠組

事業助成は、芸術文化団体からの申請、締め切りの後、審査期間が6週間から12週間程度と短く、1年を通して助成申請ができ、審査に通れば事業助成が受けられる。個人や芸術文化団体、美術館・博物館、図書館等に対して、比較的少額のプロジェクト助成がおこなわれていて、1件あたり1000ポンド（約15万円）からであるが、中には150万ポンド（約2億2500万円）を得ている団体もある。審査基準には、芸術性、パブリック・エンゲージメント、マネジメントや財務といった観点が適用されている。

事業助成は、1件あたりの助成額はNPOに比べれば少ないものの、年間の件数は多い。活動基盤を確立する途上の組織にとっては、助成金の使いやすさ

が団体の運営力向上の付与に大いに役立つという考え方だととらえてよいであろう。

2. 事業助成による緊急対応

2019年度は4435件の事業助成がおこなわれていた[14]。

しかし、COVID-19禍に見舞われた2020年3月には、事業助成および次節で取り上げる戦略的事業助成の枠組のためにプールされていた資金を真っ先に活用することが発表されたため、新規公募が延期される事態になっている。

対象を限定しない比較的融通のきく枠組である点に起因して、緊急事態に即応すべく活用されたのである。

第4節　アーツカウンシル・国営宝くじ・
　　　　ディベロップメント・ファンド（戦略的事業助成）

戦略的事業助成は、ACEが設定した課題に取り組む枠組である。すなわち運営助成や事業助成が、各芸術文化団体などが自らの組織運営や個々の活動支援を申請するのと異なり、ACEが政策課題として提示したテーマが設定されているのである。多様性、卓越性、アクセスの確保、レジリエンスの確保など、ACEが芸術文化団体を通じて実現を期待する具体的な課題の解決や、芸術文化団体が直面している課題への対応が求められている。そして、これらの課題や助成制度が取り組むべきテーマは、第1章第1節で取り上げた各10年戦略を根拠に設定されている。

1. 戦略的事業助成のテーマと内容

運営助成や事業助成が、各組織の運営や各組織の企図した活動申請に応じておこなわれる支援である一方、戦略的事業助成はACEが課題としているテーマに沿った活動を公募している。そのため、ACEが何を課題として認識し、この助成制度の枠組を通じてどのように解決しようとしているのか、その具体的な方策を把握できる。

2020年度時点で設定されているスキームは大きく5つある[15]。現在の戦略的事

業助成のスキームは、「クリエイティブ・ピープル・アンド・プレイス Creative People and Places」「ディベロッピング・ユア・クリエイティブ・プラクティス Developing your Creative Practice」「エレベート Elevate」「デジグネーション・ディベロップメント・ファンド Designation Development Fund」「トランスフォーメーション・リーダーシップ Transformation Leadership」で、それぞれ、ACEの戦略目標を推進するために開発されたものである。以下で、詳しく各助成スキームを見てみよう。

1）クリエイティブ・ピープル・アンド・プレイス

　住民と芸術文化活動との接点が少ない地域に対して、その機会を確保するための事業である。芸術文化活動への参加や芸術鑑賞に関する調査は「アクティブ・ライブ・サーベイ Active Lives Survey[16]」で毎年おこなわれていて、同データを根拠に実施する事業である。

　アクティブ・ライブ・サーベイの調査は、「芸術文化活動に参加したか」「芸術文化活動を鑑賞したか」「美術館とギャラリーに行ったか」「公共図書館サービスを利用したか」「創造的で芸術的なダンスを含むダンス活動への参加をしたか」などの項目で構成されて、過去12か月の間の参加頻度、参加した時期などを尋ねている。これにより、全国平均およびほかの地域に比べて芸術文化活動への参加度が低い地域、下位3分の1にあたる109か所が特定され、事業対象となった。109か所のうち、43か所は、2018–21年の第1ラウンドでの助成を受けている地域であり、2020–23年の第2ラウンドで66か所が新たに加わっている。

　助成対象は、コンソーシアム（地域コミュニティ、美術館・博物館、図書館、芸術文化団体に加えて、クラブ組織、大学など）で、助成額は第1ラウンドと第2ラウンドの合計額が約3910万ポンド（約58億6500万円）と発表されている[17]。

　助成を受けようとするコンソーシアムは、それらの地域での活動、あるいはそれらの地域を含む活動を実施する。

2）ディベロッピング・ユア・クリエイティブ・プラクティス

　研究機会や新しいネットワークの構築、新しい雇用を創出しようとするアーティストやプラクティショナーなどの個人に対する助成スキームである。年間助成総

額は、360万ポンド（約5億4000万円）で、助成審査のタイミングは1年に4回設けられている。助成数と総額は、2020年の第7ラウンドで107件100万1124ポンド（約1億5017万円）、助成額は1件あたり2000ポンド（約30万円）から1万ポンド（約150万円）と設定されている。

3）エレベート

　運営助成の被助成団体の多様性を確保するため、現在運営助成を受ける規模に達していない組織が、将来的にNPOとして活動ができるように企図された事業である。2018–22年の運営助成を受け取っていない団体に対する助成事業で、特に「多様性に向けた創造的実践 Creative Case for Diversity」すなわち地域社会でのアクセスの多様性に貢献している組織のレジリエンス獲得を目指している。助成額は、7万5000ポンド（約1125万円）から10万ポンド（約1500万円）で、2018–2020年の第1ラウンドは、40の組織を対象に530万ポンド（約7億9500万円）を配分、2020–2022年の第2ラウンドは、45の組織に430万ポンド（約6億4500万円）を配分する予定とされている。

4）デジグネーション・ディベロップメント・ファンド

　重要なコレクションのサステナビリティ確保のための特別助成である。対象は、28か所の美術館・博物館、図書館、アーカイブで、期間は2019–2022年、総助成額は210万ポンド（約3億1500万円）で1件あたりの助成額は2万ポンド（約300万円）〜9万ポンド（約1350万円）である。

5）トランスフォーメーション・リーダーシップ

　美術館・博物館、図書館、および芸術文化団体のリーダーたちに対する人材育成のプログラムを提供するための助成スキームである。総助成額は、714万989ポンド（約10億7115万円）で、対象は18のプロジェクトである。

　ここで取り上げた戦略的事業助成の各テーマは、10年戦略と連動した内容設定となっていて、各事業における目的のキーワードは、地域多様性の確保、芸術

文化団体等のレジリエンス確保などであり、これらの課題を解決するための助成事業が設定されていることがわかる。

2. 旧戦略的事業助成（ストラテジック・ファンド）のテーマと内容

ここでは、ストラテジック・ファンド（以下、旧戦略的事業助成）の枠組で実施されていた助成事例を2例取上げてみよう。1つは芸術文化団体のファンドレイジング力を高めることを目的としたもの、もう1つはツアーにより、地域の鑑賞機会確保を目的としたものである。

1) 触媒／進化

ACEが2012–2015年まで実施していた旧戦略的事業助成による「触媒Catalyst」の後継としておこなわれた旧戦略的事業助成の「触媒：進化Catalyst：Evolve[18]」の概要（2016–2019年）である。申請団体のファンドレイジング能力を高めることを目的とした助成事業であり、運営助成を受け取っている団体も助成を受けることが可能である。

ファンドレイジングの実績が限られている組織がより多くの民間寄付を集められるように支援することを目的としたもので、持続可能で回復力のある芸術文化の分野を創造するために設定された支援策の1つである。

【ファンドレイジング活動】
人材開発、組織開発

- 総予算：1750万ポンド（約26億2500万円）、150事業への助成を予定
- 1事業あたりの助成額：7万5000ポンド（約1125万円）から15万ポンド（約2250万円）
- 適格性：個人、信託、財団または企業からの資金調達において新たな実績を示せる登録されたチャリティ団体など。博物館、図書館、および以前のCatalyst助成などを通じて支援を受けた組織は対象外

【スケジュール】
最新ラウンドへの申し込みの締め切りは、2016年2月19日12時

- 公募開始：2016 年 1 月 14 日
- 締め切り：2016 年 2 月 19 日
- 決定：2016 年 7 月 22 日
- 助成期間：2019 年 8 月 31 日までに終了。延長不可

【助成について】

　Evolve プログラムは、資金調達に関して、それまでに実績が限られていた組織が、より多くの民間寄付を集められるように支援するものである。すなわち、近年ファンドレイジング活動を開始した団体が、社会貢献による収入を獲得する能力を段階的に高めるよう支援する。

　寄付や社会貢献事業は公的資金不足を補うことはないが、組織が財務上のリスクを軽減し組織の回復力を高めるために役立ち、組織にとって重要な支援源となる。

【助成内容】

- 新たな社会貢献による寄付のインセンティブを奨励するためのマッチング・ファンドを提供する。
- 民間寄付からの持続的な収入源を得られるようになるために、組織のスキル、能力、および文化に投資する。

　社会貢献収入は、大規模な寄付、信託と財団、企業からの寄付、後援、および個人寄付の形態をとる。ますます重要になるのは、小規模かつ定期的な寄付プログラムで、これにより組織に予測可能で定期的な収入源を提供する。

　ACE は、助成額のうち 70～80％がロンドン市外で活用されることを期待している。

2）戦略的ツアー・プログラム

　地域の多様性を重要視している ACE の戦略実現を目的とした 2015–17 年度のプログラムである[19]。助成対象は、個人も含めた芸術文化団体、美術館・博物館、図書館などで、NPO や MPM に採択されている団体も応募可能である。助成要件は、活動費用のうち 10％以上を ACE 以外から調達することであり、助成額は 2015–17 年度実績で 3500 万ポンド（約 52 億 5000 万円）、1 件あたりの助成金額は 1 万 5000 ポンド（約 225 万円）以上となっていて上限はない。

さらに、募集のタイミングが年に6回設定され、申請締め切り日から12週間以内の審査期間を経て採否の内定通知がなされる。

審査基準は4つの基準と3つの観点が設定されている。

4つの基準とは、「活動案」「鑑賞者開発」「財務」「プロジェクト管理」、3つの観点とは、「関係強化と共同作業に活動がどの程度貢献するか」「イングランド各地域の人びとが、優れた芸術文化にどの程度触れやすくなったか」「幅広い人びとに向けてツアーで提供され得る質の高い作品をどの程度増やせるのか」である。

前述の2つの事例を含め、戦略的事業助成はNPOによる申請も可能としていて、広く各組織や個人に開かれた助成制度となっている。

【コラム】 COVID-19への緊急対応策

ROHでは、チーフ・エグゼクティブのアレックス・ビアードAlex Beardが、2020年3月16日に劇場の一般への開放中止と上演活動の中止を発表した[20]。NTは、3月16日から6月30日までの上演活動や劇場ツアーを含めたイベントを全て中止した[21]。ACEでは、COVID-19感染拡大の影響で芸術文化活動に多大な影響が出ている状況への対応のために、2020年3月24日に緊急対応策を発表した[22]。

この対応策による支援額は1億6000万ポンド（約240億円）に上る。これらは、9000万ポンド（約135億円）がNPOとCPP（クリエイティブ・ピープル・アンド・プレイスの対象団体）に、5000万ポンド（約75億円）が運営助成を受けていない団体に対して助成され、そのほかのアーティストや制作者に対しても2000万ポンド（約30億円）が助成予定だとされた。

この措置の財源は、事業助成や戦略的事業助成のための資金の再割り当てなどによる。詳細は以下のとおりである。

1億6000万ポンドのうち、5000万ポンド（約75億円）は2020年度の事業助成予算の再割り当て、400万ポンド（約6億円）は2020年度の戦略的事業助成のうち「ディベロッピング・ユア・クリエイティブ・プラクティス」予算の再割り当て、1280万ポンド（約19億2000万円）は政府交付金の準備金のうち使途の制限なし資金、9320万ポンド（約139億8000万円）は国営宝くじの準備金があてられた[23]。

この迅速な対応策については、2020年3月20日にACEのエグゼクティブ・ボードからの提案がおこなわれ、シニア・スタッフによって支出決定がなされたという。リスク対応には素早さも求められている。しかし、今回の措置により、ACEが内部留保していた全ての余剰金を使い果たすとアナウンスされてもいる。

さらに、2020年7月5日に英国政府から、15億7000万ポンド（約2355億円）の追加支援が発表され、劇場、美術館・博物館などが対象となった[24]。こうした措置を経ても、長期間閉館を余儀なくされている劇場など芸術文化施設の存続に関する懸念は消えていない。

第5節　ミュージック・エデュケーション・ハブ

1. 教育への助成制度

　ミュージック・エデュケーション・ハブ Music Education Hubs（以下、MEH）は、地域で活動する複数の芸術文化団体によって、学校などでの音楽の鑑賞機会や演奏体験を提供するものである。同事業では、ハブ・リード機関 Hub Lead Organisation が、対象地域の自治体、オーケストラ、コンサートホール、芸術系大学などを組織して、地域の子どもたちへの音楽教育の機会を提供している。それぞれ異なる特徴を持った地域の芸術文化関連組織の協働により拠点が形成され、それらの組織が一体となって事業を運用する。各組織の持つ強みを集約させ、新たな拠点づくりを担い、子どもたちへの教育機会を提供しようとする動きである。

　この事業を通じ、結果として音楽教育の機会確保を通じたコミュニティ力の強化などが目指されている。芸術系大学にとっては、学生たちによる音楽を通じた社会との関係性構築や、他組織との連携事業のかかわりにより学修の幅を拡大させる絶好の機会となる。

　また同事業は、フリー・スクール・ミール Free School Meals（以下、FSM[25]）率の高い地域などでの積極的な運用が特徴となっている。保護者の経済状況により給食費が払えない家庭の子どもたちが多い、すなわちFSM率が高いという課題を抱える地域が重点的に選定される。この場合、地域で登録されている生徒数に対する助成に加えて、FSMの生徒の人数に応じてさらに10%の資金が配分され

ている。

2012 年から始まった同制度は、アカデミック・イヤーでの助成期間となっている[26]。2019/20 年度における各拠点に対する資金の総額は 7584 万ポンド（約 113 億 7600 万円）だった。加えて、指導者の年金のための 26 万 5000 ポンド（約 3975 万円）が増額提供されている。2020 年度の MEH に関する総資金はさらに増額されて、7610 万 5440 ポンド（約 114 億 1582 万円）となることが発表されている[27]。2020 年度は、151 か所のローカル・オーソリティ（Local Authority、以下 LA）のネットワークで展開することが発表された[28]。所属する LA 内に立地する学校にどれほどの機会を届けたかという統計[29]も出ている。この制度は、教育省の事業を、DCMS の ALBs である ACE が実施していることが特徴である。

2. ミュージック・エデュケーション・ハブの運用例

同制度のケース・スタディとして、トライバラ・ミュージック・ハブを見てみよう[30]。

名称のトライバラとは、3 つの行政区（バラ Borough[31]）の共同事業であることを指している。隣接するケンジントン・アンド・チェルシー王室特別区 Royal Borough of Kensington and Chelsea、ハマースミス・アンド・フラム自治区 London Borough of Hammersmith & Fulham、およびシティ・オブ・ウェストミンスター City of Westminster、すなわちロンドンの官庁街などを含む地域である。この地域での活動は、芸術大学および大規模なコンサートホールが中心となっている。18 歳までの生徒を対象に、オーケストラ、ギター・アンサンブル、室内楽団などの演奏活動をサポートしたり、学校のクラスルームに音楽を届ける活動をしたり、鑑賞機会を提供したりする事業を複数のパートナー組織と共に実施していて、総額 274 万 9065 ポンド（約 4 億 1236 万円、2017 年度）の予算を得ている。そのうち、MEH での助成は 18.9％、LA からの補助金は 3.5％、学校負担 14.7％、保護者負担 3.1％などの分担が記録されている[32]。

トライバラ・ミュージック・ハブでは、事業におけるストラテジック・パートナーとして、ロイヤル・アルバート・ホール、ロイヤル・カレッジ・オブ・ミュージックが参加、パートナー・オーガニゼーションとして、イングリッシュ・ナショナル・バレエ、イングリッシュ・ナショナル・オペラ、ロイヤル・フィルハーモニック・オーケストラが参加

している。同事業では、年間上演活動30回以上、50校以上で活動を実施、5千人以上の生徒たちに音楽教育が機会提供されていて、毎週500人以上の生徒との合奏などの演奏活動などが実施されている。

MEHの実績資料（2015–2017年度）には、各ハブでの活動実績データが掲載されていて、「エリア内のいくつの学校で活動を実施したか?」「アンサンブル活動をおこなった学校は?」「ほかの資金源を獲得できたか?」などの詳細なデータ集が発表されている[33]。

本章では、ACEによる3つの助成制度と1つの音楽教育関連の助成制度について、その経緯や考え方、実際の事例などを取り上げてきた。ACEによる助成制度の大きな枠組を理解していただけたと思う。次の章では、これらの制度が実際にどのように運用されているのかを見ていこう。

【コラム】調査研究とデータ収集 [34]

「調査研究」

ACEでは、施策の策定に根拠となるデータや報告が必須となることもあり、調査研究とデータ収集を活発におこなっている。これらの活動は、基本的に外部組織に委託している。1万ポンド（約150万円）を超える調査研究事業は公開入札を通じて外部委託先を選定し、1万ポンド以下の場合は直接指名をするなど対応している。これにより、調査対象にACEの被助成団体が含まれる場合でも公平性や透明性が担保されるという。ACE内部での調査研究に関しては先行研究の収集・分析などが主な業務となっている。

新10年戦略を策定する際にも、複数の調査実施やパブリック・コメントの収集などの手続きを経てきた。こうした政策形成のための調査研究も外部機関等に委託している。

このほか、大学と芸術文化団体の共同研究を推進する調査研究助成が実施されている。これらは具体的なテーマ設定のうえ、大学と芸術文化団体との協働によって社会における課題解決に資することを目的とする。第1期は2015–2016年の2年間、第2期は2017–2018年の2年間実施された。

第2期には、6つのプログラムが実施された。

その一つ、ロンドン大学クイーン・メアリー校とダッキー Duckie [35] の協働
による調査研究は、社会的に孤立するリスクを負った高齢者を対象としたも
のである。「ポッシュ・クラブ Posh Club」と名づけられた高齢者のための毎
週のイベントが、いかに彼らの社会的結びつきを促進し、孤立を減らし、健
康、幸福および地域社会のかかわりを向上させるのかという観点からの調
査となった。同調査には、約 17 万 7000 ポンド（約 2655 万円）が助成さ
れた。

　調査研究事業は ACE がおこなう助成事業の企画立案の根拠となるエビデ
ンスを提供し、評価の指標策定にもつながるため、助成制度を支えるひとつ
の大きな柱でもある。ACE の調査研究チームは、他機関への委託、あるい
は協働による調査研究のディレクションを担うという立場をとっている。

「データ収集」

　ACE は、自身が企画した調査研究に加えて、他機関がおこなう大規模な
データ収集においても協力関係を構築しながら事業を進めている。

　データ収集は、ACE が実施した事業や投資の透明性を確保するためにお
こなわれるものであり、公開を目的とすると位置づけられている。中でも、
被助成団体が毎年提出する「アニュアル・サーベイ [36]」は、ACE 内部で正確
性をチェックしたのち、政府や公的研究機関への報告のための公式データ
として扱われる。

　提出が要請されているデータ内容の大項目は、以下のとおりである [37]。

　大きくは「人材 Workforce」「財務 Finance」「事業報告 Activity」「観客
Audience」「教育と関与 Education & Participation」「ツアーと国際化 Touring
& International」「SSO とブリッジ・オーガニゼーション Sector Support &
Bridges」に分類される。質問内容は、「Yes/No」、あるいは数値での回答が
求められていて、回答のためのガイダンスがあわせて示されている [38]。

　上記アニュアル・サーベイからの統計用データに加えて、DCMS と
ACE、ヒストリック・イングランド、スポーツ・イングランドの共同でおこ
なわれているテイキング・パート調査のほか、公共図書館利用者調査
（PLUS）なども、定期的な調査データの事例としてあげられる。

　これらは ACE の設定する戦略目標の達成度をはかるために利用されて
いる。さらに調査研究結果や収集データなどに基づいた ACE の助成制度
および文化政策の方針策定にも活用されている。

注

1 ACE, *Grant-in -Aid and National Lottery Distribution 2018/19, Annual Report and Accounts, for the year ended 31 March 2019,* 2019, https://www.artscouncil.org.uk/sites/default/files/download-file/Arts%20Council%20annual%20report%202018%202019.pdf, p. 88.

2 *Ibid.*, p. 84.

3 ACE, *Annual Report & Account*s 各年度版より。

4 実際には、829のNPOが助成を受けている。そのうちの136のNPOは前2017年度に国営宝くじからの助成を開始している。これらは、前年度分にカウントされているため、実際の数との差が出ている。ACE, *Annual Report and Accounts, 2018/2019*, 2019, p. 12.

5 *Ibid.*, pp. 12–14.

6 ACE, *National Portfolio Organisations 2018–22*, 2018, https://www.artscouncil.org.uk/national-portfolio-2018-22/more-data-2018-22(2020年12月27日取得)。

7 *Ibid.*

8 ACE, *National Portfolio Organisations 2018–22*, 2018によれば、助成件数は842件となっているが、助成に採択されたのちのプロセスで合意に至らないなどの事例があるため、助成件数には差異が生じている。2020年12月現在合計助成数が840件に減少している。

9 ACE, *National Portfolio Organisations 2018–22*, 2018によれば、2018–22のSSOのうちナショナルのカテゴリーでの事業は58件中34件である。

10 2018年単年度のマンチェスター・インターナショナル・フェスティバルへの助成額は891万4000ポンドとなっていて、年度によって増減するケースがある。

11 South Bank Centre, https://www.southbankcentre.co.uk/venue-hire/auditoria(2020年12月27日取得)。

12 South Bank Centre, *Highlights September 2017–December 2018*, https://issuu.com/southbank_centre/docs/21901.4_annual_review_2018_19_hi_re?e=7882842/66489560, p. 5(2020年12月27日取得)。

13 ACE, *Bridge Organisations*, https://www.artscouncil.org.uk/children-and-young-people/bridge-organisations(2020年12月27日取得)。

14 ACE, *Arts Council National Lottery Project Grants awards made between 01 April 2019–31 March 2020*, 2020., https://www.artscouncil.org.uk/national-lottery-project-grants/project-grants-data#section-1

15 ACE, *Arts Council Development Founds,* https://www.artscouncil.org.uk/our-investment/arts-council-development-funds(2020年11月5日取得)。

16 主としてスポーツ・イングランドによる、レジャーやレクリエーション活動への参加に関する調査で、2015年11月から5年間にわたり実施。ACEなども資金提供者となって、Ipsos MORIがおこなっている。郵送やインターネットによる調査形式をとり、約19万8000人の成人が回答した結果に基づく。ACE, *The Active Lives Survey: Frequently Asked Questions*, 2017.

17 「クリエイティブ・ピープル・アンド・プレイス・第2ラウンド」において、芸術文化活動への参加度が低くイングランド全土で下位3分の1に位置づく地域109か所のリストが示されている。https://www.artscouncil.org.uk/creative-people-and-places/creative-people-and-places-2020-24#section-1. ACE, *Arts Council National Lottery Development Funds: New Creative People and Places (Round two): Guidance for Applicants, 2018*, https://www.artscouncil.org.uk/sites/default/files/download-file/Creative_People%26places_guidance_round2_13122019%20%281%29.pdf, p. 9(2020年11月5日取得)。

18 ACE, *Catalyst: Evolve-Guidance for applicants*, 2016, https://www.artscouncil.org.uk/sites/default/files/download-file/Catalyst_Evolve_guidance.pdf.

19 『イングランド及びスコットランドにおける文化芸術活動に対する助成システム等に関する実態調査　報告書（以下、ES報告書）』日本芸術文化振興会、2018年、77頁。

20 ROH, *Cancellation*, 2020, https://www.roh.org.uk/about/cancellations（2020年5月25日取得）.

21 National Theater (NT), *Help Centre Frequently asked questions*, https://www.nationaltheatre.org.uk/help-centre/your-visit#safety（2020年5月25日取得）.

22 ACE, *Covid-19: More information*, 2020, https://www.artscouncil.org.uk/covid-19/covid-19-more-information#section-1（2020年11月5日取得）.

23 ACE, *Annual Report 2019/20*, https://www.artscouncil.org.uk/sites/default/files/download-file/ACE%20Annual%20Report%202019%202020.pdf, p. 90.

24 UK Government, *Press Release, £1.57 billion investment to protect Britain's world-class cultural, arts and heritage institutions*, https://www.gov.uk/government/news/157-billion-investment-to-protect-britains-world-class-cultural-arts-and-heritage-institutions（2020年7月15日取得）.

25 家庭の事情などにより学校給食代の払えない生徒のことを指している。その人数が、地域の貧困率を示す指標となっている。

26 MEHはアカデミック・イヤーで進行管理がおこなわれるため、会計年度による他事業の進行管理とは異なる。Professor Martin Fautley Dr Adam Whittaker, *Key Data on Music Education Hubs 2018, Birmingham City University*, 2018, p. 4, https://www.artscouncil.org.uk/sites/default/files/download-file/Music%20Education%20Hubs%2C%20Key%20Data%20-%202018.pdf

27 ACE, *Music Education Hubs*, https://www.artscouncil.org.uk/music-education/music-education-hubs#section-1（2020年6月14日取得）.

28 ACE, *2020–21 Music Education Hubs* (MEH) , https://www.artscouncil.org.uk/music-education/music-education-hubs#section-1（2020年11月5日取得）. ローカル・オーソリティ Local Authority はロンドンの行政区などの地方自治体を指す。

29 ACE, *Music Education Hubs Data 2015–2017.*

30 Tri-Borough Music Hub, West Minster, https://www.triboroughmusichub.org/about-us/『芸術文化活動に対する助成制度に関する調査分析事業』日本芸術文化振興会、2012年、87–89頁。https://www.ntj.jac.go.jp/assets/files/kikin/artscouncil/report.pdf

31 ロンドンは32の行政区とシティ・オブ・ロンドンで構成されている。

32 ACE, *Music Education Hubs survey, Music Education Hubs Data- Data 2017/18,* https://www.artscouncil.org.uk/children-and-young-people/music-education-hubs-survey（2020年11月5日取得）.

33 ACE, *Music Education Hubs Survey, Music Education Hubs Data - Graphs 2016/17,* https://www.artscouncil.org.uk/children-and-young-people/music-education-hubs-survey（2020年11月5日取得）.

34 日本芸術文化振興会『ES報告書』、146–153頁を参照している。

35 ダッキー Duckie は、ロンドン南部で25年前に設立されたグループで、舞台とのインタラクティブな関係をつくりながら進行する参加型上演などをおこなっている。Duckie, https://www.duckie.co.uk/events/the-posh-club（2020年10月20日取得）.

36 ACEがNPOから毎年6月に提出を受ける公式統計用データを指す。内容は量的なもので、公式統計に用いられる。質的なレポートは「アニュアル・レポート」として、毎年7月に提出を求められている。

37 Arts Council England, *2019/20 Annual Survey Questions*, January 18, 2018, https://www.artscouncil.org.uk/advice-guidance/annual-survey-guidance（2020年12月27日取得）. .

38 例えば「ツアーと国際化」の問いでは、「1年間に国際的な活動をした場合は具体的に記載してほしい」「海外からの観客による収入額は？」「国際共同制作はおこなったか？」などが質問されている。「SSOとブリッジ・オーガニゼーション（Sector Support & Bridges）」の項目での問いでは、具

体的な地域名をあげて、「どの地域で活動をおこなったか？」「いくつの MEH とコンタクトをとったか？」などの数値を答えるような質問が設定されている。

A Perspective on
Subsidising Arts and Culture
Strategic Investment by Arts Council England

第4章

芸術文化助成の現場

審査、モニタリング、評価

本章では、ACEの3つの助成制度に関する審査から助成金交付までのプロセス、交付後におこなわれるモニタリングや評価、およびそれらのスケジュールや実施体制などについて具体的に見ていこう。助成申請に対する採択審査、そして実際の助成金交付時にはモニタリング、さらに団体運営や活動の評価などが、ACEから芸術文化団体に対して実施されていく。これらは助成制度の運用において最も重要なプロセスであり、芸術文化助成の最前線とも言うべきものだ。

　ここで扱う助成制度は、運営助成、事業助成、戦略的事業助成である。そのうち運営助成は、各制度のなかでも最も多額の資金が投入されていて、大規模な活動をおこなう芸術文化団体が助成を受けている。また被助成団体が実施事業のみならず、費目を限らず団体の運営に助成金を利用できる制度である。さらに運営助成は時間をかけて審査され、モニタリングや団体運営に対する毎年の評価なども重点的に実施されることから、ACE側も多くの人材が携わっている。審査、モニタリング、評価など一連のアーツカウンシル制度運用の現場を理解するには最も適しているため、本章の各節では主に運営助成の運用について取り上げ、事業助成や戦略的事業助成については簡単に触れるにとどめる。

第1節　審査について

　本節では、助成金の申請から審査までを述べる。助成審査の実態については、どこの国や地域においても一般的にはあまり身近ではないし、さほど知られていないと言ってよいだろう。例えば日本においても、そもそも審査の手順や審査会の議事録が積極的に公開されているわけではないうえに、組織外の人材を審査員に招いたりすることはあっても、実質非公開でおこなわれるプロセスだからだ。

　一方で、助成金申請にあたっては、助成をする側が、助成事業の実施により何を実現しようとしているのか知ることが肝要となる。これは、国や地域を問わず必要となることだとしてよいだろう。助成を受けようとする側が、審査で重視される点は何なのか、どのタイミングで審査がおこなわれ、結果がいつ発表になるのか、どのような審査体制が組まれているのかなど、助成審査の実態を知っておくことも重要だ。

　ACEの助成審査については、先行調査が参照できる[1]。

ACEの3つの助成制度のうち、最も多額の助成金を配分する運営助成は4年助成であり、審査のための書類のやりとりなどで数多くのプロセスを経るため、申請から審査、助成開始までには約1年半の期間が設定されている。

　事業助成は、申請から採否決定まで金額によって6週間あるいは12週間に設定されるなど、機動力のある助成制度である。さらに戦略的事業助成は、ACEが課題設定したテーマに基づいて実施されるもので、テーマによって審査のプロセスや助成期間が異なる。

　いずれの助成制度においても、助成側から、助成金を摘要できる費目が細かく設定されることはなく、助成可能な額が計算式で算出される手順もない。基本的に、当該団体が戦略目標の達成を目指して事業企画を遂行できるような運営の健全性、団体そのもののリスクレベルなどが審査の観点となる。

　これらを前提に、ACEの審査、評価などのあり方を詳しく見てみたい。取り上げるACEの助成事業の審査期間、発表のタイミングなどは、各助成制度の特徴を反映したものである。こうした審査の各プロセスや内容を知ることで、ACEの助成制度を一層深く把握する手がかりをつかむことができ、ACEの組織構造と考え方の理解につながるだろう。

1. 運営助成
1）申請から審査、助成金交付のスケジュール

　運営助成は、ACEの助成事業の中でも、最大規模で金額の大きな被助成団体に対するプログラムであり、申請、審査、助成金交付に至るまで、十分な時間をかけておこなわれる。

　例えば2018年度からの助成期間を例にとると、4年間にわたる団体の運営助成を受けるための申請、審査、採択に至るプロセスは、2016年から始まっている。多額の助成を受けることから、審査には多くの手順を要するし、多くの人たちがかかわる。結果として、NPOの助成審査には相当な時間がかけられる。

　具体的なスケジュールは以下のとおりである。採否の内定通知後に交わされるファンディング・アグリーメントとは、採択された助成事業に関する相互の合意文書であり、助成金の交付後は、それに基づいて助成事業がおこなわれていく。

【運営助成：申請から助成金交付まで】

2016年10月26日	申請受付開始
2017年2月1日	申請締め切り
2017年2月上旬〜6月上旬	審査
2017年6月27日	採否の内定通知
2017年7月〜2018年2月	ファンディグ・アグリーメントに関する交渉
2018年4月	助成金交付の開始
2022年3月	助成金交付期間の終了

　申請受付は、グランティウムGrantiumという名称のシステムを通じておこなわれる電子申請となっている[2]。

2）審査の準備とバランシング、ファンディング・アグリーメント発行までのスケジュール

　2017年2月にACEが申請を締め切ったのちの審査のプロセスは次のとおりである。

　ロギングとは申請のログをとること、つまり申請の登録を意味する。

　ACEでは、交付先や金額配分の点で偏りがないようなバランス調整、すなわちバランシングをおこなっている。バランシングには、エリア・バランシングとナショナル・バランシングの2つの段階がある。バランシングの際には、「多様性」「分野・専門領域」「地域」の3つの観点が検討される。

　エリア・バランシングは5つの各エリアにおいて先にあげた3つの観点でのバランスを、ナショナル・バランシングは同様に3つの観点から全国におけるバランスをとる過程、あるいはその会議のことを意味する。

【審査】

2017年2月上旬〜2月中旬	申請資格のチェックとロギング
2017年2月上旬〜3月上旬	RMによる書面審査とモデレーション[3]
2017年4月上旬	書面審査のサマリーに基づく推薦

2017年4月18日〜5月9日　　エリア・バランシング

2017年5月10日〜5月30日　　ナショナル・バランシング

2017年6月下旬　　　　　　　採否決定と団体への通知

　上記のとおり、申請受付開始から審査、採否の内定通知、助成金交付の開始まで約1年半もの歳月がかけられていることがわかる。採否の内定が通知されてからも、ファンディング・アグリーメントを交わすに至るまで、交渉には半年の期間がかけられる。

【助成】

2017年10月15日　　　　　　ビジネス・プラン第1稿提出

2017年10月〜3月　　　　　　ファンディング・アグリーメントの交渉

2018年3月　　　　　　　　　ファンディング・アグリーメントの完成・発行

　このように、運営助成に申請、採択から実際に助成されるまでに多くのプロセスを経ることになる。4年間の運営助成を受けるためには、申請者側はACEの示す戦略目標などを通じて助成の方針を十分に理解して、多くの書類を提出し、審査を受ける必要がある。そのうえ採択されてからも、ACEとの間でファンディング・アグリーメントを取り交わすまでは正式交付とはならない。こうした数々の手続きを経た後、ようやく助成金が交付されるのだ。

　次の項で、これらの各プロセスについて詳細を見てみよう。

① リレーションシップ・マネージャーによる審査の準備

　書類が応募団体から提出され、申請が正式に受理されると、リレーションシップ・マネージャー Relationship Manager（以下、RM）による書面審査に進む。これは審査の準備のために書面を読み込んで、RMが所見を記す作業を指している。RMは審査のテンプレートに記入する作業を4つの段階に分けておこなっていく。第1段階は申請の分類、第2段階は戦略目標に沿った評価、第3段階はリスク・アセスメント、第4段階はサマリーの作成などである。これらの作業はあくまで審査

の準備であり、採否を決める段階ではない。

ⅰ）申請の分類と戦略目標に沿った評価

　RMは、第1段階では申請をグランティウムに登録する作業をおこなう。専門領域などをACE側が判断、分類して、登録するプロセスになる。

　次に、第2段階で5つの各戦略目標への評価が作成される。ここでの所見には、申請団体から提供された過去の実績や直近の業績からの読み取りだけではなく、RM自身の知見に基づいた判断が求められる。

　戦略目標1　「卓越性」については、たとえば芸術的な質の改善計画、ベストプラクティスに関するエビデンスの有無などが記載される。

　戦略目標2　「あらゆる人」に関する所見は、鑑賞者など関与者へのモニタリングが適切におこなわれているかなどが視点となる。鑑賞機会における地域の多様性、出演者、スタッフや鑑賞者における人物多様性[4]などが記入されていく。

　こうして、バンド3の団体は5つの戦略目標全て、バンド2と1の団体は戦略目標1、2、5に対して、弱点の記述なども含めて審査に必要となるような情報が記されていく。加えて、多様性に向けた創造的実践の実現に貢献するのか、助成事業を遂行するガバナンス・マネジメント、財務的に実行可能なのかという各観点に関しても、どのように達成されようとしているのかが記載されていく。

　これらの作業の結果、戦略目標などの観点については、アウトスタンディングOutstanding 優／ストロング Strong 良／メット Met 可／ノット・メット Not Met 不可の4段階での評価が付され、所見が250語程度、エビデンスが250語程度で記入されていく。

ⅱ）リスク・アセスメント

　5つの戦略目標などに対する評価に加えて、第3段階ではリスク・アセスメントがおこなわれる。ACEの5つの各戦略目標に加えて、「ガバナンス・マネジメント」「財務的実行可能性」に関するリスク要因がないかなど、団体の活動遂行能力について評価する。リスクが認められる場合には、リスク要因について250語程度で所見を書く。これには申請者側が自己申告してきているリスクも書き込むことが可能とされていて、言及したリスク要因に対するリスク軽減策をRMが250語程度で記述する作業もなされ、根拠となるエビデンスも300語程度で記述される。

iii）サマリーの作成と推薦、書面審査の位置づけ

　第4段階では、書面審査の全体サマリーとして、バンドごとに課される各戦略目標などへの対応が300語程度でまとめられ、アウトスタンディング（優）、ストロング（良）などの評価結果も盛り込まれる。リスク・サマリーは戦略目標、ガバナンス・マネジメント、財務的実行可能性の3項目に関するリスク評価を300語程度で記述する。これには、リスク軽減策と、大、中、小のリスク評価のいずれかを明示しながら、団体がリスク軽減のためにどのような努力をしているのかについても記載する。

　このように一連の審査のプロセスにおいて、あくまでRMは書面審査の所見を書くだけであって、この段階で採否が決まるわけではなく、RMは採択判定には直接かかわる立場にはないとされている。しかし、RMの作成したサマリーに基づいて、バランシングの担当者により、採否にかかわる推薦がおこなわれる。その際に、書面審査のサマリーは、具体的な手がかりとなるため、RMの所見が極めて重要な位置づけだと言えるだろう。

② エリア・バランシング

　書面審査の次に約1か月にわたるエリア・バランシングが実施される。

　まず、採択候補となる申請団体のリストであるエリア・ポートフォリオ第1稿が作成される。

　エリア・バランシングは、ノース、ロンドン、ミッドランズ、サウス・ウエスト、サウス・イーストのイングランド域内の5つの各エリアで、人物や地域の多様性、分野・専門領域の多様性に加えて、あらゆる人に活動を届けることなど、戦略目標1〜5でうたわれている事項を達成するためにおこなわれるものだ。そのために、「多様性」「分野・専門領域の広がり」「地理的な広がり」の3つの観点から、望ましいバランスとなるような採択団体候補のリストが作られる。これが、エリア・ポートフォリオ第1稿である。このうち「多様性」は、すでに書面審査でアーティストや鑑賞者の多様性に関する評価が付されているため、ここでは申請してきた芸術文化団体等の中心となる人物に関する多様性が検討される。

　この段階では、当該エリアを担当する各領域の専門家チーム、各分野の専門家チーム、さらに分野横断的な視点を持ったチームやACEの戦略目標に専門性

をもつチームも、この採択候補団体リストを審査する。各申請団体の活動が戦略目標にどう貢献するかということが審査の焦点となる。

　エリア・バランシングではエリア・チームによる（エリア・ディレクターと各エリアのRMからなる）ミーティング、さらに各分野・専門領域チーム（各分野・専門領域のディレクターと各分野・専門領域の担当RM）によるミーティングなど、複数の会議を経てナショナル・バランシング前の調整がなされる。このエリア・バランシングには、「クロスカッティング・戦略目標チーム」が加わる。彼らの役割は、クロスカッティング、すなわち分野横断的、領域横断的な視点で、ACEの戦略目標がどのように達成される可能性があるのか意見を述べることにある。エリア・ナラティブ・レポートの作成、SWOT分析の提示などもおこなわれる。

　エリア・ナラティブ・レポートとは、「イントロダクション」「ポートフォリオ（各エリアが採択を推奨する申請団体のリスト）の分析概要」「各エリアが推薦するポートフォリオの詳細」「連絡事項」が文章で記載されているものである。SWOT分析は、「強みStrengths」「弱みWeaknesses」「機会Opportunities」「脅威Threats」の4つの観点でおこなわれる。

　同レポートは分野・専門領域のリード、クロスカッティングのリード、戦略目標のリードが分析シートに記入して作成される。ここでいうリードとは、各チームの責任者たちのことであり、バランシングにかかわる人たちを指す。これらの作業の後、エリア・ポートフォリオ第2稿が作られ、ナショナル・バランシング会議に付される。

③ ナショナル・バランシング

　ナショナル・バランシングでは、ナショナル・ポートフォリオ第1稿が、エグゼクティブ・ボードとディレクターによる会議でナショナル・ポートフォリオ第2稿が作成され、さらにエグゼクティブ・ボードによるレビュー会議で最終版が提案される。

④ 助成の決定

　エリア・カウンシルによる会議が開催され、80万ポンド（約1億2000万円）以下の申請についてはここで採否を決定する。80万ポンドを超える申請に関しては、ナショナル・カウンシルに対して推薦することになっている。エグゼクティブ・ボード

とディレクターたちは、エリア・カウンシルの決定をレビューしながら、最終的な
バランシングの判断、すなわちアーティスト、鑑賞者に加えて申請団体の中心人
物に関する多様性を確認する。

　最後にナショナル・カウンシルによる会議で、80万ポンド以下の申請に関して
は承認、80万ポンド以上の申請に関しては採否が最終決定される。

⑤ ファンディング・アグリーメントの締結

　採否が発表されてからも、助成側と被助成団体側とのコミュニケーションをも
とにして、さらに作業は続けられていく。

　ファンディング・アグリーメントは、当該団体への投資（インベストメント）の見返
りとしてACEが各団体に期待する行動を明確に定めたもので、ビジネス・プラ
ンは各団体がこれをどのように達成するかを明確に反映した活動計画にするこ
とが求められる[5]。それだけではなく、直前の助成期間である2015–2017年度
において、運営助成を受けていた団体に対しては、助成期間が終わるまでに多
様性のための創造的実践の評価で「アウトスタンディング」「ストロング」「メット」
「ノット・メット」という、この順に高〜低評価になる4段階のうち、少なくとも「メッ
ト」への到達が期待されている。

　採否決定がおこなわれてからも、提示された助成金のレベルに応じて、申請書
で示された提案が、ビジネス・プランに反映されたかどうかを確認するプロセス
を経る必要がある。その際にも、5つの戦略目標の達成にどのように貢献するの
か明確に示されていなければならないとされているのもポイントとなる。

3）申請者用ガイダンスから読み取れること

　運営助成は、ACEの活動の根幹を成す事業であり、NPOにはACEの助成方
針への十分な理解が求められている。助成申請書には、ACEが掲げる5つの戦
略目標それぞれにどのように対応するのかを、書き込むようになっている。

　バンド1〜3および、SSOに対しては、図表4–1のような要件が提示されている。

　ACEからは、審査時に何を基準に考慮するのかについて、書き込むべき内容
の詳細が示されている。申請者用ガイダンス[6]に記載されている内容から、申請

図表4-1　ACE の5つの戦略目標とバンド1～3および SSO の対応要件

	ACE の5つの戦略目標	
戦略目標1	芸術、美術館・博物館、図書館において卓越性が花開き、称賛されること	
戦略目標2	あらゆる人が芸術、美術館・博物館、図書館を体験し、触発される機会を持つこと	
戦略目標3	芸術、美術館・博物館、図書館がレジリエンスを有し、環境的に持続可能であること	
戦略目標4	芸術、美術館・博物館、図書館のリーダー層および従事者層が多様であり、適切なスキルを有していること	
戦略目標5	あらゆる子どもと若者に、芸術、美術館・博物館、図書館の豊かさを体験できる機会があること	
	対応すべき戦略目標	ビジネス・プラン提出の義務
バンド3	戦略目標1～5全て	全助成期間分（4年間）
バンド2	戦略目標1、2は必須 可能であれば戦略目標5	助成期間のうち2年分
バンド1	戦略目標1、2は必須 可能であれば戦略目標5	助成期間のうち1年分
SSO	戦略目標1、2は必須 可能であれば戦略目標5	助成期間のうち3年分

にあたって求められている点に注目してみよう。

　バンド3の団体は、5つの戦略目標のすべての項目ごとに、4年間の計画を書くよう課されている。それぞれについて、アルファベット数で最大2万字まで書き込める。5つの戦略目標に加えて「多様性に向けた創造的実践への貢献 Creative Case for Diversity」については1万字まで、「提案する活動プログラムをどのように主導し、運営する計画か」（戦略目標3に関連）については1万4千字、「財務的実行可能性の確保」についても1万4千字まで書きこめるようになっている。

　その際、求められるのは、何を実施するのかという具体的な活動プログラムの詳細ではなく、計画している活動を通して何が達成できるのか、芸術上の、そして社会的なアウトカムの提示である。さらに達成状況を測る手法に関して、具体的なエビデンスの提示方法などを記載するよう要請されている。

　また、NPOとして助成を受けるにあたって、同じ分野の他団体あるいは同じエ

リアの他団体に対してどのような支援を提供するのかという観点からも評価される。被助成団体が助成を通じて他団体にどのように影響を与えられるのか、当該分野を牽引するリーダーシップを発揮できるのかなどが重要な視点となっているのである。実際に、各被助成団体の活動は「各戦略目標や他団体の支援に対してどの程度有効か」と問われるなど、細かな義務づけがなされているのだ。

　すなわち申請者が何をやりたいかではなく、ACEが示している戦略目標に即した活動をどのように実現するのか、結果として申請者である団体自身が幅広いほかの芸術文化団体をリードする立場となり、ほかの組織を支援できるのかが問われていて、それらを具体的に記載するように要請されているのだ。そのためのACEからの問いかけは常に、「各戦略目標に貢献するために助成をどのように活用する計画か」という形式となっているのである。こうして、ACEからの要請の意識づけが、申請段階から助成を受けようとする側に対してあらゆる角度から繰り返しおこなわれている。

　運営助成に関しては、申請から、審査、採否決定・発表に至るプロセスを見ると、採否が発表されてからも、助成に至るまでの手続きがやりとりを経て入念におこなわれている様子が見て取れる。加えて申請者側にはACEの戦略目標の十分な理解が要請されるとともに、それを自らの活動にどのように位置づけるのか、徹底的に計画に落とし込む作業が必要となる。この点については、第6章で取り上げるROHの項で詳述する。日ごろから政府やACEが打ち出している芸術文化振興の方針を十分に理解していなければ、これらの要請には到底対応できないであろう。このプロセスを経ることがNPOに採択され、大型の助成を受けた芸術文化団体の、公的支援への意識づけと公的な活動であることへの自覚につながるのだと言える。

2. 事業助成

　前項では、運営助成が時間をかけて審査、採否の決定、および実際の契約に至る経緯を見てきた。この項では、芸術文化団体などの企画するプロジェクトに対する助成である事業助成を取り上げる。事業助成は、運営助成に比べ、審査に時間をかけない点が大きな特徴である。

1）審査

　事業助成は、助成申請の機会が1年を通じてひらかれていて、最長で原則3年間までのプロジェクトを対象とする助成制度である。申請額が1万5千ポンド（約225万円）の場合は、申請から採否の内定通知まで6週間である。1万5千ポンドを超える場合、申請から採否の内定通知まで12週間とされている。1万5千ポンドを境に、採択までの期間や審査方法、さらに審査の観点や助成金交付のタイミングなど、多くの事項で運用が異なる[7]。

　同助成は、イングランドで芸術文化活動をおこなう個人と芸術文化団体に対する助成で、分野も音楽、演劇、ダンス、ビジュアルアート、文学、複合芸術、美術館・博物館、図書館、そのほかとなっていて、運営助成と同じ設定である。

　先述の通り、事業助成の申請は通年で受けていて、申請を受理してからの採否決定の作業はその都度おこなう。ACEは申請者のプロフィール認証をしてから、申請者に対して適格性調査票の回答を求める。申請者は、助成申請総額について確定し、申請フォームに記入して提出する。

　事業助成の審査のために、ACE内部のスタッフによって構成される審査会が立ち上げられ、申請が適格であるか確認したうえで、リスクチェック、採否決定に至る。リスクチェックは、活動計画や予算策定に問題がないかという視点により、3段階での評価となる。1万5千ポンド以下の申請に関しては毎週審査会が開催される。SRMとRMの2名から成るパネルで審査され、助成の可否を判断、決定する。とりわけ、「芸術性の質」と「パブリック・エンゲージメント」の2つに関する事項が、審査の重要な観点とされている。

　1万5千ポンドを超える申請の場合は2週毎に審査会が開催される。この場合は、SRMとRMは審査に加わるものの、評価レポートを書く役割にとどまる。その後、エリア・ディレクターとエリアの各地域オフィスのディレクター、各エリアのシニア・マネージャーの3名以上によって構成されるエリア・マネジメント・チームが採否決定の判断をする。

　また、審査の観点も増え、「芸術性の質」「パブリック・エンゲージメント」「マネジメント」「財務」の4つがあげられていて、それぞれについて申請者が具体的に記入することが求められている。

「芸術の質」は、作品について、プロジェクトについてなど、さらにコラボレーションするアーティストについてなどが問われている。さらに、当該申請者あるいは当該芸術文化団体の発展にとって、申請する活動がどのような役割を果たすのか記載するように要請される。

　「パブリック・エンゲージメント」は、あらゆる人びとからの関与が広く期待できるかを意味する。関与する予定の人数、また対象となったり、関与したりする予定だった人がどのような特徴を持つのか、彼らがどのように当該プロジェクトにアプローチするのかなどが審査の観点となる。

　「マネジメント」は、プロジェクト・マネジメントを意味しており、具体的には関与するパートナー、実施場所、マネジメントおよび評価の方法、タイムラインについてなどの記載が求められる。

　「財務」については、プロジェクトの予算と管理が問われる。

　1万5千ポンドを超える申請については、これら4つの観点それぞれに評点がつけられていく。4つの観点のうち1つでも、5段階の評点の下の2段階のうち、いずれかの評価がつけられると採択されないために、審査の4つの観点全てにおいて事業企画が一定水準をクリアしている必要がある。

2）採択後

　1万5千ポンド以下の助成の場合は、助成期間の最初と最後の2回に分けて助成金が交付される。1万5千ポンドを超える助成は、助成期間の最初と中間、最後の3回に分けて助成金が交付される。報告書の提出が必要とされていて、自己評価をおこなうこととともされている。

　事業助成が、創造現場に対し開かれた助成制度として団体や個人にとっても活用しやすく歓迎されるのは、審査期間が短く、通年で申請できる点が大きな魅力となっているからである。同助成事業においては、即効性が求められるケースに対応する体制が整えられて、助成する側の機動力が確保されている。

3. 戦略的事業助成

　戦略的事業助成は、ACEが課題設定したテーマに対して、各団体や個人が

助成申請、活動を実施するものである[8]。これも事業助成同様に12週間程度から14週間程度で採否が決定して通知される。

　審査では、申請資格のチェック、書面審査、採否決定の3段階が設定されている。また、審査の基準は、ACEが掲げる信念との一致 Meeting the brief、活動のガバナンス・管理、財務的実行可能性およびバランスなどがポイントとなる。それらに加え、各プログラムに対して設定した観点が加味される場合もあるため、対応可能な内容かどうか、申請時によく吟味する必要がある。戦略的事業助成は運営助成を受けているNPOも申請可能な枠組となっている。

　ここまで、各助成制度の審査について概説してきたが、次節では採択後にACEと被助成団体側がどのように助成金をめぐってコミュニケーションをとっていくのか、モニタリングの方法について見てみよう。

【コラム】グランティウム

　グランティウム Grantium は、ACEによるウェブ上の助成管理システムの名称であり、2016年1月から導入された。芸術文化団体とACEの双方向からアクセス可能で、双方から提供される助成にかかわるあらゆる情報が蓄積されるデータベースだと考えるとわかりやすい。

　申請団体（申請者）、及び被助成団体（被助成者）は、このデジタル・システムを通じて、ACE側との間でのすべての情報のやりとりをしていて、双方でやりとりしたデータなどが記録される。

　グランティウムを通じて芸術文化団体からACEに提出される内容は、「申請」「報告」にかかわるあらゆる事項である。ACEが芸術文化団体に対して通知する、「採否」「モニタリング」「評価」などのあらゆる項目がグランティウム内に蓄積される。これにより、情報がどう行き来しているのかACE内部で把握できるようになっている。すなわち、「情報の可視化」を目指した仕組みである。これにより、RMをつなぎ手としておこなわれるACEと被助成団体の組織間コミュニケーションが、RM個人の所属する組織全体で共有可能な状況で整備された。

　また、芸術文化団体から提供されたデータの一部は、国家統計局により、個々の団体の情報と結びつかない形で、統計用データとして公式に活用されている。

第2節　モニタリングについて

1. ファンディング・アグリーメントとモニタリング・スケジュール

　運営助成に関して、採択後の団体へのモニタリングと事業評価の実際を見ていこう。審査が終了してから、採否発表ののち、一定のプロセスを経て、実際に助成を受ける事業が開始される。これらは、いったい誰によって、どのようにおこなわれているのだろうか。

　これから述べるモニタリングと評価を通じた様々なコミュニケーションは、ACEとNPOとの関係性を最も具体的に表し、そして助成という活動の本質を示している事柄だとも言える。ACEのモニタリングは、被助成団体の自発的な活動の尊重を大前提としつつ、彼らの活動のリスクをはかる行為である。さらに、エビデンスを基にしながら、芸術性を評価しようとする手法も、試行錯誤を繰り返しながらおこなわれている。それでは、実際にどのような状況なのか見てみよう。

1）ファンディング・アグリーメントと助成金交付のタイミング

　2018–2021年度の運営助成の採否内定は、2017年6月に一旦正式に公表された。その後、NPOは助成金受領を通じて、実際にどのような活動を実施するのかを具体的に提示することが求められる。互いに内容に合意すると、それを基に助成に関する合意文書であるファンディング・アグリーメントが交わされる。

　ファンディング・アグリーメントには、以下のような事項が含まれている。

　内定通知、約款、モニタリング・スケジュールと交付条件、追加条件、さらに被助成団体側から提出されたビジネス・プラン、予算詳細とキャッシュフロー計算書、鑑賞者と関与に関する目標または計画、さらに平等に向けた行動目標と計画である。

　ACEとNPOとの契約書としての位置づけであるファンディング・アグリーメントが被助成団体の理事会メンバーにより認められるまでは、助成金は交付されない。

　助成金交付のタイミングは、バンド1とバンド2のNPO及びSSOに対しては4半期ごとと定められており、助成金額は4年間同額となるように分割設定される。1年間の助成金額が100万ポンド（約1億5000万円）を超えるバンド3のNPOに対し

ては毎月の支払いが約束されており、こうした助成金交付のタイミングについて
もファンディング・アグリーメントに定められている。

2）モニタリング・スケジュールとビジネス・プラン

　図表4-2の通り、モニタリング・スケジュールは公表されていて、バンドにより設
定が異なっている。最も多くの助成金を受けているバンド3の被助成団体に対し
ては、毎月の管理会計文書やキャッシュフロー計算書の提出、4半期に1度の理
事会文書の提出などが課されていて、毎月なんらかの提出物を通じてACEに対
する報告がおこなわれるように定められている。

　一方で、バンド1、バンド2とSSOに対しては、基本的には4半期に1度の会計な
どの報告、1年間に1度のアニュアル・レポート（NPOからACEに対して提示される
報告書）の提出、ビジネス・プランの更新などが課されている。しかしバンド3に比
べると、報告義務の回数や内容がかなり軽減されている。これは、受けている助
成金額の多寡、すなわち、どの程度助成金を受けとれるのか、被助成団体の組織
としての力の差異が理由である。NPOの体力に応じた負荷のかけ方が必須との
配慮である。

　また、この報告の際に使用が推奨されるツールについても言及がある。提出物
のうち年次強化報告書には、「オーディエンス・ファインダー」を用いて鑑賞者の報
告を含めることとされている。オーディエンス・ファインダーは、鑑賞者の行動、動
機、経験、人口統計を理解して、鑑賞者開発を担う活動に対して情報を提供、そ
の増加と多様化を支援するツールのことである[9]。NPOは、免除の合意がある場
合を除いて、保護特性[10]を含めたデータをオーディエンス・ファインダーで作成
し、年次強化報告書に含めて提出する必要がある。

　モニタリング・スケジュールを見ると、大きくは7月までにNPOから前年度の報
告がなされ、ACEが9月に前年度の評価を提示する点が、バンド1〜3に共通の事
項である。さらに、ACEから受けた評価を反映したビジネス・プランを策定・更新
して、第1四半期の最初の月、すなわち4月に更新したビジネス・プランの提出が
義務づけられている。

　ビジネス・プランは、助成採択決定後、ただちに担当RMと協議しながら作成す

図表4-2　NPO のモニタリング・スケジュール

（2020年度、NPO と ACE との書類のやりとりと ACE からの助成金支払い）

	日付 ＼ バンド	バンド3	バンド2、SSO	バンド1
第1四半期	4月1日	【3年目の支払い：第1回目】	【3年目の支払い：第1回目】	【3年目の支払い：第1回目】
		管理会計文書とキャッシュフロー計算書／理事会文書か管理報告書	管理会計文書とキャッシュフロー計算書／理事会文書か管理報告書	管理会計文書とキャッシュフロー計算書／理事会文書か管理報告書
		ビジネス・プラン（予算とキャッシュフロー計算書を含む）／鑑賞者およびエンゲージメント・プランデジタル・ポリシーとプラン／平等に関するアクション・プラン／リスク登録	ビジネス・プラン（予算とキャッシュフロー計算書）／鑑賞者およびエンゲージメント・プラン／デジタル・ポリシーとプラン／平等に関するアクション・プラン／リスク登録	予算とキャッシュフロー計算書を含む 2021–22 の ビジネス・プランの最終版／予算とキャッシュフロー計算書を含む 2022–23の指標となるビジネス・プラン
		すべてのポリシーと計画を更新し、ビジネス・プランに含めるか、付録として添付しなくてはならない		—
	5月6日	【3年目の支払い：第2回目】		
		管理会計文書とキャッシュフロー計算書／（カーボン・カリキュレーターに入力）		
	5月31日	環境持続性に関する資料：	環境持続性に関する要請：	環境持続性に関する要請：
		持続性ポリシーとアクション・プランの見直し／カーボン・カリキュレーターに環境データを入力	持続性ポリシーとアクション・プランの見直し／カーボン・カリキュレーターに環境データを入力	持続性ポリシーとアクション・プランの見直し／カーボン・カリキュレーターに環境データを入力
	6月3日	【3年目の支払い：第3回目】		
		管理会計文書とキャッシュフロー計算書		
	6月12日	アニュアル・サーベイ（公式統計用データ）完成	アニュアル・サーベイ（公式統計用データ）完成	アニュアル・サーベイ（公式統計用データ）完成
第2四半期	7月1日	【3年目の支払い：第4回目】	【3年目の支払い：第2回目】	【3年目の支払い：第2回目】
		管理会計文書とキャッシュフロー計算書／理事会文書か管理報告書／アニュアル・サーベイ（公式統計用データ）提出／年次強化報告書（オーディエンス・ファインダーで作成した鑑賞者の保護特性に関する詳しい情報を含む）／ファンディング・アグリーメントの追加条件の順守確認のためのデータ共有アンケート／クオリティ評価を要約したアニュアル・レポート	管理会計文書とキャッシュフロー計算書／理事会文書か管理報告書／アニュアル・サーベイ提出／年次強化報告書（オーディエンス・ファインダーで作成した鑑賞者の保護特性に関する詳しい情報を含む）／ファンディング・アグリーメントの追加条件の順守確認のためのデータ共有アンケート	管理会計文書とキャッシュフロー計算書／年次報告書（オーディエンス・ファインダーで生成されたもの）／アニュアル・サーベイ提出／ファンディング・アグリーメントの追加条件の順守確認のためのデータ共有アンケート
	8月5日	【3年目の支払い：第5回目】	—	—
		管理会計文書とキャッシュフロー計算書		

図表4−2 NPO のモニタリング・スケジュール（つづき）

日付	バンド3	バンド2、SSO	バンド1
9月	前年度のアニュアル・フィードバック・レターの伝達（ACE から各団体向け）		
9月2日	【3年目の支払い：第6回目】	—	—
	管理会計文書とキャッシュフロー計算書		
10月7日	【3年目の支払い：第7回目】	【3年目の支払い：第3回目】	【3年目の支払い：第3回目】
	管理会計文書とキャッシュフロー計算書／理事会文書か管理報告書	管理会計文書とキャッシュフロー計算書／理事会文書か管理報告書	管理会計文書とキャッシュフロー計算書／理事会文書か管理報告書
	ACE や政府から重複資金を得ていないかの確認		
11月4日	【3年目の支払い：第8回目】	—	—
	管理会計文書とキャッシュフロー計算書		
12月2日	【3年目の支払い：第9回目】		
	管理会計文書とキャッシュフロー計算書		
12月21日	RM にメールで連絡	RM にメールで連絡	
	予算とキャッシュフロー計算書を含む2021–22のビジネス・プランのドラフト／予算とキャッシュフロー計算書を含む2022–23の指標となるビジネス・プランのドラフト		
1月6日	【3年目の支払い：第10回目】	【3年目の支払い：第4回目】	【3年目の支払い：第4回目】
	管理会計文書とキャッシュフロー計算書／理事会文書か管理報告書／前年度の財務諸表	管理会計文書とキャッシュフロー計算書／理事会文書か管理報告書／前年度の財務諸表	管理会計文書とキャッシュフロー計算書／前年度の財務諸表
2月6日	【3年目の支払い：第11回目】	—	—
	管理会計文書とキャッシュフロー計算書		
3月3日	【3年目の支払い：第12回目】		
	管理会計文書とキャッシュフロー計算書		

出典：ACE, *Band 3 - Standard conditions and deadlines, Band 2 - Standard conditions and deadlines, Band 1 - Standard conditions and deadlines*, 2020[11] を筆者日本語訳改訂

るもので、その後のモニタリングにおいて実際に活用されていく。内容として特に重要とされるのが、ACE による5つの戦略目標にどのように貢献するのかという点である。こうして助成を受ける NPO 側にも政策が浸透し、事業に具体的に落とし込まれていく。

申請者用ガイダンスには、NPOがビジネス・プランに盛り込むべき内容の詳細が書き込まれており、バンド3の団体は、SMART目標を含めることとされている。SMART目標とは、具体的でSpecific測定可能でMeasurable実行可能でActionable現実的でRealistic期限に基づいたTime-based目標である[12]。SMART目標はACEの10年戦略に関連づけて策定するものとされている。こうして作られるビジネス・プランは数十ページにも及び、毎年更新したものの提出が課されているのである。

　これに加えて、ACEはすべてのNPOに対して毎年7月にアニュアル・レポート（自己評価）を文書で提出するように義務づけている。これは、ACEの戦略目標実現に向けて、どう貢献したかという観点から年間の活動および成果をまとめるものである。被助成団体には、このほかにもアニュアル・サーベイとして公式統計用データの提出も義務づけられている。

　被助成団体からのアニュアル・レポート提出の後、9月にはアニュアル・フィードバック・レターがACEからNPOに対して提示される。これはNPOに対する事後評価であり、RMが書く。

　こうしたコミュニケーションと並行して、各NPOに対する助成金の支払いのタイミングも定められている。バンド3の団体は、ACEによるモニタリングへの対応の負荷は大きくなるのだが、一方で、毎月定期的に助成金が支払われるため、被助成団体側にとって大きなメリットとなる。

3）理事会との関係

　被助成団体とACEとの関係において、全てのNPOの理事会に対して、様々なレベルでACEからのモニタリングがおこなわれている。この理事会との関係の持ち方が、ACEによるモニタリングの最大の特徴の一つと言ってもよいだろう。

　理事会は経営全体の最終責任を持つ機関となるため、理事会の動きのモニタリングが、RMにとっての最も重要な仕事の一つとなる。理事会を通じたモニタリングの方法は、以下のように設定されている。

　まず、理事会のメーリングリストに担当RMが加わる。あくまで必要に応じてとされるものの、これにより理事への連絡状況を把握、さらに理事会の文書も常に入手できるようになる。

次に、担当RMによる理事会への陪席が義務づけられているのも大きな特徴としてあげられる。これは、助成を受けている団体の理事会での議論を通じて、団体の状況を把握することが目的である。理事会において話し合われるはずの運営方針、課題把握、事業運営の方法、意思決定のプロセスを十分に理解するためだとされていて、基本的にRMは理事会に陪席するだけであり、芸術文化団体の組織ガバナンスへの直接の関与はない[13]。

　各NPOの個々の事業の芸術面の評価や戦略目標に対する達成度をはかるのはモニタリングの基本事項だが、そのほかにも理事会への陪席により団体の状況を把握しているのだ。このように、ACE側が日ごろから被助成団体の運営の距離をとりつつ、モニタリングを日常的におこなっていると考えてよいだろう。

2.『モニタリング項目』から読み解く戦略目標の実現手法
1）5つの戦略目標に対するモニタリング

　RMが被助成団体をモニタリングする際の注意点は、審査・評価のマニュアルとして公開されている『モニタリング項目』に示されている。ここで、運営助成を受けているバンド1からバンド3の被助成団体に対する要請が、具体的に読み取れる。同マニュアルで示された各5つの戦略目標に対するモニタリングの観点は、ACEが運営助成の実施に際して、何を重視しているのかについて、一層具体的に知る手がかりともなる。この『モニタリング項目』には、NPOが受ける審査・評価に際しての留意点が詳しく公表されているため、NPOにとっても自身の行動計画づくりに役立つ。そのため、書かれている各項目のうち特にいくつかに注目して、戦略目標達成度測定の観点を確認してみよう。この項は『イングランド及びスコットランドの文化芸術活動に対する助成システム等に関する実態調査 資料編』の記載に沿って解説していく[14]。

① 戦略目標 1　芸術、美術館・博物館、図書館において卓越性が花開き、称賛されること

　戦略目標1に対するモニタリングの視点には、「芸術文化団体におけるあらゆる活動の卓越性を実現するために支援するという決意を示している」としたうえ

で、その測定のための次の9つのポイントがあげられている。

a) SMART目標に関し、団体がどのように進展しているか？

b) 団体は、才能を活かし、真の熱意と本物のスキルを実際に示すような芸術作品や文化的な体験を提供しているか？　団体の活動の質に関するエビデンスは？

例) アーティスティック・アンド・クオリティ・アセスメント

c) 美術館・博物館が収蔵品を発展、研究、解釈、共有に成功しているとするエビデンスはあるか？

d) 団体のプログラムに独立して活動するアーティストとの活動が含まれる場合、どれほど効果的に芸術的才能の開発を支援しているか？

e) 団体の国際的な活動はどの程度成功しているか？

f) 団体はクオリティの改善を継続しているか？

g) 団体はほかの団体と比較した基準に従って評価する計画があるか？

h) 活動の質に関して定期的、効果的な協議が理事および幹事レベルでおこなわれているか？

i) 活動に対する視点が、鑑賞者やピア・レビュアーの視点と一致しているか？

　SMART目標に即した活動状況について、芸術活動のクオリティ、美術館・博物館の活動、団体がおこなうアーティスト支援、さらに国際性、クオリティの改善、ほかの団体の活動との比較、団体内のガバナンス、自己評価なども問われている状況が読み取れる。

② 戦略目標2　あらゆる人が、芸術、美術館・博物館、図書館を体験し、触発される機会を持つこと

　戦略目標2に対するモニタリングの視点には、「芸術文化がいかに暮らしを豊かにするか」について述べたうえで、4つのポイントをあげている。人びとの参加、体験、関与の量、質、深さが観点となっている。また、RMは、ビジネス・プランおよび計画の進捗状況に関してモニターするだけではなく、芸術文化団体の理事会での報告状況もモニタリングするように、項目に上がっている。

a) 団体のビジネス・プラン、鑑賞者と関与に関する計画は、以下の4つの戦略目標のアウトカムに照らして順調に実績をあげているか?

　1. より多くの人びとが素晴らしい芸術、美術館・博物館、および図書館を体験し、参加する機会を持てるようにしている

　2. 団体は、質の高い芸術文化を体験し、参加する機会を持つ人の数やその範囲、あるいはその両方を増大・拡大させている(物理的な参加・デジタルでの参加いずれも含む)

　3. 団体は、芸術文化への関与が現時点で最も低い層において関与の水準を向上させている

　4. 団体は、人びとの芸術文化、および図書館への関与の深さ、および質を向上させている

b) 団体のビジネス・プランあるいは鑑賞者の開発計画は、戦略目標1の多様性に向けた創造的実践の計画との間に相乗効果をもたらすか?

c) 活動計画の進捗状況は、SMART目標に照らして追跡されているか?

d) 団体は、企画している活動に対して適切な予算とリソースを割り当てているか? それを理事会レベルで報告しているか?

③ 戦略目標3　芸術、美術館・博物館、図書館がレジリエンスを有し、環境的に持続可能であること

　戦略目標3の前提は明確である。ACE は「NPO が、明確に団体のレジリエンスを示すことを求めている。レジリエンスとは、経済的、技術的、環境的、そして社会的な変化を予測し適応するために団体が持つビジョン、および能力のこと」だとしている。「そして、団体のミッションに沿った質の高い活動の継続性、機会をとらえ、リスクを特定、軽減して、リソースを効果的に活かすこと」だとしたのである。

　芸術文化団体がレジリエンスを獲得し、それをほかの団体に対して、模範となるようにするという姿勢は、NPO にこそ示してもらいたいという ACE の強い要請が感じられる。レジリエンスの確保が団体に求められている点が特に強調されている。

　これらをモニタリングするために、以下の8つの視点が示された。

a）団体は、レジリエンスおよび持続可能性を高めるための強固な取り組みを明示しているか？

b）団体は、計画的かつ良く考えられた方法で、将来の課題に備えて対応し、適応させているか？
指標例）将来課題への対処に向けた先見性、ビジネス・モデルを変更する機会、組織の将来計画に向けたエビデンスなど

c）団体は、よりレジリエントで持続可能であるために、将来の課題に備え、対応し、適応させるために、自身の活動分野あるいは地域で他者を支援しているか？

d）団体は、団体自身のリソースと経験を有効に活かし、ほかの団体がより高いレベルの持続可能性やレジリエンスに向けた能力を構築する際の支援をおこなっているか？

e）団体のガバナンスモデル、および慣例は、新たな収入源を呼び込み、公的資金への依存度を下げることを含め、その団体の目的、および慈善活動の目的をよりよい形で達成するために変更、強化されているか？

f）団体は、同じ活動分野または同じ地域に属するほかの団体のガバナンスモデルが強化されるのを効果的に支援しているか？

g）団体は、様々な自己評価ツールを効果的に開発・利用し、芸術面および財政面でパフォーマンスを向上させ、ステークホルダーとの関係を強化しようとしているか？

h）団体は、セクターのより広い範囲に対して、自己評価の活用を促進、支援しているか？　芸術面でのベストプラクティスを特定、指示、それが広く普及するよう努力しているか？

④ 戦略目標4　芸術、美術館・博物館、図書館のリーダー層および従事者層が多様であり、適切なスキルを有していること

ACEは、第1章でも述べたとおり、芸術文化活動に携わる人材に対する視点を、10年戦略において具体的に提示している。さらに、このモニタリング項目においても、あらためて「アーティストおよびキュレーター、図書館員および技術者、プ

ロデューサーおよびアドミニストレーター、教育者および公文書管理者、そして理事会のメンバーを芸術文化分野の中心に据えている」15と、これらの人びとを具体的にあげていることは特に注目される。「こうした人びとが、私たちの共通のミッションを達成するために必要なスキルを維持、発展させるために支援することは、**私たちの優先事項の1つ**（太字は原文ママ）」だとした考え方を示しているのである。ここには、多様性、リーダーシップ、専門性、人的交流などへの視点が示されていたとも指摘できる。こうした人材に対する観点には、以下の8つがあげられている。

a) 団体は、全スタッフが現在有しているスキルの範囲、および人員が持続的にどのようなスキルの開発を必要しているか認識しているか？ これを支援するための進行中の計画は達成可能か？

b) 団体のリーダー、および全スタッフは、所属する地域の多様性を反映しているか？ 反映していない場合、不足する点への対処として、信頼できる計画はあるか？

c) 団体への雇用の機会およびキャリアアップの機会は公平か？

d) 団体の組織全体にわたって、またより広範囲の文化セクターにおいて、多様性と平等を促進する組織文化はあるか？

e) 団体は、地域的、全国的および国際的に、効果的なパートナーシップを形成しているか？

f) 団体は、トレイルブレイザー・グループを通じて、ナショナル・アプレンティスシップ・スタンダード16の策定に関与しているか？ もし関与しているならば、トレイルブレイザー・グループは具体的にどれか？

g) 団体は、自身のミッションを支える新たなパートナーシップを形成するとともに、セクターのより広い範囲におよぶパートナーシップをアレンジし、支援しているか？

h) 団体は、効果的にボランティアを採用、育成しているか？ 将来計画は適切か？

⑤ **戦略目標 5　あらゆる子どもと若者に、芸術、美術館・博物館、
　　図書館の豊かさを体験する機会があること**

　ここでは、「子どもたちの好奇心や物事を批判的にみる能力に対して、どのように刺激を与えるか」という視点をあげている。さらに、子どもや若者が、「世界とその中での自分の場所に対して、探求し、理解し、挑戦する手助けをする」と言及し、その入り口としての芸術を体験し、図書館で知識にふれ、美術館・博物館で素晴らしい作品の鑑賞をすることを推奨している。

　4つのモニタリングの観点をあげて、エビデンスに基づいた子どもや若者のニーズに対応しているかを問うこととしている。

　　a）団体が、ビジネス・プランやプログラム計画に提示した活動にクオリティ計
　　　画が組み込まれているか？

　　b）団体は、子どもや若者からなる様々な鑑賞者の需要を明らかにし、これら
　　　が確実に満たされるようにしているか？

　　c）団体は、保護特性を有する子どもや若者に関するデータを収集しているか？

　　d）団体は、目標対象とされるグループに届ける手助けができるパートナーと
　　　効果的に活動しているか？

2）　財務およびマネジメントに関するモニタリング

　これまでに述べた5つの戦略目標に対するモニタリングの各観点に加えて、「財務およびマネジメント」についても言及された。すなわち「マネジメントおよびガバナンスのモニタリング項目」、および「財務的実行可能性のモニタリング項目」、そして「多様性に向けた創造的実践への貢献を評価するためのエビデンス」に関する観点である。

　「財務およびマネジメント」については、以下のとおり、リスク初期に対する警告サインが複数示されている。

　　● NPO の理事会や ACE に提出された財務ほかの情報が貧弱（議題が貧弱な
　　　場合も含む）

　　● 売上や積立金の減少など、財政の赤字傾向

- 貧弱なビジネス・プランや計画立案
- 先を見越した計画立案、将来と外部の環境要因への視点の欠如
- 貧弱なリスク管理体制 (NPO自身のリスク記録が更新されていない、もしくは存在しないなど)
- 変化のない理事会、あるいは理事の慰留や新規招聘ができない状況
- リソースに見あわないアンビション
- 過去の栄光の過度な強調

　これらは、組織経営において広く当てはまる内容だと言えるだろう。加えて、「マネジメントおよびガバナンスのモニタリング項目」では、以下の点が示されている。

① **すべての団体**

　a) 外的脅威に関する検討を含め、安定性やプログラムの順調な実施に対するリスクを認識しているか？　リスク軽減策を特定、検討し、対策を講じているエビデンスはあるか？

　b) 運営体制、ガバナンスの仕組み、計画立案のプロセス、およびモニタリングと報告は、定例会議および主要な役員および理事の後継者計画の詳細を含め、適切か？

　c) 財政およびその目標のすべてにわたって、定期的かつ効果的な自己評価をおこなっているエビデンスはあるか？

　d) 持続可能性、およびレジリエンスを高めるための明確な計画に関するエビデンスはあるか？

　e) 理事会が適切に組織、構成され (メンバーの多様性を示す必要あり)、その構成の選択には明確な根拠があるか？

　f) 所属理事のスキルは、多様性とレジリエンスに対する責任、および持続可能性を含め、団体のミッション、活動、マネジメントに関して適切か？

　g) 意思決定プロセスは効果的か？　成功の測定方法は？

　h) パートナーシップはどの程度適切であり、どの程度効果的か？

　i) 風評被害に関する検討を含め、適切な倫理方針があるか？

j) 主要な役員および理事についての、公平かつオープンな採用プロセスに関するエビデンスはあるか?

k) 主要な役員および理事の、将来の交代に向けた計画は適切か?

l) 理事会およびあらゆるレベルのスタッフ双方に対し、定期的な業績評価をおこなっているか? スタッフの能力開発およびウェルビーイングを支援するための戦略に関するエビデンスはあるか?

m) 環境の持続可能性に関する方針、およびアクションプランにはどの程度説得力があるか? 団体の戦略に組み込まれているか?

ここでは、外的脅威に関する検討、リスク軽減策を実際に遂行するために定期的な検討や対策を講じているエビデンスはあるか、レジリエンスを高めるための明確な計画に関するエビデンスはあるかなどが指摘されている。その際に、理事などの交代に向けた設計図がしっかりと描かれているかといった点も問われている。

② コンソーシアム

ここで言及されているコンソーシアムとは、SSOと同義である。単独の芸術文化団体などと異なり、複数の団体による活動には、リーダーシップの明確化、グループ間の意思疎通などが必須で、以下の6点もあわせて考慮するとされている。

a) コンソーシアムの構成は効果的か?

b) 筆頭団体の役割は明確かつ効果的か?

c) グループにおける意思決定、およびコミュニケーション・プロセスは効果的か?

d) パートナー間における紛争解決に関し、適切な手順はあるか?

e) 責任の分担、および委譲の水準は適切か?

f) パートナーから情報を収集し、それらを統合し、報告書を作成する際の明確なプロセスがあるか?

「財務的実行可能性のモニタリング項目」では、事業収益並びに寄付によって既存の収入を強化し、新たな収入源を積極的に探せているか、財政的なレジリエンスに関する計画は説得力のあるものかなどが問われている。さらに、アーティストなどへの適正な支払いがおこなわれているかもポイントである。

　そして「多様性に向けた創造的実践への貢献を評価するためのエビデンス」では、「アウトスタンディング」「ストロング」「メット」「ノット・メット」の4段階のスコアが記載されている。これらのスコアに関する具体的なエビデンス指標も示していて、重要視されていることがわかる。

　これまでに確認してきた項目すべてに対し、RMはNPOの活動の現状から読み取り、ACEに対してフィードバックする必要がある。いかに幅広い観点でモニタリングが求められているのか理解できるだろう。とりわけ、組織のレジリエンスの確保、組織内部の人材や鑑賞者等に関する多様性の確保については、あらゆる項目において言及されている。

　申請、審査、さらに採択後の実施と評価の全ての事項により、被助成団体に対して、助成制度運用の際の戦略目標が常に意識づけられる状況にある。こうして助成方針に対して被助成団体の意識が着実に向けられるようにしていく方策となっている。被助成団体の活動を発展させるための羅針盤としての戦略目標の存在を助成側も被助成団体側も常にとらえながら、活動や互いのコンタクトをおこなっていくことが必須となっているのである。

3. モニタリングのプロセス

　ここでは、一連のモニタリングのプロセスの詳細を理解するために、さらに『モニタリング項目』を読み解いてみよう。

1) モニタリングの観点と姿勢

　モニタリングの観点には、特に以下の4つポイントがあげられている[17]。

- ●ACEの戦略目標（多様性に向けた創造的実践を含む）
- ●ガバナンスとマネジメント
- ●財務的実行可能性

- アーツカウンシルに対する風評リスク

ACEによって1年に1回まとめられる「アニュアル・フィードバック・レター」では、以下の3つの要素が強調される。アニュアル・フィードバック・レターとは、RMが作成し、毎年NPOに対して渡す事後評価文書のことである[18]。

- 成果とベストプラクティス
- 事業計画に示されたACEの戦略目標（ゴール）への貢献
- あらゆる成長分野

事後評価は助成成果をまとめたもので次年度以降の活動につなげる意味がある。アニュアル・フィードバック・レターを作成する時に重要な手がかりとなるのが戦略目標だ。バンド1～3、さらにSSOとして、それぞれ対応すべき戦略目標が明示されているため、各戦略目標にどの程度貢献できたか、すなわち対応できたかなどの観点がはっきりしている。このほかにも、ベストプラクティス、成長分野など、書きこむ視点は明確だ。達成すべき戦略目標が示されていることが、支援する側にとっても重要な手掛かりとなると理解できる。

規模の大小を問わず、1つの被助成団体を担当するのは1人のRMである。被助成団体へのモニタリングによって、芸術文化団体の活動や運営を深く理解するようになると考えられている点、さらに被助成団体の理事会に陪席してモニタリングしている点などがRM配置の理由でもある。その立場は外部から見守る役であって、あくまで団体のガバナンスに対しACEが直接関与するわけではないとする姿勢は再度確認しておきたい。

2）リスク・モニタリング

モニタリングは、RMの最も重要な業務の一つに位置づけられ、特にリスク評価は少なくとも13週ごと（すなわち、1年に合計4回）、またはリスクが発生する度に実施される。モニタリングによって更新されたリスク判定、あるいはリスク判定に変更がない場合は変更の必要がないことがグランティウムに記録される。

リスク評価の結果をまとめたリスク・サマリーは、ACEのガバナンスに責任を負

うナショナル・カウンシル、および ACE 内部の最高決定機関であるエグゼクティブ・ボードを含むマネジメント・チームによって共有される。

① リスク判定スコア

リスクは、ファンディング・アグリーメントに対するリスクの影響に関する5段階の判定と、6段階のファンディング・アグリーメント不履行の可能性の判定とを組み合わせて総合判定される。

影響に関する5段階のリスク判定は、インパクト impact によって評定される。ファンディング・アグリーメントやビジネス・プランに組み込んだ戦略目標の達成が完全に失敗する場合は「深刻 Severe」、ファンディング・アグリーメントに定めた実績に遠く及ばない場合は「大きい Major」、ファンディング・アグリーメントの見直しが必要、完全に実行されない可能性がある場合は「中程度 Moderate」、やや及ばない場合は「やや小さい Minor」、ほぼ影響はない場合は「小さい Low」となる。

リスクの軽減策を踏まえたうえで、NPO が「ファンディング・アグリーメントを守れない」というリスクに関する可能性 likelihood は 6 段階で判定される。リスクが現実のものとなる可能性を削減するための方策が全く講じられていない「非常に高い Very High」、全く講じられていないか、効果の低い措置しかとられていない「高い High」、削減の方策は講じられているが効果は実証されていないか明らかではない「あり得る Possible」、管理・対策が実施されている「ありそうにない Unlikely」、管理・効果が実施されており効果が確認されている「低い Low」、強力な管理・対策が既に効果を発揮している「非常に低い Very Low」の判定がなされている。

インパクトとリスクの可能性を組みあわせたリスク判定スコアは以下のとおりとなっている。

図表4-3で薄く色がついているのはリスク判定スコアが合計7〜8、濃い色がついているのは合計9以上である。インパクトとリスクに関するそれぞれのスコアの合計が、あわせて8以上となったNPOは、モニタリングを実施し、RM が示す対応策に合意することとされている。

図表4-3　リスク判定スコア

			可能性 Likelihood					
			非常に低い Very Low	低い Low	ありそうにない Unlikely	あり得る Possible	高い High	非常に高い Very High
			1	2	3	4	5	6
インパクト Impact	5	深刻 Severe						
	4	大きい Major						
	3	中程度 Moderate						
	2	やや小さい Minor						
	1	小さい Low						

出典：『イングランド及びスコットランドの文化芸術活動に対する助成システム等に関する実態調査　資料編』
日本芸術文化振興会、2018年、113頁から筆者改訂

② リスク管理

　NPOには基本的にリスクの低い組織が採択されるのだが、それでも不可避的に経営上の危機に見舞われた際にはACEから組織への介入がなされる。その場合は、ファンディング・アグリーメントに追加条件が課される。

　また、RMが個別におこなうリスク・モニタリングに加えて、さらに上位モニタリングの制度も確立されている。

　エリア・マネジメント・チームは、インパクトとリスクに関する可能性の合計が8以上のNPOに対してモニタリングを実施する。それにより、RMのモニタリングがスケジュール通りにおこなわれているかを確認し、NPOのリスク要因に対してRMがインベストメント・センターとの協議後にとった行動や記録を共有するなどの作業をおこなっている。

　さらにインベストメント・センターによるモニタリングでは、NPO全体のリスクに関する評価を作成し、リスク評価8以上のNPOと、2ポイント以上リスク判定スコアが上昇したNPOの一覧を作成するなど、高リスクに移行する兆しがみられるNPOを追跡できるようになっている。

これらの手順を経て、エグゼクティブ・ボードとナショナル・カウンシルに対して報告書が提出される。ここでは、助成対象のリスク概要を示すだけではなく、リスク判定スコアが8以上のNPOのリストと、9以上のNPOに関するリスク・サマリーも共有される。

　こうしてRMがセンサーの役割を担い、NPOとの接点となってリスクを管理し、それをACEが組織として管理するシステムが確立されている様子がわかる。それでも、ファンディング・アグリーメントが不履行となるケースもある。そのレベルによって、ACEがとる措置にも段階がある。返納、助成の取り消し、助成金交付の保留のほか、NPOが実際に困難な状況に陥った場合は、NPOの目標変更、財政介入支援あるいは追加支援が実施される。

　追加支援が実施されるケースには、たとえば建物への損害、備品やコンテンツなどへの損害、事業収入の減少、人員追加による人件費の増大などがある。このほか、不可抗力に依る場合も想定されている。これは、洪水や暴動など予想外の出来事によって当該団体が活動の継続に支障をきたし、ファンディング・アグリーメントが履行できない状況に陥った場合などである。

　NPOが閉鎖の危機につながるような財政的な危機の兆候があった場合、実際にそのような事態になってしまったケースについても定められている。そうした組織を担当するRMは、全てのリスク要因を記録したうえで、SRMや同じくACE内部の当該団体の担当チームにも連絡して状況を協議するのと同時に、団体に対してもなんらかの回答ができるように努めることとされている。さらに、ファンディング・アグリーメントをほかの団体に譲渡することも想定されている。こうした対応についても、担当RMを通じACEによって把握、協議、指導される。

　芸術文化団体のリスクが減じない場合の対応はどうなっているのだろうか。リチャード・ラッセルによれば、「リスクレベルに応じて、コンタクトの回数を増やしたり、助成金を出す条件を厳しくしたり、エグゼクティブやノンエグゼクティブ・レベルの人事を変えさせることもあるなどモニタリングを増やす」[19]として、相応の関与がなされるとのことである。

　その事例としてイングリッシュ・ナショナル・オペラ（以下、ENO）について尋ねた。BIG10の一つであるENOは、一時期財政上の危機に起因して組織のトップ

が頻繁に入れ替わっており、経営の立て直しのためにACEからの介入が相当程度実施されてきた経緯がある。ラッセルによれば「確かにENOは、財政的に困難な状況が何年も続いて、10年、15年の期間にわたり、何度も追加資金を出す状況だったが、助成金は止めていない。ただし、NPOの枠外に出して、枠外で特定の条件を課すなどの対応がなされた」[20]という。大規模な被助成団体の経営危機に対して、ACEが相当な介入をしてきた事例だ。

　2020年にみまわれたCOVID-19禍の下では、上記に該当する事案が多数起きると予測される。全く予期できない未曾有の災害であり、多くのNPOをはじめとする芸術文化団体、美術館・博物館、図書館、あるいはアーティスト個人、さらに教育関係、舞台技術者、舞台製作などあらゆる関連業態の個人や組織にとっても、想像もできない事態となっている。各国の公的機関が芸術文化支援をどのように継続していくのか。大きな構造変化の局面にある。

第3節　評価について
1. 自己評価と芸術性の評価
1)　アーツカウンシル・イングランドによる評価とその視点

　社会における創造活動の意味の説明が、活動支援の前提として一層求められるようになっているのは間違いない。元来、アーティストの自由な発想から生まれた芸術文化の価値をどのようにはかり、どのように示せるのか。助成の効果をはかるための評価手法を確立すべきだという点は、特に財源を提供する側から指摘されてきている。

　芸術性をどのように評価するのか、各国の各組織によってこれまでにも数多くの試みがおこなわれてきた。ただし今もなお、決定的な芸術性への評価手法が示されている状況にはないと言ってよいであろう。いまだ芸術性の評価指標が定まらないのは、芸術創造の成果を受容する者があくまでも異なる人間一人ひとりであり、極めて個人的な感興をいかに量的にあるいは質的に測定して提示するという、ほぼ不可能にも近い課題だからである。個人の感情の振れ幅が芸術の成果につながるという、およそ数値化からは程遠い事がらであるにもかかわらず、評価に具体性と理由づけが求められている。

英国で2008年に発表されたマクマスター・レポートで、「芸術性の評価」手法が取り上げられている。1つは自己評価、1つはピア・レビューの導入についてであり、以下のように述べられている。

　　自己批判は、真の芸術的プロセスに固有のものであり、資金提供機関はこのアプローチを導入し始めているが、私たちは厳格で建設的な自己評価の文化に欠けている。とりわけ、文化セクターにとっては、その活動が聴衆に与える影響についての評価が困難な状況にある。
　　助成機関には、芸術文化団体の代表と共同で、自己評価のための優れた実践ガイドラインの作成を勧める。これらは主に芸術の卓越性とイノベーションとリスクテイクへの取り組みに焦点を当てるべきだろう。
　　個々の組織は、この推奨される方法を使用して、独自の調整された自己評価を開発し、これを資金提供機関と共有すべきだ。芸術文化団体と助成機関にとって意味のあるものとするためには、この自己評価は誠実で、役員と理事会、そして文化組織とその資金提供者の間の信頼に基づいている必要がある。

　　ピア・レビューは芸術の卓越性を判断するための効果的な方法であると回答者の間で意見が一致している。評価方法としてピア・レビューは尊重されている。これは世界中で利用されており、適切に活用されれば、助成機関と芸術文化団体にとって建設的なものだ。さらに、評価した人の多くは、自己開発にとっても非常に有用なプロセスであると私たちに話している。[21]

　ACEでは、定量的な評価だけではなく定性的な評価をどのように取り入れようとしていて、実際にどのような評価活動をおこなっているのだろうか。ここから、複数の評価ツールについて見ていこう。
　ACEは、自己評価の方法は自由だとしつつも、各NPOには自己評価を課しており、ACEが開発したツールキットの使用を推奨している。
　芸術性の評価に関しては、具体的に以下の2つの手法が取り入れられている。

第1の手法は、アーティスティック・アンド・クオリティ・アセスメントArtistic and Quality Assessment（以下、AQA）である。これはバンド1の団体に向けてACEが開発、適用している評価用のツールキットで、AQAでの設問項目はACEが公開しているため、詳細の把握が可能だ。

　第2の手法は、インパクト・アンド・インサイト・ツールキットImpact and Insight Toolkit（以下、IIT）である。IITは、2018年から開始されたものであり、バンド3の団体には、この評価手法を取り入れることが義務として課されている。

　ここからは、まず自己評価の手法について、加えて芸術評価の2つの手法評価について、確認してみたい。それぞれの手法から評価のヒントを得られるだろう。

2）アニュアル・レポートと自己評価ツールキット
① アニュアル・レポート

　運営助成を受けている各NPOには、毎年7月にアニュアル・サーベイとアニュアル・レポートの提出が義務づけられている。アニュアル・サーベイは、指定された項目に対して数字で回答するもので、一部データは統計局にも提供される[22]。

　アニュアル・レポートは、被助成団体からACEに対して文書で自己評価結果を報告するものである。ここからはその評価項目を詳述して、芸術文化団体の評価の視点を整理してみよう。同レポートの評価項目については、「ビジネス・プラン・レビュー・テンプレートBusiness plan review template[23]」と題して、バンドごとに何を報告するべきかが公表されている。ここでは、最も多くの設問が設定されているバンド3のNPOに対して取り上げてみよう。

　言及すべき項目には以下のものがあげられている。

　「戦略目標1」から「戦略目標5」、および「クロスカッティング：デジタル、平等性」「セクター・サポート・ロール」「マネジメントと財務：マネジメントとガバナンス、財務的実行可能性」の各項目である。

　5つの戦略に関する記入項目に対しては、各戦略目標が提示されたうえで、問いが提示されている。例えば戦略目標1に関しては、以下のような問いかけがおこなわれている。

戦略目標1に関連するSMART目標（関連がある場合）の自己評価、アーティストの育成、国際性およびそのほか戦略目標1に関連するものを含む、組織の進捗状況と課題の概要を書いてください。

　各項目ともに、「進捗状況」2千字（300語程度）、「課題」2千字（300語程度）、「エビデンス」500字（75語程度）で、書き込むように指定されている。
　これら全ての項目に記入しなければならず、さらにエビデンスの所在を明記しなければならないなどの指示がある。エビデンスの例には、理事会のレポート、公開された重要なレビュー、聴取または調査データなどがあげられている。さらに、ファンディング・アグリーメントを取り交わした際に提示したSMART目標について言及するなどの指定がある。
　ACEはアニュアル・レポートを7月までに受け取ってから、RMが執筆したアニュアル・フィードバック・レター、すなわち事後評価をNPOに対して9月に提示することになっている。

② 自己評価ツールキット

　次に、ACEが公開している自己評価ツールキットの内容を見てみよう[24]。
　このツールキットは、インターネットでデータを記入していく方法で簡単に利用可能で、ステークホルダーに対するプレゼンテーションにも活用できるようになっている。これは、NPO用に限定したものではなく、ACEの被助成団体以外にも使えるように広く公開されており、NPOに対しても自らの活動評価手法がほかにない場合には使用可能とされているものだ。
　ウェブサイトで公開されている自己評価ツールキットのサイトにログインして、24の質問に回答すると、回答者の「強み」と「成長分野」が分析されたグラフが自動的に生成される。この結果はACE内で共有されるものではなく、あくまで芸術文化団体が自己評価のために活用するものとされている。
　このツールキットを使って自己評価する主体は、3つに分類、設定されている。
　第1に、全てのプロジェクトあるいはサービスを評価しようとする組織、ネットワークやパートナーシップである。

第2に、全体として戦略的に自らの作品を評価しようとする組織、ネットワークやパートナーシップである。

第3に、完成したプロジェクトやサービスを評価したい個人である。

いずれも、最初に分野（属性）が問われる。複合芸術、クリエイティブ産業、文化教育、ダンス、映画・映像、ヘリテージ、図書館、文学、博物館、音楽、特定の分野にあてはまらないもの、演劇、ビジュアルアート、そのほか（以上、アルファベット順）から、最大3つまで該当分野を選べる。

続いて4つのセクションからなる設問が続いている。

4つとは、クオリティとインパクト Quality and impact、人材開発 People development、企画などの経緯を問うプロセス開発 Process development、ビジネスとしての展開を問うビジネス開発 Business development である。各セクションにはさらに複数の項目が設けられ、合計24の問いが用意されている。

24の質問は、以下のとおりである。それぞれの設問は回答の平易なものであるが、自らの活動を具体的に振り返るために必要不可欠な内容となっている。

【クオリティとインパクト】

- ビジョン：組織のビジョンに貢献しているか?
- インパクト：プロジェクトがインパクトを与えているという自信があるか?
- クオリティ：プロジェクトの創造的あるいは文化的なクオリティにどのくらい自信があるか?
- リピーター：リピーターである鑑賞者、訪問者、顧客、参加者や所属するコミュニティにどの程度貢献しているか?
- 新しい鑑賞者：新しい鑑賞者、訪問者、顧客、参加者やコミュニティにどの程度リーチし、確保できているか?

【人材開発】

- チーム：ビジョンを実現したり、リピーターまたは新しい鑑賞者に正当な方法でリーチしたりするための適切なメンバーと活動しているか?
- 役割と活動：チームのメンバーは、自らの役割やほかのメンバーとの関係を理解し、どの程度パフォーマンスを上げられているか理解しているか?

- 専門性の開発：自分の役割や可能性を実現するためのトレーニングや専門能力開発、OJTサポートを受けられているか？
- ウェルビーイングと仕事の満足度：仕事を楽しみ、満足しているか？
- パートナーシップ：プロジェクトは、ビジョンを推進するために最良のパートナーシップが確立できているか？

【プロセス開発】

- 企画とモニタリング：文化的、芸術的、社会的、財政的、環境の接続可能性の要請に基づいて企画されたものか？
- 情報マネジメント：情報の収集、カタログ整備、保存、検索、共有はどの程度できているか？
- コミュニケーション：外部や内部に対してうまくメッセージを伝えられているか？
- 資産と設備：物的およびそのほかの財産を創造的、持続可能に活用、バリュー・フォー・マネーを達成しているか？
- 財政マネジメント：財務計画やモニタリング、報告は効果的か？
- 技術システム：技術システムは、仕事を円滑にし、安全性が確保され、現代社会に対応したものとなっているか？
- 法律：自身に影響を与える法律について、最新情報をどの程度理解しているか？

【ビジネス開発】

- インターナル・アラインメント：組織の整合性と一貫性は確保されているか？
- ナショナル・コンテクスト：より広いコンテクストについて（例：政治、資金、文化、社会経済、環境など）に関して、どの程度新しい知識を持っているか？
- 地域でのコンテクスト：自身の地域における役割と「市場」について、どの程度理解しているか？（プロジェクトを成功させるには、地域に関する知識と、どのようにそれに適合させるかが重要となる。たとえば高齢者集団と同じくらい、子どもと若者、社会的に恵まれない人などは特に重要。鑑賞者、パートナー、ステークホルダーなども重要）
- 調査と評価：どの程度、反映、評価、研究、革新ができているか？

- 収入全体：どのくらい効果的に収入を生み出しているか?
- リスク：リスクのある活動と、安定した活動のバランスを保つために、どの程度うまく活動計画しているか?
- 将来計画：「ホライズン・スキャニング[25]」と活動傾向の評価がおこなえているか?

　自己評価ツールキットを通じて、各評価項目に対応できるようにしながら、一層活動の幅や規模を拡大、組織としての体力をつけることが理想だとされている。この評価結果をACEは統計対象としておらず、回答内容の閲覧もACEからはできない。あくまで個々の団体やアーティストが自己評価のスキルを身につけるためのものとして機能させようとするものである。

　こうしたサポートも芸術文化団体やアーティスト育成につながる手法の一つと考えられていると言ってよいであろう。

3）アーティスティック・アンド・クオリティ・アセスメント

　アーティスティック・アンド・クオリティ・アセスメント Artistic and Quality Assessment（以下、AQA）は、NPOのバンド1の芸術文化団体に対して適用される評価システムである。バンド2やバンド3のNPOが評価を受ける際に使用される場合もある。

　この評価システムは、アーティスティック・アンド・クオリティ・アセッサー Artistic and Quality Assessor と呼ばれる公募による外部評価者が、ACEからの委任を受けて実施するものである。外部評価者には、プロデューサー、アーティスト、ジャーナリスト、研究者、多様な芸術文化関連組織の関係者などの人材が起用されていて、2019–2020に任命された外部評価者100人の名前とプロフィールは、AQAのウェブサイトで公表されている。

　彼らに求められる能力には、ウェブサイトにおいて、以下のような点があげられている。

　「芸術文化団体や美術館・博物館の知識や経験を持ち、一連の作業や実践に精通していて、創造プロセス/博物館のコンテクストを理解していて、それらの判断を書面で明確に説明する能力を持っていること」「芸術文化団体が活動するコ

ンテクストを理解していること」「例えば子どもと若者のための作品、文化的に特有の芸術、あるいは障がい者芸術作品などに専門性を持っていること」である。

　また、報告書のテンプレートも、同じくウェブサイトで公表されていて、図表4-4のとおりの内容が示されている。ただし、調査対象の活動に当てはまらないものは記入する必要はない[26]。

　図表4-4の各評価項目を見てみよう。まず評価の背景として、評価者が評価対象に対して、どの程度の知見を有しているか記述する。

　①は、評価対象となる作品のコンセプトとビジョンについて、さらに作品のバックグラウンドや現代社会や地域社会への問いかけが適切になされているかが問われる。②は、実施状況全般に関するクオリティや、作品やプレゼンテーション手法の適切さに関わる問いである。③は、オリジナリティやイノベーション、リスクテイクについての問いとなっている。当該ジャンルの発展に寄与し、新たな手法、技法や視点を提示しているかといった内容である。再演の場合もこれまでとの違いなどに加えて、リスクテイクの状況、卓越性についての問いかけがおこなわれている。④は、作品のインパクトについて、どのように感じたか、発想を変えたかなど、評価者の感情の動きについても問われている。⑤は、プログラミングやキュレーションの位置づけに関する問いである。⑥は、鑑賞者や参加者の反応について尋ねている。会場での反応だけではなく、鑑賞後のSNS上の反応についての問いかけとなった。新聞や雑誌など、既存のメディアを通してだけではなく、鑑賞者や関与者がSNSを通じて直接社会に発信ができるようになったいま、そうした鑑賞後の人びとの反応の拡がりについて問いかける視点は欠かせない。

　⑦は、顧客対応の項目で、その適切さが問われている。スタッフの対応、アクセス、案内板などの標示、施設の清潔さや照明、空調に至るまで記述を促している。

　ここで注目されるのは、評価対象となる事業が当該団体やアーティストなどの一連の活動においてどのように位置づくのか、さらに当該団体のみならず、関連するジャンルの中でどう位置づくのか、芸術性の評価項目に、作品や活動の文脈（コンテクスト）を把握するという視点が明確に取り入れられている点にある。社会との関係性、地域に対するインパクトなどについても問いかけられている。さらに、

図表4-4 アーティスティック・アンド・クオリティ・アセスメント（AQA）の報告書テンプレート

調査項目	記述する内容
基本情報	評価者の氏名、評価対象のNPO名称、活動名、日程・会場・時間（必要に応じて）
評価者の背景 a) 評価者の背景を詳細に	例）評価者が ・対象団体あるいは対象活動について、もしくはアーティスト／プラクティショナーについてどの程度知見を有しているか ・対象の様式／分野／サブ・アートフォーム／手法にどの程度知見を有しているか ・会場は良く知っているか、初めてか
1. 作品のビジョンとコンセプトについて	
a) コンセプト：アイディアは興味深いか	・作品や活動のコンセプトとビジョンで興味深い点はなにか、それはなぜか ・作品／活動の背景に強固なアイディアがあるか ・作品／活動のコンセプトとビジョンに興味を持てない場合、それはなぜか
b) 適切さ：我々が生きる世界になにか訴えかけているか	・作品あるいは活動は社会に対して今の世の中に相応しい重要な事象を表したり、探求したりしていると思うか、それはなぜか ・語るべき点がない場合、それはなぜか ・現代社会の多様性を反映しているか ・作品あるいは活動は鑑賞者／参加者の両方、あるいは鑑賞者または参加者に適していたか、それはなぜか
c) 地域に対するインパクト：ここで開催されたことは重要だったか	・テーマ、プロダクションあるいはプレゼンテーションは開催場所（地域や会場）となんらかの関係性を有していたか、そうだとすればなぜか ・作品／活動の体験にどのような違いをあたえていたか ・地域に対する強いインパクトを与えていないと考えるなら、その理由はなにか
2. 実施、制作とプレゼンテーション	
a) 厳密さ：よく考えられ、まとめられていたか	・その作品／活動は十分に考えられ、高い水準で実施されていたと思うか、それはなぜか ・参加型作品の場合、セッションは十分に企画され、オーガナイズされていたか ・作品／活動の目的が広報資料や配布プログラムなどに明記されている場合、それらは達成されていたか
b) プレゼンテーション：十分にプロデュースされ、プレゼンテーションされていたか	・よく考えられ、まとめられていたと思わないならば、その理由はなぜか ・プロダクション／プレゼンテーションの水準はどうだったか ・照明、音響、空間の利用、全体的なレイアウトや配置、グラフィック・デザイン、デジタル・テクノロジーの使用などについてはどうか ・会場や空間は適切か ・適切なマテリアルが使われていたか ・参加型の評価の場合、マテリアル、空間そしてリソースは参加者にとって適切だったか
3. オリジナリティ、イノベーションとリスクテイク	
a) 差別化：これまで見たものと違っていたか	・作品全体あるいは構成要素は当該分野においてこれまでに経験したものと差別化されていて、違いがあると思うか ・既存の作品の再演の場合、このプロダクションや展示において何か異なる要素があるか

b) オリジナリティ：画期的か	・作品／活動はよりオリジナルなものになる可能性があるか、なぜそう思うか ・その芸術分野の新たな地平を切り開く作品／活動だと思うか・規模やアンビション、テクノロジーの活用、分野の枠にとらわれない活動か ・既存の作品の再演の場合、その作品は新鮮な文脈で示されたか、新しい視点から示されたか
c) リスク：アーティスト／キュレーター／パフォーマーは本当に挑戦をしていたか	・コンセプトや実施において、その作品／活動がリスクをとっていたと思うか、なぜそう思うか ・このことはどの程度成功していたか ・アーティスト／キュレーター／ファシリテーターなどの作品を知っている場合、今回の作品が彼らの新たな技法あるいは主題を提示していると思うか ・作品／活動がリスクへの挑戦により大きな欲求を示していたか、なぜそう思うか
d) 卓越性：作品が、これまでに見た最高の事例の一つであるかどうか	・これまでに見た同様のものと比べて、その作品／活動全体のクオリティをどう思うか、そしてなぜそう思うか ・そのジャンルの発展に大いに貢献をすると思うか ・そうではない場合はなぜそう思うか
4. 作品のインパクト	
a) 魅力：夢中になれたか、興味を引くものだったか	・どのくらい深くその作品に夢中になれたか、それはなぜか ・作品はあなたとコミュニケーションをとれていたか ・どんなインパクトを受けたか ・どのように感じたか ・魅力がなかったならば、それはなぜか ・参加型の評価の場合、参加者が全体を通して関与していたか
b) 挑戦：挑み続けていたか	・作品はあなたの発想を変えたかそれはなぜだと思うか ・そのトピックに関して、新鮮あるいは異なった見方を提供したか ・そのトピックに関して、あなたが考えているような挑戦をしていたか ・より広いイシューについて考えるようになったか
c) 熱中：同様のものを再び見たいか	・作品は、一層挑戦的になりえるか。それはなぜか ・将来、同様の作品を見たいか、どんな環境で、それはなぜか。見たくない場合はなぜか ・参加型の評価の場合、その NPO がほかの場所でおこなっている活動を見たいか
5. 作品のプログラミングあるいはキュレーション	
a) 以下はプログラムに位置づけられた作品／活動を評価する場合にのみ適用	・その作品は、組織の全体的なプログラムまたはカタログ内で、ほかの人が創作／プレゼンテーション／キュレーションまたは公開された作品の傍にどのように配置されているか
b)	・プログラムした人の全体的なビジョン、素材の選択についてコメントしてください。評価者のパートナーがプログラムに関与した場合その概要の情報提供を歓迎
6. 鑑賞者と関与	
a) 鑑賞者と参加者の反応	・作品／活動をほかの人と共に体験した場合、人びとはどのように反応していたか ・作品／活動は意図した鑑賞者／参加者にとって知的にアクセス可能だったか ・どのくらいの時間をあなたはその作品に費やしたか、あるいは活動に参加していたか

	・その間どのくらいの人が作品を体験していたか ・対象となった鑑賞者に適したプレゼンテーションか ・書かれた作品の場合、ほかの読者はどのように関与すると思うか ・参加者は分かち合うように促されたり、互いにサポートし合ったりしたか、ファシリテーターはグループのニーズに応えていたか、皆が充分に参加できていたか	
b) マーケティングとデジタルへの関与	・付随するマーケティングや使ったマテリアルは適切で良質のものか ・参加型評価の場合、参加者を惹きつけるための手法という観点で上記を考えたか ・作品は組織のウェブサイトで十分に説明されていたか ・鑑賞者はオンライン上でどのように反応していたか ・この作品は SNS 上で鑑賞者同士の興味深い対話を生んだか	
7. 全体的な体験の質について		
	・あなたが体験したあるいは観察した訪問者への対応は良いもので適切なものだったか ・人びとを迎える雰囲気は適切なものだったか ・参加型評価の場合、意図した目的を達成するのに適切な雰囲気だったか ・そのほかの項目についてコメントしたい場合自由に記述してください：アクセス、スタッフの対応、ACE ロゴの視認性、案内板などの標示、清潔さ、ケータリング設備、暖房、照明など	
8. そのほか	何かコメントしたいと思うそのほかの項目があれば記述してください	

出典: AQA_Template_2020_09032020_0.pdf (artscouncil.org.uk) を基に筆者訳。

鑑賞者や参加者の関与の状況や SNS などを通じたその後の拡がりを観察項目にしている点も重要だろう。

　この報告は、RM がおこなう芸術性の評価のエビデンスの一つとして活用されていく。さらに、結果は対象となった芸術文化団体にも共有される。

4) インパクト・アンド・インサイト・ツールキット

　インパクト・アンド・インサイト・ツールキット Impact and Insight Toolkit（以下、IIT）は、従前の評価に関するパイロット・モデルの運用などを経て開始されたばかりの、芸術性にかかる評価方法である。2018 年 10 月 15 日に、同ツールキットへの参加申請がスタートした。

　IIT の目的には、以下の 3 点があげられている[27]。

- 芸術文化団体が自身の作品に対する人びとの認識を理解し、これが創造意図とどれだけうまく調和しているかを理解する
- 資金援助を受けた作品の影響について、ACE と NPO の対話に情報を提供し、充実させる

●文化的な経験の価値について、共通の理解を構築する大規模なデータセットを作成する

ACEのチーフ・エグゼクティブ、ダレン・ヘンリーは、IITの実施にあたり、主な目的はACE内部にメリットをもたらすことではなく、各組織が自らの創造的なプロセスを伝える手助けをすることにあるとした[28]。すなわち、得られたデータセットは、自分たちの創造活動に関する人びととの理解をはかり、ACEとのコミュニケーションにおける活動成果の伝達に活用できるとしたのである。

IITは、ACEの資金援助を受けた組織が「自身の活動を経験した人びとがどのように影響を受けたか evaluate the impact of their work on the people who experience it」について評価するための手段である。IITに登録をした芸術文化団体が、鑑賞者のレビューや同業者によるピア・レビュー、さらに組織内のスタッフのレビューをただちに収集することができる。

IITは、全てのNPOとSSOに提供されており、各芸術文化団体はIITによって生成されるデータを収集して使用し、新しいメトリックスを開発することを通じた自己分析などの形成が期待されている。すなわち、オーダーメイドの報告書テンプレートの活用により、評価結果に即した自身の背景と解釈が提供できるようになるとされているのだ。

バンド2とバンド3のNPOは、自らの団体スタッフをピア・レビュアーに指名し、ほかのNPO団体の活動のピア・レビューを実施、その結果を提供することも課されている。自主公演のうち、毎年4つの公演や展覧会に関してツールキットの使用が義務づけられていて、ピア・レビュアー1名、自団体スタッフ1名、さらに鑑賞者複数名からの評価を含めることともされている。

IITの使用を考えているバンド1のNPOも登録可能となっているが、バンド1のNPOは今後2年間に登録する機会もほかに用意されていて、必須要件とはならない。

各団体においても、他団体のピア・レビュアーを務めることで、芸術文化活動に関する第三者としての視点が涵養されることが考えられる。こうした評価をし合うことの積み重ねが、将来成果としてどのように表れるのか注目されるところである。

2．芸術文化助成の評価のあり方

　ここからは、芸術文化事業の評価に関し、外部評価制度をとるスコットランド政府の事例をあげ、芸術文化活動の評価に関する別の側面からの検証としたい。

1）スコットランド政府の事業評価項目

　スコットランド政府は「ファイブ・ナショナル・カンパニー」と呼ばれる5つの芸術文化団体に対して直接助成をおこなっている。

　その5つとは、スコットランド国立劇場、ロイヤル・スコティッシュ管弦楽団、スコティッシュ・バレエ、スコットランド室内管弦楽団、スコティッシュ・オペラである。これらは、スコットランド各地で、大規模な舞台芸術活動を展開しているために多額の助成を必要とするという共通点を持つ。

　これらの組織には政府からの直接助成ではなく、助成機関を通じた助成がおこなわれていたのだが、組織や舞台上演の規模が大きく、ほかの芸術組織とは異なる助成制度をとる必要があるという判断から、2007年4月以降は政府からの直接助成に変更されて、現在に至る。

　スコットランド政府は、直接助成の効果を測るために外部評価制度を自ら運用している。政府から評価を依頼された専門家たちは、各質問項目に対するYES、NOの選択に加えて、定性的に分析した事項を書き込んでレポートを提出している[29]。なお、評価の対象となる5団体がすべて舞台芸術を上演する組織であるため、質問項目も舞台との関係性を問う内容になっている。

　図表4–5のとおり、これらの質問は一見すると特徴のない項目のようでいて実は示唆に富んだものである。質問からは、スコットランド政府が、芸術文化助成事業の成果として期待している点が読み取れるのだ。

　プロダクションの印象については、プロダクションと周囲との「関係性」に加え、その「バランス」についても問いかけている。質問では、評価者自身とプロダクションの間に生まれた感情についても問いかけている。鑑賞者と舞台の相互の関係性、相互作用から生まれる感情の高まりの如何、情感や雰囲気などが評価項目として問いかけられている点が注目される。

　設問のいくつかについて説明を加えておこう。

図表4-5　スコットランド政府のファイブ・ナショナル・カンパニーに対する
##　　　　外部評価項目

回答者と公演に関する基本的な質問

1) 名前を教えてください。
2) あなたが出席した公演名を教えてください。
3) あなたが出席した公演日を教えてください (xx.xx.xxxx のフォームで)
4) あなたが観た場所を教えてください。
5) その公演が再演の場合、あなたは以前に観たことがありますか。

公演に関する芸術的な評価について

6) あなたの評価結果 (レート) を教えてください。
7) この上演は「新鮮」でしたか、あるいは「古びて」いましたか？
8) キャスティングの質に一貫性はありましたか？
9) 演者はアンサンブルとしてうまく機能しましたか？
10) コーラスはどの程度活用されていましたか？
11) プロダクションの他要素 (セット、衣装、照明、音楽、動き) はどの程度効果的に活用されて
　　いましたか？
12) 音響はどうでしたか？
13) オーケストラと歌手とのバランスはどうでしたか？
14) このほかにバランスについてコメントがあれば教えてください。
15) ステージと (オーケストラ) ピットの間の相互関係はどうでしたか？
16) あなたはどのように感じましたか？感動しましたか、興奮しましたか、イライラしましたか、
　　あるいはインパクトを受けましたか？
17) あなたはまだそれについて考えていますか？
18) あなたは舞台に惹きつけられましたか？[30]
19)「新制作」舞台の場合、どのくらい楽譜に書かれていることを読み替え、あるいはそのまま伝
　　えていましたか？あなたは何をコミュニケーションしようとしていたか理解しましたか？
20) この舞台に対するあなたの興味と関心について教えてください。[31]
21) 芸術文化団体の事業の発展をどのように表していますか？ (以前観ている場合)。当該芸術文
　　化団体がこの事業をおこなう理由を理解しましたか？

鑑賞者について、会場について

22) ほかの鑑賞者と同様に感じましたか？[32]
23) 上演に対する鑑賞者の全体的な反応を説明してください
24) 会場の収容人数と比べて鑑賞者の規模 (おおよそ) はどうでしたか？
25) 事業の全般的な雰囲気はどうでしたか？
　　例えば「興奮」「散漫」「共感」のいずれですか。
26) 事業のプレゼンテーションまたは管理ほかの側面は、あなたの経験にインパクトを与えまし
　　たか？
27) 事業の会場はどの程度適していましたか？全体的な体験に役立ちましたか？妨げになりま
　　したか？
28) プログラム / 補助資料はどの程度有益でしたか？

出典：スコットランド政府へのインタビューによる

6）の回答では、優れていると評価した場合は、「印象的なプログラム選択」「感動的なパフォーマンス」「持続的な効果」の3つのいずれかから1つを選択する。複数回答する場合は、その理由もあわせて書くことになっている。

7）は原文では、「for example fresh or tired」と問いかけられている。それに対しては、たとえば「ほかの場所で昨年初演された作品だが、今回の上演のために細心の注意を払った準備を通じて再構成されたことで、新鮮で活気にあふれ、鮮やかなインパクトを与えてくれた」といった回答がおこなわれていく。

中でも、17）「あなたはまだそれについて考えていますか」は、象徴的な設問だろう。優れたパフォーマンス、社会的なテーマを取り上げた問題作、現代の映像技術をふんだんに取り入れた演出、読み替え演出など、多様な表現が繰り広げられる芸術文化活動においては、観る者、聴く者にとって決して納得のいかない内容も多い。その目指すところが、作曲者や台本作家が創作したものと異なる印象を与える場合はなおさらだ。いずれの場合でも、創造活動が問いかけたテーマを社会がどう受け止めるのか、人びとの感情がどのように動くのか、それをどう議論しているのかなど、プロダクションを観る行為によって新たな反応や展開へとつながっていく。そうした広がりが出てくることは、資金を投入する意味の付与にもなる。

2）何のための評価なのか

事業運営や経営、財務、人材や様々なリスクの評価、そして芸術性の評価に関しては、完成を目指して試行が繰り返される状況にある。しかしながら、団体の規模に応じて頻度や報告すべき内容を変化させ、負担を逓減させるような評価システムが整備されようとしているなど、ACEが被助成団体に対して課す負荷には工夫がある。助成を受けることで何を目標とするべきかということがあらかじめわかりやすく示されている点は、被助成団体が自らの進む道筋を描くために重要ではないだろうか。日ごろのRMなどとのコミュニケーションを通じて、こうした目標地点への道程が共有されていて、リスク管理が着実に、そして緊張感を持っておこなわれている。そうした関係性において、評価や報告の仕方に関する互いの理解が進んでいる様子も見て取れる。結果として一定のペースが確保されて、合理的な作業がおこなわれていると言えそうだ。

ただし、こうした評価の手法については、先行するイングランドやスコットランドでもまだ発展途上だと言える。芸術性の評価をはじめとして、芸術文化活動に対する評価手法が確立していない中で、いまだ模索しながら作る過程にある。芸術文化活動が社会の変化の中にあり、取り巻く環境、技術革新の浸透度合いや人びとの芸術文化鑑賞への経験値も異なる状況でおこなわれる以上、助成の方法や評価の手法が各国、各地域で異なり、時代と共に変化していくのだ。

　芸術文化助成を受けている活動において、評価は、成果を検証してよりよい活動のあり方を見いだすための手段であり、結果を受けた再検討を通じて、活動を循環させ、確かなものにする力にもなりうる。芸術性の評価については、最良の形を求めて改良が続けられ、助成制度を設計する側にとって不可欠なものとして芸術文化助成の目的にあわせた評価手法を整えようと、取り組んでいるのだ。

　こうした評価の取り組みも、制度を維持するために、助成側と被助成側との相互作用を連続的に変化させながら、芸術文化活動がそれらを取り巻く環境に柔軟に適応していくプロセスだと言えるだろう。そうしたプロセスを経ることで、芸術文化団体が自らの創造活動を常に社会に問いかけ、社会に対する発信のあり方を見直すことにつながり、さらに持続可能性も向上していく。そのうえで芸術文化助成制度は、社会の変革に対応しながら芸術文化団体の組織活動を活性化し、強化するためのものでなければならない。助成制度を設計し、制度運用する者にとっても、助成を通じて何を達成しようとしているのか目的をしっかりと見定めることが必要である。

注

1　『イングランド及びスコットランドにおける文化芸術活動に対する助成システム等に関する実態調査 報告書（以下、ES報告書）』日本芸術文化振興会、2018年、86–100頁が参照できる。
2　グランティウムについては、同上、80–81頁に詳しい。本章のコラムでも言及している。
3　第5章第1節2.3) 審査へのかかわりの項を参照のこと。
4　人物多様性については、第1章で言及している。居住地域、年齢、人種、障がい、そしてLGBTQIなどを指す。
5　日本芸術文化振興会『ES報告書』、59頁。
6　ACE, *The National Portfolio Investment Programme 2018/19–2021/22: Guidance for applicants Band 3*, 2016.
7　この区分は旧事業助成の基準である。本項は、日本芸術文化振興会『ES報告書』、69–74頁があ

わせて参照できる。

8 同上、78–79頁があわせて参照できる。

9 ACE, *Standard conditions for funding, List of terms*, https://www.artscouncil.org.uk/funding/standard-conditions-grants#section-3（2020年11月5日取得）

10 「保護特性とは、2010年平等法 Equality Act 2010および2011年平等義務 Equality Duty 2011が定めるように、年齢、障害、性転換、婚姻およびシビル・パートナーシップ、妊娠出産、人種、宗教および信条、性別、性的指向を指します。このリストとあわせて、私たちは階級、および社会経済的格差を障壁であると認識します」との定義がガイダンスに注記されている。日本芸術文化振興会『ES報告書』、209頁。

11 ACE, *Band 3 - Standard conditions and deadlines, Band 2 - Standard conditions and deadlines, Band 1 - Standard conditions and deadlines*, 2020, https://www.artscouncil.org.uk/national-portfolio-2018-22/npo-2018-22-helpful-documents（2021年7月7日取得）

12 ACE, *The National Portfolio Investment Programme 2018/19–2021/22: Guidance for applicants Band 3*, 2016, pp. 18–22.

13 例外的に、理事会で質問をしたり理事会からの求めに応じて意見を述べたりするケースはあるとされる。

14 ACE, *The National Portfolio Investment Programme 2018–22, Monitoring Prompts for Band 3 Organisations*, 2017. 日本芸術文化振興会『ES報告書』、216–224頁。

15 ACE, *The National Portfolio Investment Programme 2018–22: Monitoring Prompts for Band 3 Organisations*, 2016, https://www.artscouncil.org.uk/sites/default/files/download-file/ACE_Monitoring_Band_3_18062020_0.pdf, p. 16.

16 ナショナル・アプレンティスシップ・スタンダード National Apprenticeship Standards, https://www.gov.uk/guidance/search-for-apprenticeship-standards にガイダンスが掲載される。

17 ACE, *The National Portfolio Investment Programme 2018–22, 2017.*「ナショナル・ポートフォリオ助成プログラム 2018–22 バンド3団体のためのモニタリング・プロンプト」日本芸術文化振興会『ES報告書』、216–224頁。

18 ACE, *The National Portfolio Investment Programme 2018–22: Relationship Framework*, 2016, p. 21.

19 リチャード・ラッセルへの筆者のインタビュー（2019年11月20日）。

20 同上。

21 Sir Brian McMaster, *Supporting the Excellence in the Arts*, DCMS, 2008, https://webarchive.nationalarchives.gov.uk/+/http:/www.culture.gov.uk/images/publications/supportingexcellenceinthearts.pdf., pp. 21–22. 文化に関わる質問に対して、140人からの回答を得ている。該当箇所を筆者要訳。

22 ACE, *NPO template 2019–20*, https://www.artscouncil.org.uk/national-portfolio-2018-22/npo-2018-22-helpful-documents（2020年12月27日取得）

23 ACE, *Business Plan Review 2018–19 — Band 3*, https://www.artscouncil.org.uk/national-portfolio-2018-22/npo-2018-22-helpful-documents（2020年12月27日取得）

24 ACE, *Self Evaluation Toolkit*, https://www.artscouncil.org.uk/self-evaluation-toolkit（2020年11月5日取得）

25 ホライズン・スキャニング Horizon Scanning とは、政策および戦略環境の変化の早期警告兆候を探すプロセス。長期的な未来計画を立案、見通す力と考えてもよいだろう。Government Office for Science, *The Futures Toolkit: Tools for Futures Thinking and Foresight across UK Government*, 2017, p. 27.

26 ACE, *Artistic and Quality Assessment*, https://www.artscouncil.org.uk/supporting-arts-museums-and-libraries/artistic-and-quality-assessment（2020年11月5日取得）

27 ACE, *Impact & Insight Toolkit Project Summary*, 2018, https://culturecounts.cc/ace/assets/docs/impact-&-insight-toolkit-project-summary.pdf

28 *Ibid.*

29 Nicholas Payne, Director of Opera Europa および Maria Eleftheriadou, Policy and Sponsorship Officer, Culture and Historic Environment Division | Scottish Government へのインタビュー（2020年3月4日）。図表4-5ゴシックの見出しは筆者が加筆した項目。

30 質問18）は、「はい」あるいは「いいえ」で回答する。

31 質問20）は、どのような興味を持ったのか記述するように設定されている。

32 質問22）は、ほかの鑑賞者たちの反応がどうだったかに関する記述が期待されている。

**A Perspective on
Subsidising Arts and Culture**
Strategic Investment by Arts Council England

第5章

芸術文化助成の
最前線ではたらく

第1節　芸術文化助成を担う人材

　芸術文化の定義に加えて、その活動の形態や機会などが多様化する中で、アーティストのありかたも多くの展開をみせ、プロデュースやマネジメントの立場で彼らを支える人たちの仕事も細分化の一途にある。そうした中、ACE は改訂版10年戦略の中で、アーティストをはじめ、キュレーター、図書館司書、技術者、プロデューサー、管理部門担当者、教育者、アーキビストなどの役割の重要性に言及している。助成する側がこうした職業や人材の存在を尊重し、彼らの仕事への意識を明確に示しているのだ。芸術の特性をふまえて、個々の仕事に対する専門性を認め、各芸術分野の発展へと直接つなげていくプロセスは特に留意したい。

　これまでの章では、ACE の組織体制の概要も見てきた。加えて本章では、芸術文化助成の仕事に携わる人材に焦点をあてることを通じて、彼らの芸術文化振興へのかかわり方を検討してみよう。とりわけ、これまで再三登場してきた ACE におけるリレーションシップ・マネージャー Relationship Manager（以下、RM）の役割の検証を通じて、芸術文化助成を担う人材像の理解につなげたい。

1. 人材起用の考え方
1）専門人材と「マルチ・タスク型人材」

　第2章で取り上げたとおり、ACE のスタッフ配置から読み取る組織特性は以下の2点にまとめられる。

　第1に、配置されたディレクターが、特定の分野や政策領域に専門性を持つ人材だという点である。専門的な知識や経験を備えた人材が助成事業に携わっていることが ACE の特徴なのだ。ここで対象となる専門とは、「音楽」「文学」等の芸術文化の各分野に加えて、各芸術文化分野に共通する課題、たとえば「国際」「関与（エンゲージメント）と鑑賞者（オーディエンス）」「戦略的パートナーシップ」などの政策領域の場合もある。

　これは、分野共通の課題を担当する人材登用の考え方に基づいている。ACE の人事では、当初「演劇」や「ダンス」「クリエイティブ・メディア」などの特定の分野に専門性を持った「Ｉ字型人材」を採用する。そして組織内で経験を積んで、各分野に共通する政策領域にも対応できる人材に育っていくというものである。こ

うして、図表5-1で示すような「T字型人材」を育て、広く政策領域に関する課題解決を担えるようにするというACEの姿勢が反映されている。

　第2に、ACEが「マルチ・タスク型人材」配置による組織運営となっている点である。一人の人物が複数の役割を担い、複層的に重なり合うグループがいくつも構成されている。

　そのためACEに関して正確な組織図を描くのは難しいとされる[1]。第2章で提示した図表2-6の組織図からは、各人材が担当する専門分野および担当地域を持ち、複数の役割を担っている状況が見て取れる。このように、それぞれ獲得した専門性を背景としながら、組織が取り組むべき課題を広く見渡せる人材を、組織内部、あるいは組織外の関連分野でキャリア・パスを重ねた者の起用を通じて確保する。特定分野における専門性を強みとする彼らは、助成の現場で様々な経験を積むことで、分野横断型の課題に取り組める芸術文化助成のゼネラリストとしてのキャリアを積み重ねられるのである。

2）「T字型人材」と「マルチ・タスク型人材」

　ACEのRMとなる人材は、T字型の能力を獲得していることが理想だとされる。イメージを模式化すると図表5-1のようになる。

　RMを採用する際には、当初は特定の分野を専門的に学んだ人材、あるいは専門分野での十分な現場経験のある人材を選ぶ。そうした分野専門性を持つ、特定の分野にルーツのある「I字型人材」を採用するのである。組織内で様々な経験を積む中で、そのほかの分野の知識を得ながら、「関与と鑑賞者」「多様性」「ツアー」など、各分野に共通する課題に広く対応できる人材へと育っていく。専門性を縦棒、共通課題を横棒に見立てた「T字型人材」が育ち、組織を構成するメンバーとなることを理想としている。

　このような「T字型人材」に育つ前提として、特定の芸術文化分野、あるいは組織経営やITなどの技能・知識、経験などにしっかりとした専門性を持った「I字型人材」である点が重要だとされている。特定分野における十分な知識と経験は、そのほかの分野に対する知見の習得に役立つのみならず、芸術文化創造を担うアーティストや創造現場ではたらく人材に対する共通の対応、態度を養うはずだ

図表5-1　ACEにおける「T字型人材」

```
┌─────────────────────────────────────────────┐
│              【政策領域】                      │
│   多様性、ツアー、教育、関与と鑑賞者、子ども・若者・学び  │
│   など                                        │
└─────────────────┬───────────────────────────┘
          ┌───────┴────────┐
          │  【専門分野】    │
          │  音楽           │
          │  ビジュアル・アート │
          │  複合芸術        │
          │  演劇           │
          │  ダンス         │
          │  文学           │
          │  美術館・博物館   │
          │  図書館         │
          └────────────────┘
```

からである。

　こうして特定の分野に関する深い知識と理念を理解し、分野特性を尊重できる人材が、領域横断的な新たな課題への対応手法を発想し、開発できるようになることがACEでは期待されているのである。そしてその結果、「マルチ・タスク型人材」としての配置が可能になる。

　こうしたRMに求められる人材像と仕事を理解すると、ACEの姿が実体として見えてくる。RMの存在と仕事が、イングランドにおける芸術文化助成の考え方やあり方への理解につながると言えるだろう。

3）多様性の確保

　英国では多様性の確保が、主要な政策課題の一つとして取り組まれている。

　2010年に施行された「平等法第149条 Section 149 of the Equality Act [2]」で、公的な機関に対して、平等に関する義務が課されていることを知っておきたい。

　こうした現状のもと、ACEは助成事業を実施する中で各芸術文化団体や創造活動における多様性を推進する一方で、自身の組織の多様性確保への意識と状況も公表している。

ACEによる多様性の定義は、『リレーションシップ・フレームワーク』と題して発表された文書で提示されている。この文書は「今回初めて、芸術文化団体、美術館・博物館、図書館が、アーツカウンシルが出資する同じポートフォリオの一部となり、（中略）最大の出資を受ける芸術文化団体は、私たちが10年戦略で設定した5つの戦略目標すべてに対し、より大きな貢献が求められることになる」[3]ことに基づき、「この文書は、ACEとNPOの関係を示すパラメータである。われわれが被助成団体に何を求めているのか、そして被助成団体がわれわれに何を期待できるのかを示すもの」だとして発表する中で、次のように言及されている。

　　私たちの多様性の定義には、人種、民族、信仰、障がい、年齢、性別、性別適合、階級、および経済的に不利な条件、ならびに人びとの芸術文化にかかる創造、参画、享受を妨げる社会的または制度的な障壁などの事案にかかわる諸問題への対応が含まれている。[4]

　芸術文化創造および参画、享受における多様性を妨げる可能性のあるあらゆる事象をあげ、ACE の掲げる多様性に向けた創造的実践 Creative Case for Diversity [5]への貢献が求められているとしたのである。

　さらにACE は、組織内部における多様性に関する統計データを報告書で発表している[6]。2020 年2月の段階で、ACE のスタッフは女性が66％を占める。LGBTを公表しているスタッフは14％、障がいを持つスタッフは7％、黒人あるいはエスニック・マイノリティ Black and Minority Ethnic のスタッフは11％となっている[7]。これらの割合を、ACE 組織全体、およびナショナル・カウンシル、エリア・カウンシルごとに詳細に発表している[8]。これらはACE が戦略目標4において、多様性の確保への方針を明確にした態度にもかかわるものである[9]。

【コラム】被助成団体の多様性の確保

　ACEは、被助成団体側にも、多様性の確保を数字で表すよう要請しており、アニュアル・サーベイ[10]を通じた報告を義務化している。さらに、大規模な被助成団体については、多様性の確保状況について組織別に発表している[11]。毎年、同様の報告書が公表されていて、この点についてACEが特に注力していることがわかる[12]。さらにこれに対しては、ACEも自らの組織の多様性に関するデータを率先して公表している。

　ACEは、こうした公表データを評価した結果、被助成団体のそれぞれの観点での多様性が充分に確保できていないと指摘し、懸念を表明した。ACEの会長は、「イングランドの芸術文化団体や美術館・博物館は、はたらく人や鑑賞者の一層の多様性を確保するための［ストレッチ目標］を満たさない限り、公的資金を失うことになる」と、NPOの運営における関与者の多様性確保が不十分だと警鐘を鳴らしたのだ。たとえば、BMEの比率が労働年齢人口の16％であるのに対して、NPOのスタッフのそれは11％にすぎず、障がい者は社会全体の割合が21％であるのに対して、NPOでは6％にとどまっている点などを指摘したものである。ACEが、被助成団体に対して上演にかかわるあらゆる人材および鑑賞者の多様性が充分に確保されていないと認められた場合に、助成金を出さないとまで言明したのだ。課題解決に向けた被助成団体の意識づけと改善を強くうながす意味を込めたACEの強いメッセージだと考えてよいだろう。

　ACEが2020年2月に公表した各NPOにおける多様性に関するデータや、ACEの組織構成における人材の多様性に関する報告書でのACEの会長表明[13]は、ガーディアン紙にも大きく取り上げられるなど注目された[14]。

　ガーディアンの記事でも指摘されているとおり、出演者、芸術文化団体など、スタッフも含めたジェンダーに対する配慮への指摘は、ACEや芸術文化の世界での課題にとどまらず、イングランドを取り巻く環境への社会の対応方針として注目される点である。

2. リレーションシップ・マネージャーの仕事

1) リレーションシップ・マネージャー

　リレーションシップ・マネージャー Relationship manager（以下、RM）の人材像を分析することは、ACEの実像に迫る最も有効な手立てのひとつとなる。それはRMが、ACEの根幹をなす活動の現場を担う役割だからにほかならない。彼らは、助成活動において被助成団体との間のコミュニケーションの最前線に立ち、事務局のオフィサーたちと協働しつつ、ACEの理念を実現するための任にあたっている。芸術文化助成を担うACEという組織において、最も特徴のある存在だとも言える。

　そこでここでは、RMの仕事と人材像を明らかにして、ACEの実像に迫るというアプローチをとってみたい。彼らの担う役割への理解が、イングランドにおける芸術文化助成のあり方を解き明かすカギともなるだろう。

　RMの仕事は、ACEが実施している助成金の申請、審査、活用、事後評価など、被助成団体がおこなう一連の助成事業に関する活動に直接たずさわり、円滑に進めることである。助成に携わるRMの主たる業務は以下の4つに整理される。

- コミュニケーション：ACEの窓口として、各組織との接点となる
- 審査：　　　　　　審査の客観性を担保する
- モニタリング：　　被助成団体等の見守り役になる
- アドバイス：　　　被助成団体等の相談役になる

　次項から、4つの業務について概要を把握してみよう。

2) コミュニケーション

① リレーションシップ・マネージャーによるコンタクト

　RMは、芸術文化団体、美術館・博物館、図書館などの組織とACEとの接点となる存在だ。被助成団体の活動を日頃からウォッチし、被助成団体からACEへの活動報告となるアニュアル・レポートの提出など、具体的な業務においても、コミュニケーションをとる窓口となる。彼らはこうしたコンタクトを通じて、ACEの考え方をいかに実現するのか被助成団体に対して継続的にアドバイスする役割を担う。

NPOのバンド3には、1年間に100万ポンド（約1億5000万円）以上の最も多額な助成を受けている芸術文化団体が分類されているが、これらバンド3の芸術文化団体への対応にも、1つの組織に対する窓口となるRMは1人と定められている。すなわち、被助成団体の助成額の規模の如何を問わず、助成の窓口の役割を担うのは担当する1人のRMである。ロイヤル・オペラ・ハウスをはじめ、BIG10と呼ばれる大規模な芸術文化団体への対応であっても、この方針は変わらない。

　また、RMの配置は同一の被助成団体を継続して担当することが特徴となっていて、加えて同じ分野の同様の複数の団体を担当している。例えば、オーケストラを専門とするRMは継続して複数のオーケストラを担当、ロンドン交響楽団では5〜6年間程度同一人物がRMを務めていて、そのRMはほかのオーケストラのRMも務めている[15]。

　一人のRMが担当する被助成団体の数は、担当する分野によって大きく異なる。例えば、バンド3のサウス・バンクセンターを担当しているRMは、同時にバンド2から3団体、バンド1から3団体担当していて多忙を極めるという[16]。

　一方で、図書館分野は、被助成団体数はACEが助成しているNPO全体で7件と比較的少ない。それもあって、図書館を専門とするRMが1人あたりで担当する数は限定的であり、各エリアに1人ずつ、イングランド全体で合計5人の配置にとどまる[17]。

　同じRMが数年間にわたり同一の被助成団体を担当するのは、継続的に同じ団体を担当して団体との信頼関係が生まれるからであるとされ、ACEは意図的に長期間にわたり担当を替えないようにしている。例えば、ダンス分野のサドラーズ・ウェルズ劇場に対して同じ人物が8年間RMを務め、劇場側とのコンタクトの窓口となっている。RMの交代は、自身の退職や転職などが主な理由だとされる[18]。

　RMとのコンタクトの頻度は、バンド別、すなわち助成額の多寡により定められている。1年間のうち、バンド1の被助成団体は最低1回、バンド2は最低2回、バンド3は最低4回、SSOは最低2回である。

　これ以外にも非公式のコミュニケーションが日常的におこなわれていて、RMの任務の中でもとりわけ重要な役割となっている。助成の最前線の任に就いている

ために、RMには期待が寄せられている一方で責任も大きい。そのためRM個人は対象となる芸術文化団体の状況を正確に把握する能力のみならず、各専門分野や専門領域における幅広い知識が必要となる。そして一定の期間、被助成団体とのやりとりの窓口を担い、ACEを代表する立場となる以上、公正な態度が最も要請されるのである。

② コンタクトの実務と考え方 [19]

　他方、NPO側の公式の窓口となる担当者も、特定の立場で、同じ人物が担当することになっている。窓口となる担当者の役職は、組織の規模に応じて異なるが、基本的にRMのコンタクトに対応する形でおこなわれるACEとの主なやりとりは、NPO側のチーフ・エグゼクティブ Chief Executive（最高経営責任者、または同等の役職者）を通じたものとなっている。また例えば、チーフ・エグゼクティブとアート／プログラム担当ディレクターとが別々に配置されている場合には、NPOとしての活動やプログラムのクオリティについて、その両者とACEのRMとが対話するように期待されている。加えて、特に団体に関するリスク評価が「高い」とされる場合は、NPO側の財務担当ディレクターとの直接のやりとりが望まれている。ただし、実際のACEへの対応はNPO側の実務担当者が担うケースが多い。また、RMを通した公式のコンタクトとは別に、多額の助成を受けているNPOではシニア・マネジメントの各階層（レベル）同士のコンタクトがおこなわれる場合もある。日常的なRMと被助成団体とのコンタクトの手法には以下の6つの手法が、具体的にあげられている。

- あらかじめ設定された日程での電話によるコミュニケーション
- 理事会への陪席
- 特定の目的のためのミーティング
- 芸術文化団体の活動調査
- ACE以外のステークホルダーとの合同会議への出席
- メールによるやりとり

上記のようなやりとりがおこなわれた場合、RMはACE内部のサーバにある

助成資料ストレージに、コンタクトの記録を残すように定められている。コンタクト実施に関する事実に加えて、メールでのコミュニケーションをとった場合は、メール本文や添付資料のアップロードも義務づけられている。また、対面での面会の場合には、話し合いの要点のメモを残すようにも定められている。

　6つのコンタクト手法のうち、いずれを選択するかの判断はRMに任されているが、どのような手法の場合でも、被コンタクト側となるNPOがACEからの公式なコンタクトが実施されたという点を、事実として「認識することが必要」だとしている。

　公演調査や展示視察なども、ACEとの重要なコンタクトの一環である。RM自身が足を運ぶケースもあるし、外部評価者からの報告を受けて、芸術性に関する客観的な印象について被助成団体側と意見を交わす場合もある。ACEが任命して調査報告を実施する外部評価者とは、AQAのアセサー、さらにIITのピア・レビュアーを指している。各担当RMには、彼らからの報告の把握が課せられている。被助成団体は、自らの活動に関する理解の促進を目的に、積極的にRMに活動視察をするよう声掛けしている。

　こうした日常的なコンタクトがとられた結果、ACEから受け取った「アニュアル・フィードバック・レターにおいて、団体側が驚くような評価がされていることはない」[20]とされる。そして日ごろのコミュニケーションの積み重ねが成果となって、RMを通じたACEとNPOとの信頼関係構築につながるのだ。双方の関係性に対する考え方は被助成団体にも浸透しており、互いのコンタクトがかなり頻繁におこなわれている様子が見てとれる[21]。

　RMは、芸術文化団体に対する「クリティカル・フレンド（時には批判もいとわない友人）」だと位置づけられている[22]。RMを包含するACEに関しても同様の関係にあるとしてよいだろう。こうした相互関係は、日常的なコンタクトの積み重ねによるものだ。これらを通じてACEの考え方が被助成団体に浸透し、逆に被助成団体の活動状況、特にリスクが、助成をおこなう側であるACEに正確に伝わっていく。こうして互いの状況を把握しながら、支援の受け渡しがおこなわれていくのだ。そして立場をかえて、助成側にいたRMが被助成側に移籍して助成金を受けるようになるケースも相当数あるという[23]。公的助成への責任と、とるべき態度が理解できている人材がその任に就く意義は、はかり知れないものがある。

3) 審査へのかかわり —客観性の担保—

① 書面審査

NPOの採択審査については第4章で詳細に取り上げたが、ここではRMのかかわりという視点から見てみよう。RMは、NPOからの助成申請に関しては第一段階となる書面審査には携わるものの、採否決定にはかかわらない。

第一段階で実施される書面審査とは、提出された申請内容がACEの基準に照らして採択資格があるかどうかをRMが精査し、申請内容に関するレポートを作成することを指す。レポート作成業務は、担当のRM1名が担当し、レポートの執筆はACE内部の様々な専門を持ったスタッフに意見を聞きながらおこなわれる[24]。

審査に直接携わらないとはいえ、作成したレポートの内容がそののちの審査に影響を与えるために、RMの役割は小さくない。当該団体との日ごろのコンタクト、あるいは新規応募団体であれば新たなコミュケーションから得られた情報や知識を背景としつつ、公平性が担保されなければならない。

レポートの水準管理は、RMを統括するシニア・リレーションシップ・マネージャー（以下、SRM）がおこなっている。SRMは、各専門分野のディレクターなどのもとで複数のRMを束ねる役割を担う。水準管理のためのプロセスは、「モデレーション」と呼ばれていて、SRMがRMの作成したレポート1部を抜き出して、チェックする作業である。この方法によりレポートの水準が担保されていく。レポートはナショナル・レベルのリード（各専門分野のディレクター）であるナショナル・リーダーシップ・グループの構成メンバーたちに送られ、彼らがナショナル・カウンシルやエリア・カウンシルに対して採択に関する推薦をおこなっている。

② 客観性の担保 [25]

RMが普段コミュニケーションを担当している芸術文化団体の書面審査にかかわることについては、当然ながら客観性の担保ができるのかとの指摘があり、ACE内部でも是非を問う議論がなされている。書面審査を、同じ分野に専門性を持つ異なるエリアのRMに担当させるというアイデアもあった。しかし、担当RMが日常のコミュニケーションを通じて獲得してきた情報や知識を活用して審査の質を向上させ、評価にかける時間も効率化できるため、あえて日頃担当する芸術

文化団体の書面審査をおこなわせている。

　同じRMが長年同じNPOのコンタクトの窓口を務める点についても、かかわりが密接になりすぎるのではないかという懸念はある。ただしこれも同様に、互いの理解が深まるものとして、制度変更の予定はないとされている。

③ 採否決定まで

　NPOの審査は、ロギング、書面審査、モデレーション、バランシング、最終的な採否決定の手順で進められる。このうちRMが実際に携わるのは書面審査の部分だけであるが、それ以降の工程においてもRMは常に助言をする立場となって、決定に至るまでの様々なレベルでのACE内部での審査判断に対して情報提供などの支援を常におこなうとされている。被助成団体にとっては、RMとの日ごろのコミュニケーションを通してACEに伝えられる情報が、採択の成否につながるのである。

4）モニタリングの方法
① 理事会へのかかわり方

　理事会への陪席については既述しているので、ここではRMの具体的なかかわり方についてまとめておこう。ACEの考え方は、被助成団体の運営に関する最終決定権、および経営全体に対する最終責任が各NPOの理事会にあるという点に集約される。それに伴うRMの役割は、NPOの理事会のモニタリングを通した状況把握にある。理事会に立ち会い、被助成団体の経営方針やビジネス・プランをモニタリングして、事業運営手法、意思決定のあり方などを明確に理解することなどがあげられている。

　こうした理事会のモニタリングをはじめとするリスク管理が、RMにとって最も重要な業務の一つとなる。その手法は、理事会文書の把握、管理会計文書とキャッシュフロー計算書、財務諸表の把握、理事会への参加、ビジネス・プランの把握、アニュアル・レポートの把握など多岐にわたる。

　もちろん、これらを職務として担う必要があるのだが、すべての項目について十分な知識や経験が必要とされているわけではない。RMは、個々の芸術文化団

体のリスクレベルをモニタリングし、観察の結果被助成団体のリスクの高まりを察知したら、ただちにACEの組織内の財務、会計、法務などの専門家に相談するという判断をするのが主な役割となる。そのリスクレベルに応じて、RMと被助成団体とのコミュニケーションの頻度も増加する。しかしそうしたケースでも、RM自身が財務、法務など自身と異なる専門分野の助言はしないし、もちろん作成中の申請書に対して具体的なアドバイスもできない[26]。

　彼らはあくまで窓口であり、被助成団体とのコミュニケーションに徹しつつ先述したとおりACEにとってのセンサーの役割を担うように要請されているのだ。とりわけ、理事会への出席は重要なモニタリング手法である。ただし、これはあくまでオブザーバーとしての立場であって、意見は述べない。何が話し合われているのかを「モニターする」だけだと繰り返し語られていることが、RMの立場を象徴している。RM、ひいては彼らの所属するACEは、あくまで芸術文化団体のガバナンスには直接の関与をしないというスタンスである。ACE側の姿勢は以下のとおり公式に表明されている。

　　私たちは、オブザーバーとして団体の理事会の会合に出席する権利を有しています。理事会出席により、団体について、運営方針、重要な課題、事業計画のモニタリング方法、事業運営のやり方、意思決定の手法が、より明確に理解できます。また、私たちからのフィードバックを提供するため、理事会に出席する場合もあります。[27]

　理事会への出席は、リスク・モニタリングの有効な手段のひとつとされている。理事会での報告事項が貧弱になったり、意見交換に活発さが見られなくなったりすると、組織運営力の低下が懸念される。ACEに対して報告される内容よりも、理事会に対して報告される内容のほうが、より一層はっきりと組織の状況把握が可能だと考えられている。この点が特にRMが理事会に「陪席」する理由となる。

② モニタリングの際に求められる意識と行動について[28]
　RMは、リスクの存在を把握し、その軽減策を初期段階に講じるため、ACEに

対して状況報告するなど助成現場の最前線で活動する立場にあり、公平性の担保のみならず芸術文化団体に対する見守り役となる必要がある。モニタリングの際に影のディレクターとしての行動をとること、すなわち芸術文化団体内部ではなく、組織の外の立場で一定の距離を保ちながら、モニタリングを通じて運営へのアドバイスをおこなうことなどが求められるのである。

- 発言について熟慮し、誠実であるように努める
- 文書化する
- リスク・モニタリングを徹底する
- 時宜を得た行動をする
- 事実誤認を訂正する
- 影のディレクターと思われるように気を配る
- エビデンス（あるいはエビデンスの不足）を具体的に示す

RMには、自らの行動、活動を可視化して、エビデンスを残し、さらに被助成団体に対する公正な立場をとることが必要とされている。その集大成として団体に提示されるのが、アニュアル・フィードバック・レターなのである。

5）アドバイス
① NPOへのアドバイスの実際

ACEは、被助成団体へのかかわり方については見守る立場だと表明している一方で、ACEからNPOに対するアドバイスは理事会に対しておこなうことが望ましいとしている。

> 被助成団体と私たち（ACE）との関係、さらに助成契約について、被助成団体の理事会が関心を持つことが望まれます。この観点から、理事会が少なくとも（ACEの提示する）リレーションシップ・フレームワーク、助成契約、アニュアル・フィードバック・レターを入手するように期待しています。さらに私たちは、例えば被助成団体の活動方針について、理事長および／または理事会と小委員会との間で、直接話し合いを持ちたいと考えています。[29]

RMによる具体的なアドバイスには、責任者の交代時、すなわち組織の新しい
リーダーに対する事項もあげられている。

> 新たに就任する理事長に対しては、団体を担当するRMと共に導入セッ
> ションも予定しており、私たちが団体に求めるものや私たちの戦略「あらゆ
> る人に素晴らしい芸術文化を Great Art and Culture for Everyone」の達成に
> 貢献するために被助成団体が果たす役割について理事長が十分に理解
> するように期待しています。[30]

こうして、被助成団体の組織の継続と安定に対して、RMの果たす役割が重
要だとするACEの姿勢が示されているのである。

② 新規加入団体へのアドバイス

既存の団体に対するアドバイスのほか、新たにNPOに加わろうとする団体へ
のアドバイスはどうなっているのだろうか。

ACEでは、NPOとして採択されている既存の被助成団体に対する助成が固
定されることがないよう、新たに助成を受けようとする団体への助言を積極的に
おこなう姿勢を見せている。

そのため、ACEの全てのエリアで、2018–2022 の運営助成の申請サイクルに
あわせたワークショップあるいは説明会をおこない、芸術文化団体に対して参加
を促してきた[31]。こうした機会を積極的に設けて、新規加入を希望する芸術文化
団体とACEとの間で、新たなコンタクトが生まれるように期待しているとする。

新しく運営助成を受けようとする団体には、申請前手続きとしてRMとの「必
須面談」が義務づけられている。この面談は電話でおこなわれ、なぜ運営助成
に申請するのか、ACEの戦略目標を理解し、どう実現しようとするのか、応募が
適切かなどについて問われる。

また、既に採択されている団体も、次の 2018–2022 のサイクルに応募する際に
は、RMからアドバイスを受けられる。ただし、提出予定の申請書に対する具体
的なアドバイスではない。これについては、NPOに対して示される文書であるリ

レーションシップ・フレームワークに、RMの役割が明記されている[32]。

　すなわち、「RMは、クリティカル・フレンドであり、団体のパフォーマンスに対するフィードバックを提供するとともに、助言や支援を得られる可能性のあるほかの情報源を提案する」とするという考え方である。

　RMは、団体が自分自身の状況を把握し、自律できるようになるためのメンターのような立場、あるいは応援団のような役割だと考えるべきだろう。

③ リレーションシップ・マネージャーを介した
　アーツカウンシル・イングランドと被助成団体との関係性

　ACEと被助成団体との関係性におけるRMの位置づけと役割をまとめると以下のようになる。

　RMとは団体にとっての相談相手であり、時には厳しい意見を述べる場合もある指導的立場もとる。RMと被助成団体の担当者との関係は、親しいがゆえに意見を言う相手として、極めて近い関係にあると考えてよいだろう。理事会への関与や日ごろのコミュニケーションの状況からは、ACEの関与は少なくない様子も見てとれた。また、RMが同じ形態の分野および芸術文化団体を担当することで、分野を見渡したアドバイスもできる。RMは、ACEの助成事業全体を支える役割であり、リスク・マネジメントの担い手として機能することが求められてもいるのだ。

　彼らの存在は、ACEと被助成団体という性格の異なる組織の間の、あるいはACEにおける潤滑油であり、また触媒の役割を担うものだとも言える。彼らが被助成団体の運営状況や、各分野に関する幅広い情報をキャッチするセンサーとなって、時にはリスクのレベルを「嗅ぎ分ける」役割も果たしているのだ。

第2節　芸術文化助成を担う人材像と専門性の確保
1. ジョブ・ディスクリプションにみる人材の専門性

　RM公募の際には、専門分野は何か、知識・経験はどの程度かという点が重視される。

　ACEの人材採用はジョブ型雇用となっている。具体的な給与、雇用時間のみならず、具体的な担当業務が細かく提示されているので、求められている人材の

プロフィールも明確に理解できる。実際に、公式ウェブサイトに掲載されているジョブ・ディスクリプションの事例を具体的に見てみよう[33]。

　次の事例は、ロンドン・オフィス勤務の SRM のジョブ・ディスクリプションである。2019 年 10 月締め切りで公募された事例だが、職能および所掌範囲に関する具体的な記載が見てとれる。

① シニア・リレーションシップ・マネージャー （ビジュアルアート・アンド・ミュージアム、ロンドン）

　【条件】常勤雇用、あるいは 17.5 時間 / 週 2.5 日（就業日は水曜日、木曜日、金曜日の午前または午後）、給与：年間 4 万 4903 ポンド（約 674 万円、17.5 時間の場合、年間 2 万 2452 ポンド（約 337 万円）を比例配分）とボーナス。

　ロンドンのビジュアルアート・アンド・ミュージアム・チームの SRM を募集。8 人の RM、3 人のアシスタント、2 人の SRM（この募集の対象者を含む）、インターナショナルおよびロンドンのディレクターで構成されるチームに加入。チームは、62 の NPO の多様なポートフォリオを管理している。

　ロンドンおよび全国のビジュアルアートの専門知識が必要である。チームを率いた実績があり、上級レベルで地域の外部ステークホルダーとの強力で信頼できるパートナーシップを開発し、維持する能力、さらに慈善活動の政策分野での経験を含む共同作業とマトリックス作業の知識と経験が必要となる。

　RM のチームと 1 人のアシスタントをライン管理する。NPO のポートフォリオを保持し、ロンドン・エリア管理チームのメンバーとして、全国のビジュアルアーツチームのワーキンググループのメンバーとなる。また、政策領域でロンドンの RM およびアシスタントと連携し、地域の調整と配分を主導したうえで、エリア管理チームに知見を提供し、ナショナル・リードへのパイプ役を務める。

　次は、ダンスの RM のジョブ・ディスクリプションである。RM として何が期待されるのかという点がわかる。また、実際に担当する被助成団体も記載されるなど、具体的な業務内容が示されている。

② リレーションシップ・マネジャー（ダンス、ロンドン）

【条件】常勤雇用、週35時間勤務、給与：年間3万4129ポンド（約512万円）、ボーナス。ロンドンのフルタイムのRM。ダンス・チーム（複合芸術、文学、図書館と一緒に、幅広いチームを形成）所属。

幅広いダンスフェスティバル、組織などに投資していて、ロンドンのダンス組織の多様なポートフォリオの開発をサポートする。

ダンスの実践に関する十分な知識と経験を持ち、英国の文化セクターに強い関心を持つ経験豊富な候補者を探している。イングリッシュ・ナショナル・バレエ、ザ・プレイス、ズー・ネイション、イースト・ロンドン・ダンス、ナショナル・ユース・ダンス・カンパニーなどの組織を含むポートフォリオを管理する。

ACEの芸術文化に関する戦略の策定と実施に貢献し、地域や全国の同僚と協力して、厳しい財政環境下での組織やアーティストに対する重要な支援、さらに事業助成および戦略的事業助成への申請の評価をおこなう。

加えて、ロンドンのダンス組織との関係のマネジメント、データ分析、レポート作成や執行管理などもおこなう。ACEのRMとして、多様性や平等、ツアー、持続可能性など、アート以外の特定のテーマに幅広く携わり、団体の責任者から個々のアーティストに至る幅広い人びととの十分なコミュニケーションが要請される。

これら2つの事例から読み取れるのは、まず特定分野に対する専門性が必要だと提示されている点である。そのうえで、RMは被助成団体との関係が主な仕事であり、SRMはRMのライン管理に加え、ほかの地域や専門分野との連携などの仕事が課されていることがわかる。ACEの人材募集は、ウェブサイトで頻繁におこなわれていて、人材の一定の流動性が見てとれる。

2. ジョブ・シェアリングの状況

ACEのRMが多様なキャリア・パスを見せるもう一つの理由には、より柔軟な雇用形態が確保されている点があげられる。ACEのフルタイムの勤務時間は、週35時間である。1週間の勤務時間が分割されていて、1人あたりの雇用時間数のパターンは以下のとおり設定されている。

7時間（1/5週間）、10.5時間（1/5週間+1/2日）、14時間（2/5週間）、17.5時間（1/2週間）、21時間（3/5週間）、24.5時間（3/5週間+1/2日）、28時間（4/5週間）、31.5時間（4/5週間+1/2日）、35時間（フルタイム）の9種類である。

RMの働き方にはジョブ・シェアリングの状況が見てとれる。

例えば、マンチェスター・オフィスで複合芸術分野を担当するRMは、1週間の合計で84時間配分されている。35時間が2人、14時間が1人、すなわちフルタイムで2.4人分に換算できる数字である。ACEのRM、SRMのほとんどがフルタイム雇用であるが、一定の割合で上記のような細かいジョブ・シェアリングがおこなわれている。

ジョブ・シェアリングを取り入れる理由は、一つには個々のRMの活動事情を反映している点に起因する。創造者としてのキャリア形成の過程でACEに勤務している例だったり、子育て、介護など家庭の事情などにより、ジョブ・シェアリングを活用したりする例もある。応募の際に、ロンドンかマンチェスターのいずれかを選ぶという地域選択が可能な条件が提示されている場合もある。こうした個人の状況に応じた柔軟な雇用を可能としていることが、芸術文化分野における「キャリアを分断させない」ことにもつながるのではないだろうか。被雇用者側としてのRMの事情に対応して、雇用側であるACEが柔軟な条件を提供しているとも考えられる。一方で、ジョブ・シェアリング導入が、雇用の不安定さを呼ぶ結果になったり、雇用の少なさを補うためである場合もあったりするため、それらの点が雇用の柔軟さと表裏一体であることには注意が必要だ。

3．芸術文化助成を担う人材像

1）キャリア・パスの実際

ACEにおけるRMたちのキャリア・パスの検証を通じて、助成事業に直接かかわる人材たちがどのようなプロフィールを形成しているのか見ていこう。

様々なバックグラウンドを持つ人材の、RMとしての採用を反映して、ACEのRMたちのキャリア・パスは実に多様である。RMとしてはたらく人材のキャリア・パスは、大きく3通りに分けられるだろう。

「1. ACE生え抜き」「2. ACEと団体での組織運営や制作業務などを交互に経

験してキャリアアップ」「3. アーティストやプラクティショナー活動との両立、ある
いはいずれかからの転身」の3つである。

　まず、ACEに継続的に勤務し、ACE内部で複数の部署を経験してキャリア
を重ねていく人材がいる。このケースは、ACEに採用される際は特定分野を専
門として、RMの活動を開始する。一定のキャリアを積んだ後に、他分野にも共
通する課題を把握する過程を通じて、幅広い職務を担当するようになる。

　次に、ACEで数年勤務した後に、被助成団体でのディレクターなどに転出して
創造現場を経験してから、再びACEに戻るというケースがある。最初に創造活
動の制作を経験してから、ACEのRMとなる人材も数多くいる。ACEでの経験の
後、複数の被助成団体のディレクターとして重責を担うようになる人材もいる。

　また、アーティストやプラクティショナーとしての活動を経たのち、あるいは活
動と並行しながら、ACEで仕事をするケースもある。ACEでアシスタント業務
を担う若手ビジュアル・アーティストは、アーティストとして活動する時間を確保
するために、週の半分である17.5時間はACEで助成の現場に携わり、残りの
時間は自らの創造活動にあてている[34]。

　このように芸術文化創造の現場でキャリアを重ねている人材がRMとなり、助
成金を受けたり、助成金を出したりする側に身を置いて、公的助成に関する考
え方やスキルを備えた人材が養成される。こうして、RMとなる人材の確保だ
けでなく、創造現場でも芸術文化組織の社会的あり方を考えられる人材を育成
することにつながっているのは確かであろう。

　すなわち、大小様々な規模の舞台芸術創造活動を担う劇場や芸術文化団体、
さらに美術館・博物館の運営などで様々な職責を経験しながら助成に携わり、
専門性を高められるポジションがACEにおいて一定数確保されている。そのた
め彼らは立場を変え、創造活動に携わったり、大規模な芸術文化組織の運営に
必要な助成の仕事を続けたりというかかわり方が可能になる。こうして、政府や
ACEなどのアームズ・レングス・ボディ（ALBs）による文化政策の方向性と助成
金の果たすべき役割を理解し、助成金の価値を創出し、社会に還元する役割を
担う人材が確実に形づくられてきたのである。

　そしてこれが、助成活動を通じた芸術文化振興の専門家育成につながる。彼

らは行政官ではないものの、芸術文化団体そのものや、芸術文化団体に対する助成金を提供する仕事を通じて、「芸術文化と公とのあるべき関係とは」を理解し、その意味を各芸術文化組織に行き渡らせる役割を担う。こうして、公的資金を有効に活用するための人材が育っているのである。

2）アーツカウンシル制度を支える専門性

　個々のRMのバックグランドは、アーティスト、アドミニストレーター、評論家など様々である。特定分野への専門性を持ったうえで、芸術文化支援の専門家として社会における芸術文化の位置を考える立場をとるようになる。

　アーティストとともに芸術文化活動を支え、芸術文化振興を担う人材として、行政官、アートマネジメント人材、舞台スタッフ、アーキビストなどの職業については、これまでも言及されてきた。ここでもう一つの役割として、芸術文化助成に携わるコーディネーター、すなわち助成に携わる専門家という人材像が浮かび上がってくる。ACEは、そうした芸術文化支援にかかわる人材を養成する機関であり、インキュベーター（孵卵器）だと言えるのである。養成の過程で、それぞれの人材が公的な立場をとれるようになるということが重要なポイントだ。そして、彼らは、芸術文化関連組織でプロデューサーやアドミニストレーターとして、現場での創造活動に実際に携わる立場になる場合もあり、一層その専門性が深化していくのである。

　助成をコーディネートする専門家としてのRMと、アートマネジメント人材として芸術文化を創造する立場とを行き来する循環こそ、ACEの制度運用に対して人材を供給する仕組みにほかならない。

　アーツカウンシル制度を形づくるのは、芸術文化活動をおこない、芸術文化活動を支える人である。RMの存在と働きの積み重ねが制度運用の原動力なのだと言える。社会が変革の時をむかえ、危機対応を余儀なくされた芸術文化の現状において、彼らが一層リスク・マネジメントの能力を発揮することが期待されている。

注

1　「コラム　組織図を描きにくい組織」『イングランド及びスコットランドにおける文化芸術活動に対する助成システム等に関する実態調査　報告書（以下、ES報告書）』日本芸術文化振興会、2018年、38頁。

2　*Section 149 of the Equality Act*, 2010. http://www.legislation.gov.uk/ukpga/2010/15/section/149.

3　ACE, *The National Portfolio Investment Programme 2018–22: Relationship Framework*, 2016, p. 5.　2017年度までにも、美術館・博物館はMPMとして、芸術文化団体同様にACEからの被助成団体となってきたが、2018年度からはNPOの一つとして同じ枠組が適用されるようになったことを指す。

4　ACE, *The National Portfolio Investment Programme 2018–22: Relationship Framework*, 2016, p. 30.

5　ACEはウェブサイトで、以下のように概念を定義している。「多様性に向けた創造的実践 *Creative Case for Diversity* とは、芸術や芸術文化団体、アーティストが幅広い影響や慣行を受け入れるこ

とで、彼らの仕事をいかにして豊かにできるか探求する手法である。これを取り入れると、芸術や芸術文化団体は活動を充実させられるだけではなく、鑑賞者開拓、市民の関与、労働力とリーダーシップ、美術館でのコレクションの開発におけるそのほかの課題や機会にも取り組むことができる。ACE の資金提供を受けた組織は、制作、提示、収集を通じて、多様性に向けた創造的実践にどのように貢献しているかを示すことが期待されている」ACE, *Creative Case for Diversity*, https://www.artscouncil.org.uk/diversity/creative-case-diversity（2020 年 10 月 11 日取得）

6　Arts Council England, *About Us, Equality, Diversity and the Creative Case, Data Report, 2018–2019*, 2020, pp. 96–103. .

7　*Ibid.* 報告書では、BME と略記されているが、Black, Asian and Minority Ethnic を意味する BAME と略記される場合もある。

8　ACE, *Equality, Diversity and the Creative Case: A Data Report 2018–2019*, 2020, pp. 95–103.

9　ACE, *Great Art and Culture for Everyone: 10 Years Strategy Framework*, 2013, p. 54.

10　アニュアル・サーベイ：Annual Survey. ACE が NPO に対して、毎年の提出を義務づけている報告資料。同資料では、数字による組織の状況提出が課されていて、スタッフ構成などが報告される。

11　ACE, *Equality, Diversity and the Creative Case, A Data Report 2017–2018*, 2019, pp. 10–23.

12　ACE, *Equality, Diversity and the Creative Case: A Data Report 2018–2019*, 2020.

13　*Ibid.*, p. 3.

14　Mark Brown, *Arts bodies could lose funding under robust measures to increase diversity*, The Guardian, Feb. 18, 2020 付の紙面による。

15　日本芸術文化振興会『ES 報告書』、125 頁。

16　筆者による ACE へのインタビュー（2019 年 11 月 20 日）。

17　図表 1–1.05「エリア別／専門別のリレーションシップ・マネージャー数（ポスト数）」、日本芸術文化振興会『ES 報告書』、40 頁。

18　日本芸術文化振興会『ES 報告書』、125 頁。

19　②に関しては、基本的に ACE, *The National Portfolio Investment Programme 2018–22: Relationship Framework*, p. 15. の読み取りなどを中心にしている。さらに、第 6 章第 1 節の ROH が具体例として参照できる。

20　日本芸術文化振興会『ES 報告書』、126 頁。

21　第 6 章第 1 節　ロイヤル・オペラ・ハウス。

22　ACE, *The National Portfolio Investment Programme 2018–22: Relationship Framework*,, p. 14.

23　ニコラス・ペインへの筆者のインタビューによる。2020 年 1 月 16 日におこなった研究会での発言から。

24　日本芸術文化振興会『ES 報告書』、128 頁。

25　同上、128–129 頁。

26　ACE, *The National Portfolio Investment Programme 2018–22: Relationship Framework*,, p. 14.

27　*Ibid.*, p. 15.

28　日本芸術文化振興会『ES 報告書』、129 頁。

29　ACE, *The National Portfolio Investment Programme 2018–22: Relationship Framework*,, p. 15.

30　*Ibid.*

31　2016 年 10 月に各地で実施されている。

32　ACE, *The National Portfolio Investment Programme 2018–22: Relationship Framework*,, p. 14.

33　2020 年 10 月 15 日現在で、エリア・ディレクターを含め、10 以上のポジションが公募されている。ACE, *Jobs and careers*, https://www.artscouncil.org.uk/news-and-jobs/jobs-and-careers-0（2020 年 10 月 15 日取得）

34 日本芸術文化振興会『ES 報告書』、41頁。
35 研究会での筆者のインタビューより（2020年1月16日）。

**A Perspective on
Subsidising Arts and Culture**
Strategic Investment by Arts Council England

第6章

芸術文化助成を
受ける選択、
受けない選択

第1節　芸術文化助成と組織運営

　芸術文化団体の中には、その創造活動や組織運営のために多額の助成を継続的に受ける組織が存在する一方で、助成を受けないという選択をする組織が存在する。助成を受ける選択をすることと、助成を受けない選択をすることで何が異なるのか、それぞれの活動から読みとってみよう。さらに、助成を受けたり受けなかったりする選択を可能とする芸術文化助成をめぐる組織運営のあり方についてより具体的に考えてみたい。

　本章で取り上げるのは、英国を代表する2つの芸術文化団体、ロイヤル・オペラ・ハウス Royal Opera House（以下、ROH）とグラインドボーン音楽祭 Glyndebourne Festival Opera である。

　ROHは、英国を代表するのみならず、世界でも最も著名で活発に大規模な舞台芸術を中心とした創造活動をおこなう組織の一つだと言ってよいだろう。オペラとバレエの舞台芸術創造を展開し、さらに国を代表する組織として国内外に対して広く優れた舞台芸術を発信している。

　グラインドボーン音楽祭は、恵まれた環境と豊かな創造活動で知られた民間組織だ。同音楽祭も、世界で最も著名なオペラ・フェスティバルの一つとして、開催される土地の周辺環境や歴史的経緯などによるブランド力に加えて高い芸術性を獲得した舞台創造に定評がある。

　両者はいずれも上演の卓越性において英国を代表する組織である。しかし、上演回数、運営体制、予算規模などは全く異なっている。最も異なる点は、ROHがイングランドで最も多額の公的助成を受けている芸術文化団体であること、一方で、グラインドボーン音楽祭は、5月半ばから8月終わりまでのシーズンでおこなう本公演に対して、公的助成を受けていないということである。ただし、近年グラインドボーン音楽祭では、子どもや若者、高齢者などが参加する舞台公演を制作するなど、広く一般社会に対して資源を開放する事業に加えて、後述するとおりツアー公演を国内で事業展開しており、これらには公的助成を活用している。

　2つの芸術文化団体それぞれの、創造活動における芸術文化助成をめぐる状況は、各組織のあり方を表して象徴的だ。これらの事例を通じて、助成をおこなう側が被助成団体に対して要請する事柄が、実際にどのように受け止められ、組織

運営に反映されているのかを具体的に見ていこう。そして、助成活動を通じて何が獲得されようとしているのかという点についても考察を進めてみよう。

第2節　ロイヤル・オペラ・ハウス —大規模な歌劇場運営—

1．ロイヤル・オペラ・ハウスの運営体制

1）ROHのプロフィール

　ROHは、ロンドンの中心部、コヴェント・ガーデンに位置する歌劇場である。ROHは、オペラとバレエの上演を中心に、レパートリー・システム、すなわち連日異なる演目上演をおこなっている。結果、一年間におこなわれる総公演数は318公演（2017/2018年シーズン実績[1]）となった。オペラ部門、およびバレエ部門は、それぞれ定期的に来日して公演している。

　歌劇場には、オーケストラ、合唱団、バレエ団などにアーティストが所属し、さらに制作者、技術者など、1000人以上のスタッフが所属し、多くのフリーランスの人たちがはたらいている巨大な創造組織である。とりわけ、レパートリー・システムを支える技術部門は4つのグループに分かれて交替制をとり、毎日の上演を支えている。

2）ROHの運営体制

　現在のROHでの上演活動は、2002年以来音楽監督を務める指揮者のサー・アントニオ・パッパーノ Sir Antonio Pappano が芸術面の中心を担っている。音楽監督とともにオペラ部門をとりまとめるオペラ監督には演出家のオリヴァー・ミアーズ Oliver Mears が2017年に就任、バレエ監督は2012年からケヴィン・オヘア Kevin O'Hare が務める。さらに、ROHのチーフ・エグゼクティブ（CEO）には2013年からアレックス・ビアード Alex Beard が就いていて[2]、彼ら4人が歌劇場運営の中心となっている。

　図表6-1で、運営体制の概要をまとめている。

　ノン・エグゼクティブは図のとおり組織され、構成するメンバーは無報酬で就任している。その下でエグゼクティブたちが運営を担い、組織を統率する。

　ROHのように、年間を通して大規模な公演を展開している歌劇場は欧米を中

図表6-1 ROHの運営体制

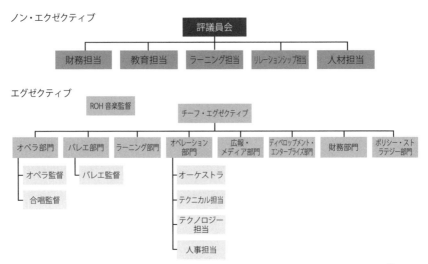

ノン・エクゼクティブ

```
                        評議員会
   ┌──────┬────────┬────────┬───────────┬──────┐
 財務担当  教育担当  ラーニング担当  リレーションシップ担当  人材担当
```

エグゼクティブ

```
   ROH 音楽監督           チーフ・エグゼクティブ
 ┌─────┬──────┬──────┬─────────┬────────┬──────────┬──────┬──────────┐
オペラ部門 バレエ部門 ラーニング部門 オペレーション  広報・     ディベロップメント・ 財務部門  ポリシー・スト
                              部門     メディア部門  エンタープライズ部門        ラテジー部門
 └オペラ監督 └バレエ監督        └オーケストラ
 └合唱監督                  └テクニカル担当
                         └テクノロジー
                            担当
                         └人事担当
```

出典：ROHへのインタビュー[3]による

心に各国で運営されている。皆例外なく一国を代表する組織として、最大規模
の人的体制と施設を誇る芸術文化団体である。創造活動を通じて個性がぶつか
り合う場となるため、芸術面、経営面で、組織内の各体制を率いる責任者たちの
個々の力量のみならず、責任者同士の連携が問われる。ROHの場合、オペラ部
門、バレエ部門の芸術的な水準、加えて組織の経営状況などに、組織内のパワー
バランスが影響を及ぼしていて、オペラやバレエのプロダクションのクオリティ
に直結し、歌劇場の総合的な評価につながっている。

このような芸術組織においては、圧倒的な力を持つ人材によるリーダーシップ
の発揮が、幸せな状況を生む場合もある。現在のROHは、指揮者で音楽監督
のパッパーノの存在が、高い芸術水準の実現のみならず、組織の求心力となり、
さらに対外的な発信力を持つ。彼がこの巨大な芸術組織を牽引しているのは
誰の目にも明らかで、ROHへのインタビューでも、パッパーノの存在がいかに重
要かということが語られていたのは象徴的である[4]。

3）ROHのアーティストにおける多様性

　ROH内部には、レパートリー・システムを維持するための人的な体制が整えられていて、芸術面では、歌劇場付属のバレエ団、合唱団、オーケストラが上演を支えている。さらにもう一つ、ROHが「イェッテ・パーカー・ヤング・アーティスト・プログラム Yette Parker Young Artists Programme（以下、YPYAP）[5]」を設置して、運営している点が特徴である。2019年9月現在で、ROHには10人の若手歌手が所属、最長2年程度給与を得ながら、様々な場面で舞台に立っている。

　彼らは基本的に、個々の課題に沿ったレッスンを受講、YPYAPの所属者による小規模な上演やコンサートへの出演を中心に活動している[6]。加えて、ROHの本公演で小さな役を与えられたり、主役級のキャストのカヴァーとして稽古に参加したりする場合もある[7]。

　こうした若手歌手たちを育成するプログラムは、ROHに限らず、複数の国の歌劇場に設置されている。年間を通じて歌劇場から給与を支給されつつ、個人のバックグランドや状況にあわせた指導を受けながら、多様な国や地域出身の歌手たちがプログラムに所属するのだ。一方で、システムを支える財政措置が必要となるため、所属できる歌手たちの数は限られる。

　2020年3月現在、YPYAPに所属するメンバーは以下の通りである[8]。カッコ内はROHの発表によるもので、メンバーの出身国を中心とした表記となっていて多様性への配慮が読み取れる。

ソプラノ：Masabane Cecilia Rangwanasha（南アフリカ）Yaritza Véliz（チリ）

メゾ・ソプラノ：Stephanie Wake-Edwards（英国）Hongni Wu（中国）

カウンターテナー：Patrick Terry（アメリカ）

テノール：Filipe Manu（ニュージーランド／トンガ）Andrés Presno（ウルグアイ）

バリトン：Germán E. Alcántara（アルゼンチン）

バス・バリトン：ByeongMin Gil（韓国）Michael Mofidian（スコットランド／イラン）

指揮者：Patrick Milne（英国）Edmund Whitehead（英国／ロシア）

バレエ指揮者：Jonathan Lo（英国［香港出身］）Thomas Payne（英国）

演出家：Isabelle Kettle（英国）

アーティストのバックグラウンドにおける多様性の実現がACEの戦略課題のひとつとされることを反映して、YPYAPのメンバー選考でも意識されていると考えてよさそうだ。実際に、ROHに出演するアーティストをはじめ、ROHの組織内部ではたらく人材の多様性については、ACEによる統計資料で発表されている[9]。

彼らに加えて、YPYAPがサポートするリンク・アーティストと呼ばれる人材たちも所属している。リンク・アーティストとは、YPYAPの正式メンバーへの登録には実力が及ばないものの、将来有望であると考えられる人材が登録するシステムである。登録は、一定の期間（半年～1年）で、これには、ROHに所属する人材の多様性を確保する意味もある。2019年12月時点では、英国出身のソプラノ歌手や、コンゴ民主共和国出身のバス歌手、メキシコ出身のテノール歌手が所属している。

2. ロイヤル・オペラ・ハウスの公演制作と公的助成への意識
1）ROHの公演制作

ROHは、毎年、年間300回を超える大小様々なオペラやバレエの舞台公演をおこなっていて、新たな演出、舞台美術、衣装による新制作も複数実施される。2017/18シーズンに実施された318公演のうち、メイン・ステージでのオペラの新制作は7演目、バレエの新制作は5演目（そのうち4演目は小品）だった。レパートリー・システムにおける大規模な新制作舞台は3年程度、時には5年程度の時間をかけて企画が進められる。とりわけ、演出家、指揮者や出演者のキャスティングは、プロダクションのクオリティに直接つながるだけに制作者たちの腕の見せ所となる。

① レパートリー・システム

ここで、ROHの上演方式であるレパートリー・システムについて述べておこう。レパートリー・システムとは、異なる演目を連日上演する方式を指す。このシステムをとる歌劇場のなかには、1年間の大規模な公演の回数が250回を超える歌劇場も複数ある。ROHのほか、ベルリン州立歌劇場（ドイツ）、バイエルン州立歌劇場（ドイツ・ミュンヘン）、ウィーン国立歌劇場（オーストリア）、チューリヒ歌劇場（スイス）

などのドイツ語圏の各国を代表するオペラ劇場、東欧圏の劇場、さらにメトロポリタン歌劇場（アメリカ・ニューヨーク）などもレパートリー・システムである。

　現在、中でも特に大規模な歌劇場は、スター・アーティストを確保するための策として、ブロック・システムBlock Systemに移行している。この方式は、実際に毎日異なる演目を上演する点では、レパートリー・システムと見かけは変わらない。レパートリー・システムでは、ギャランティや関連費の高い著名な歌手や指揮者などをキャスティングする場合に、長期間拘束すると費用が高額になることが難点となる。そこで、ブロック・システムでは、彼らの拘束期間をなるべく短くする目的でいくつかの日程をまとめてブロックに区切り、最小限の演目で毎日異なる上演をおこなっているのである。

　レパートリー・システムをとるオペラ劇場でのプログラムは、再演作品が多く上演されるが、そうした舞台には初演時の演出家が直接かかわるケースは少なく、劇場内の演出部、あるいは制作部内に所属する人材が、再演演出を担当する。何年かぶりに舞台が再演されるような場合、演出家が立ち会うこともあるが、その場合でも演出部や制作部などの人材が、過去の舞台の記録をもとにソリストや合唱などの舞台上の動きをまとめる役割を担っている。技術面での舞台の再現も重要だ。そのためには技術部との連携も肝要となる。こうした人材が潤滑油のような存在となって、歌劇場を動かしていると言ってもよいだろう。

②　アンサンブル制度

　先述のYPYAPの歌手たちは、「専属アンサンブル」に類する位置づけである。では、専属アンサンブルとは何か。

　ドイツ語圏や東欧の国々を中心とするレパートリー・システムの歌劇場には、プロフェッショナルの歌手たちがアンサンブルの名で各声域それぞれ複数人雇用されている。そうした歌劇場では、彼ら専属アンサンブルのメンバーが主役級の役柄を務める場合も多く、キャスティングの要となる。

　彼らは、歌劇場から給与の支払いを受けながら、歌劇場が常時上演するプロダクションに出演している。彼らの存在が、レパートリー・システムをとる歌劇場を支える重要な役割となるのである。

若手歌手のキャリア・パスには、YPYAPのような歌劇場付属研修所を修了したのち、中小規模の歌劇場にアンサンブル歌手として所属してから、大規模な歌劇場のアンサンブル歌手の一員となって、さらにソリストとして独立していくといったステップを踏むケースがある。

　このようにYPYAPの人材は、アンサンブルのメンバーとして活動していくための入り口に立っている人材だとも言える。こうして積み上げられていくキャリアは、コンクールやオーディションでデビューする華々しさとは異なるものの、前述のとおり、歌劇場組織に所属する人材となり得る、ソリスト歌手にとっての特徴的なキャリア・パスである。彼らは専属歌手だとはいえ、所属する歌劇場での出演のみならず、ほかの歌劇場や音楽祭、プロダクションなどから声がかかり、キャスティングされて出演するケースもある。その場合は、所属する歌劇場との契約の範囲内で仕事を受ける。この中からフリーの歌手となって、各歌劇場で主役を担う人材となる場合もあるため、ソリスト歌手がキャリアを積み重ねる機会として専属アンサンブルは重要なステップだと言えるのだ。

2）ROHの収入構造

　近年の英国は、EU離脱やスコットランド独立の機運等、難しい政治局面への対応が迫られている。そうした社会の変革期にあるうえに、従前からROHは、なぜ「特定の人びとのための芸術」に対して多額の国民の税金を使うのかという声への対応を余儀なくされてきた。ROHに対し、ACE経由で配分される助成金のあり方については、常に国民からの批判の対象となっている。多額の公的資金投入に対する厳しい意見にさらされながら、助成を受け続けるのは容易ではない。イングランドの芸術文化団体の中でも最も多額の助成金が投入されているROHには、公的助成を受けた活動への説明責任が常に要請されているのだ。その点に対して国民の注目が集まり、「われわれの税金が運営予算のうちX％も投入されている」などと取り沙汰される。

　英国の歌劇場は、州や国からの公的資金が総収入の相当な割合を占めるドイツやフランスを中心としたヨーロッパの「大陸型」歌劇場とは、収入構造が大きく異なっている。

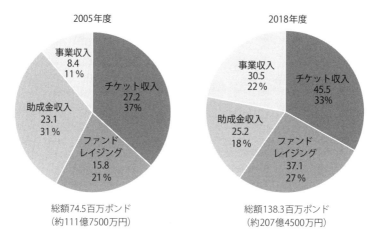

2005年度　　　　　　　　　　　　2018年度

事業収入
8.4
11%

チケット収入
27.2
37%

助成金収入
23.1
31%

ファンド
レイジング
15.8
21%

事業収入
30.5
22%

チケット収入
45.5
33%

助成金収入
25.2
18%

ファンド
レイジング
37.1
27%

総額74.5百万ポンド
（約111億7500万円）

総額138.3百万ポンド
（約207億4500万円）

出典：ROH Annual Report 各年度版

　ROHに配分される助成金は、2005年度が2310万ポンド（約34億6500万円）で、総収入7450万ポンド（約111億7500万円）の約31%、2011年度が2790万ポンド（約41億8500万円）で総収入1億950万ポンド（約164億2500万円）の約25%だった。2011年は金額が増えてはいるものの、総収入額が上がっているため、全体に占める割合は減っている。さらに2018年度は2520万ポンド（約37億8000万円）で、総収入1億3830万ポンド（約207億4500万円）の約18%にまで下がっている。2018年度の2520万ポンドという助成金額は、ナショナル・ポートフォリオ・インベストメント・プログラム（運営助成）のバンド3として、およびブリッジ・オーガニゼーションとしての助成などを合算した額である[10]。2018年は助成額が減ったうえに、多くの要因により近年総収入額が増加している中で、全体に占める助成金の割合が大幅に減少している[11]。

　図表6-2の通り、ROHの収入源は主に4つに区分できる。チケット収入、ファンドレイジング収入、ACEを通じた公的助成、さらに事業収入である。

　現在、入場率が97%と発表されている同歌劇場のチケット収入額が劇的に増加する可能性は、ほとんどない[12]。その一方で、人気のある歌手や指揮者たちのギャランティを確保しなくてはならないうえに、新たな舞台装置を製作する費用確

保も不可欠である。そのため寄付金収入の拡大、さらに事業収入をあげる努力が徹底的におこなわれている。結果として、2018年度は4つの収入源の金額の差が少なくなってきている。

事業収入の内訳は、グッズ販売やDVD・CD販売、貸館収入、劇場外公演（ツアーのこと。日本への引越公演等はこれにあたる）、プロダクションのレンタル費用（舞台［演出、舞台装置、衣装などを含む］の他劇場への貸出）、放送権料、映像配信等があげられる。事業収入の確保が、各芸術文化団体の至上命題となっているなかで、ROHのこれらの事業展開は、収入源の多様化に直結する取り組みである。

ACEからナショナル・ポートフォリオ・オーガニゼーション National Portfolio Organisation（以下、NPO）として受ける補助金額、すなわちブリッジ・オーガニゼーションの助成を除いた額は、2015–2017年度のナショナル・ポートフォリオ・ファンディング・プログラムでの助成額に比べ減少している。2015–2017年度の旧制度での助成額は、1年あたり2477万2000ポンド（約37億1580万円）だったが、新制度移行後の2018–2021年度のナショナル・ポートフォリオ・インベストメント・プログラムによる助成額は1年あたり2402万8840ポンド（約36億433万円）となった。

国全体の厳しい経済状況に伴う公的助成比率の一層の低下によって、組織の財政は、さらに深刻な状態にある。ROHのワークショップ（舞台装置や舞台美術などをつくる工房）を置くサロック Thurrock（ロンドン郊外に位置）における人材やスペースなど、自らが保有する資源を有効に活かした教育プログラムをおこなっているのは、そうした財政状況を反映しての工夫の一つだ。ROHは、サロックなどで教育プログラムを展開する目的で、セクター・サポート・オーガニゼーション（SSO）[13]のブリッジ・オーガニゼーションとして公的助成を得ていて、その額は290万7364ポンド（約4億3610万円）となっている。

3）開かれた歌劇場へ ─ Open Up ─

ROHは、特別な費用が必要となる場合にも、広くその意味を説明し、理解を得る対応をしてきた。ROHは、イングランドのみならず英国を代表する創造活動をおこなう団体としての活動を持続させるために、とりわけステークホルダーたちとの関係性構築に努めている。ROHが現在うたっているのは「Open Up」すなわち

朝10時から劇場のドアを開けているということであり、文字通り、そして考え方の上でも、いまやROHのドアは、常に広く多くの人びとのために開かれている。

　一例が「赤ちゃんと保護者のためのバレエ Ballet Dot」である。これは、引退したバレエダンサーがファシリテーターとなって実施する、ようやく「お座り」ができるかどうかという年頃の乳児と保護者のためのバレエ教室だ。会場となるのは、夜になると多くの観客が幕間（まくあい）の飲食をする場としてにぎわうROH建物内部で最も広いスペースである。そこにファシリテーター役のダンサーを囲んで10組程度の乳児と保護者が円く座り、いわゆる赤ちゃん体操を楽しむのである。このほかに、「ROHで歌おう Sing at the ROH」という一般の人のための合唱講座も毎回完売となる人気となっている。

　「Open Up」というROHのコンセプトが、こうした取り組みを通じて実現していく。2018年の改装後には、午前中から開いているカフェスペースが設けられ、そこでは人びとが集い、語り合ったり、本を読んだり、打ち合わせをしていたりする様子もみられる。こうした一つひとつの積み重ねが、ROHは一部の人のための会場、特定の人たちが芸術を享受するだけの場としてではなく、あらゆる年代のあらゆる人びとが集う場であるというアピールであるし、ROHの事業収入確保の一環ともなる。

　このための費用は、「Open up」と題して目的を定めたファンドレイジングで賄われた。2016年度は、820万ポンド（約12億3000万円）、2017年度は1,480万ポンド（約22億2000万円）、2018年度は510万ポンド（約7億6500万円）の収入がアニュアル・レポートには記載されているが、結果として同プロジェクトには総額で5070万ポンド（約76億500万円）の寄付金が集められたと発表されている[14]。

　これらの寄付金による劇場エントランス周辺の大規模な改修を通じて、先述したカフェスペースを新たに設置したり、グッズ売り場を立ち寄りやすくしたりするなど、広く一般の人が利用できるような開放的な空間が設けられた。同時に、劇場全体の設備への機能強化、さらにROH内にあるリンベリー劇場を改修して再開場するなどの工事もおこなわれている。

　そして毎日上演される本公演は高い入場率を維持しており、主催事業の成果がこれらの多様な活動への人びとの参加を促進しているのだとも言える。本公演の

芸術水準が高く保たれることが、こうした様々な周辺の取り組みの魅力につながって、集客力を確保する鍵ともなる。

3．芸術文化助成と組織の関係性
1）アーツカウンシルと大規模被助成団体の関係性のモデル化

ROHは、ACEの助成金配分団体の中では音楽分野に分類されているが、実際はオペラとバレエの2つの部門を持ち、それぞれの分野で英国を代表する組織としての役割を担う。

2019年のインタビュー当時、ACE側では、音楽分野を統括するディレクターがROHとの助成金やり取りの窓口を担当していた。さらに、リレーションシップ・マネージャー（以下、RM）は各芸術文化団体の理事会にオブザーバーとして参加すると定められているが、ROHの理事会にACE側が参加するようになったのは最近のことである。これらは、ROHが被助成団体の中にあって、いまもなお特別な存在だと考えられていることを物語る。

同じく2019年のインタビュー当時、ROH側でアーツカウンシルとの接点となる人材は、ポリシー・アンド・ストラテジー・ディレクターである。ROHのポリシー・アンド・ストラテジー・ディレクターは、チーフ・エグゼクティブの右腕となり、組織のマネジメント戦略の策定を担当するのと同時に、日常的にアーツカウンシルの担当者とのコミュニケーションをとる窓口となる。

さらに加えて、ROHとACEの組織間コミュニケーションは、そのほかの責任者レベルでも定期的におこなわれている。図表6-3は、ROHとACEの関係性をモデル化したものである。作表にあたっては、ROHとACEの担当者たちからの意見も反映している。ROHはチャリティ・コミッションとの関係、さらにACEにはDCMSとの関係が背景にある。

ACEとROHは組織の枠組を越えて互いのガバナンスに直接関与したり、介入したりはしない。1年を通して、ROHからACEに対する様々な「報告」がなされ、ACEからROHに対しては、「助成」「モニタリング」「アドバイス」がおこなわれるという関係となっている。

ACEの担当者はROHの理事会には出席するが発言はしない、陪席しているだ

図表6-3　ROH と ACE の関係モデル

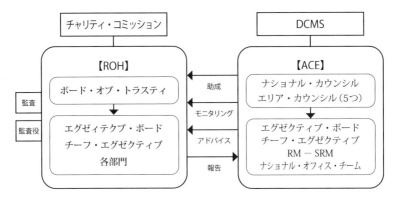

出典：ROH と ACE への筆者インタビューによる

けと、互いに強調しているのも重要なポイントだ。ACE の担当者たちの立場は、理事会でモニタリングはするが、口出しはしないし、運営には立ち入らないと宣言している。このように、被助成団体の組織ガバナンスに対しては、ACE からの直接の働きかけや関与があるのではなく、各組織が独立性を確保しておこなうのだという姿勢を徹底している。

2）芸術文化助成への意識づけ

　ROH のように大規模な芸術文化団体であっても、ACE 側は、もっぱら1人の RM やディレクターなどが芸術文化助成の窓口となる。この点は他組織と何ら変わりはない。ただし、ROH へのインタビューによれば、ACE に対する助成金申請手続きをとるようになったのは、2008 年頃からだとされている[15]。申請をおこなわなくても助成を受けられる団体という特別な存在から、被助成団体の一つとしての位置づけへと明らかに変わったのである。これは、芸術文化助成をめぐる環境の変化、緊縮財政を余儀なくされていった政府からの要請に基づくものであり、芸術文化組織に対する社会の見方の変化によるものと考えてよいであろう。

　ROH は、オペラやバレエの舞台創造を通じて芸術界をリードし、国内外で英国の芸術創造のプレゼンスを高める役割を担っている。これに加えて、イングランドにおける最大の被助成団体としての責任も課せられている。そのため ROH は、

NPOのうちバンド3の被助成団体として、ACEの掲げる5つの戦略目標のすべてに応えるよう、ほかの被助成団体同様の要請がなされるようになったのである。

ROHは、英国の芸術創造組織を代表する存在として、「卓越性」実現の拠点としての役割を担う。さらに、アクセシビリティの確保については、「あらゆる人に」「多様性」「子どもと若者」への意識づけを通じて達成しようとしている。また、平等の観点からは、鑑賞者等に対する「あらゆる人に」「子どもと若者」といった視点を、さらにアーティスト、芸術組織の体制そのものにも「多様性」などを、取り入れるよう努力している。各戦略目標への対応への要請とともに、大規模な芸術文化団体運営における「レジリエンスと持続可能性」の獲得が期待されているのだ。

ROHは、これまでにも組織独自の戦略目標をたてて、組織運営をおこなう方針をとってきた。すでに2005年時点で、大きく3つの戦略目標、すなわち「芸術的な卓越性」「多様な観客に届ける」「収入の増加」が戦略の柱として掲げられていた[16]。そして2018年には、図表6-4のとおり新たな組織プランを策定している[17]。

組織の内部に対しては、この「組織プラン」を歌劇場の各部署に常時示している。こうした姿勢を通じて、企画制作、財政、労働環境の整備など、組織のすべての活動において戦略目標の関連事項が意識づけられるように努めているのだ。

この組織プランにはACEの5つの戦略目標が随所に取り入れられている状況が見て取れる。

最上位の「目的」では、「卓越したバレエとオペラを、多くの人びとが分かち合い、関与するようになる」としており、ROHの活動の方向性を示している。以下、目的のもとで4つの戦略が示されている。ここで、それぞれの戦略に基づく2022年までの戦略目標、プラン、指標、考え方を見ていこう。

4つの戦略は以下のとおりである。

- 「卓越性を高める：常に今日の最高の人材とアイデアを反映し、可能な限り幅広い観客にアピールする」として、ROHでの上演の卓越性を最初に打ち出している。
- 「開放する：より多くの人びとをバレエやオペラの中心に迎え入れ、自分たちがふさわしいと感じ、関わりを深めたいと思うようにする」では、バレエとオペラを身近に感じてもらえるようにすると謳っている。

図表 6-4　ロイヤル・オペラ・ハウスの組織プラン

目的	卓越したバレエとオペラを、多くの人びとが分かち合い、関与するようになる			
	卓越性を高める	開放する (Open Up)	財政面のレジリエンスを確保する	素晴らしい職場になる
戦略	常に今日の最高の人材とアイデアを反映し、可能な限り幅広い観客にアピールする	より多くの人びとをバレエやオペラの中心に迎え入れ、自分たちがふさわしいと感じ、関わりを深めたいと思うようにする	健全な組織を確保するために資源の利用方法を改善し、収入を増やす	ここではたらくことを、より安全で、包摂的で生産的にする
2022年までの戦略目標	我々の芸術プログラムが英国の多様性をより正確に反映していく	一日中いつでも来場を歓迎し、引き込んでいく	財政環境が極めて厳しい状況にあっても予算のバランスをはかり続ける	我々の作業慣行がより効率的かつ安全で、卓越性を支えるものとなる
	ROH 全体の芸術的なアンビションを支えるプログラムで世界クラスの中規模劇場を持つ	ロンドン市外のより多くの人びとが ROH の作品への関与を選択するようになる		ROH ではたらくすべての人が支えられていると感じ、自分を表現することができる
プラン	私たちの芸術的アイデンティティを反映し、観客、キャパシティ、財務上の重要性のバランスをとった刺激的で提供可能なプログラムを開発する	展示、上演、活動、来場者サービスの向上によって、劇場前面の空間を強化して、活性化する	顧客をよりよく理解し、ビジネスチャンスをつかむことによって収入額が増える	文化、プロセスと姿勢をアップデートして、健康、安全そしてウェルビーイングを増進する
	上質で、革新的で、コラボレーションに基づいた一貫性のあるプログラミングで、リンベリー劇場を再開場する	英国国内で新しいテクノロジーを拡げて関与を深め、試すことで、映画やデジタルの参画を拡大する	将来のフィランソロピーのための基盤を築く　基金を増やし、将来のフィランソロピストを育てる	すべてのスタッフと来場者にとって包摂的で、公正で、安全であるように明確な基準を設定して ROH の価値と行動を組み込む
	人材パイプラインをより包摂的にするパートナーと協力して驚くほど多様なアーティストを育成する	バレエとオペラを国の文化生活の中心にして影響力の大きい全国規模のイベントに参加する	効率の見直しと自動化によって恒久的なコスト削減をおこなう	「素晴らしいアイデア」から「幕を開ける」までの道のりが可能な限り効果的になるようにプランや制作方法を改善する
	若い人たちが一層創造的で、パフォーマンス、批評ができるように学校を啓発、整備することで最初の一歩を全国的にひろげる	ブランド・アイデンティティを一新して、上演、プロジェクト、建物、コンテンツを通じて一貫してそれを反映する	建物および機材／設備の段階的アップグレード・プログラムに投資することによって私たちの劇場の将来を守る	設備責任者も含めたスタッフのより良い運営のための学び、啓発、シェアを支援する
		観客について一層理解して、プログラムやサービスの広報に、データやフィードバックを活用する	コストを削減し、生産能力を拡大し、収益を生み出すために技術の活用を最適化する	管理可能な能力の範囲内で、熟練した多様な人材がはたらくことを保証するために将来の資源計画を策定する
指標	観客満足度	ロンドン市外へ届ける	バランス・シートの健全性	スタッフの健康とウェルビーイング
	アーティストの多様性	観客の多様性	生産性	スタッフの多様性
	チケット収入	日中の関与、ROH への滞在	ファンドレイジング収入	スタッフの関与と満足度
考え方	卓越性　　　　　　演劇性　　　　好奇心			

出典：筆者による ROH へのインタビューより（2019年11月25日）

- 「財政面のレジリエンスを確保する：健全な組織を確保するために資源の利用方法を改善し、収入を増やす」では、自らの資源を活用しながら、財政面の健全性を確保するとしている。
- 「素晴らしい職場になる：ここではたらくことを、より安全で、包摂的で生産的にする」としている。

　これらには、ACEの戦略目標である「卓越性」「多様性」「多くの人びと」「レジリエンス確保」への言及が読み取れる。

　3番目の段階では、2022年までの到達目標を「○○の状態になる」としている。この段階では、ロンドン市外からの関与を増やしたり、多様性を反映したプログラム・ビルディングを意識づけたりするなどの考え方が提示された。

　4番目の段階では、何を通じて到達目標を達成するのか、プランに関して、それぞれ複数言及している。

　5番目の段階には、4つの戦略の達成度を測る指標が、それぞれ3点ずつ示されている。この指標は、シンプルな語句となっているものの、歌劇場の戦略目標に沿った形で示された。それらを個別に見てみよう。

　「卓越性を高める」の指標には、「観客の満足度」「アーティストの多様性」「チケット収入」の3点があげられている。

　「開放する」では、「ロンドン市外に届ける」「観客の多様性」「日中の関与度、ROHへの滞在」を指標としている。ロンドン市外への劇場資源の共有、さらに歌劇場へのかかわりについては、鑑賞行動のみならず、人びとが集い、「対流」する場となることとしたのだ。

　「財政面のレジリエンスを確保する」では、「バランスシートの健全性」「生産性」「ファンドレイジング収入」を指標としている。財政面におけるレジリエンスに言及し、健全な財政を達成するとした。生産性は、舞台芸術関連組織においては難しい問いかけであるが、少なくとも意識することとしたのである。

　「素晴らしい職場になる」では、「スタッフの健康とウェルビーイング」「スタッフの多様性」「スタッフの関与と満足度」を指標としている。スタッフの健康やウェルビーイングに配慮する職場であり、芸術創造を担う現場の環境整備に努めるよう

な姿勢を示したものである。

　最後に組織プラン全体に共通するコンセプトである「卓越性」「演劇性」「好奇心」の3点が示されている。一国の芸術創造を代表、リードする組織の芸術創造にかかわる姿勢をつくる意識だと理解してよいだろう。

　こうして公的な助成金に対する組織内での意識づけがおこなわれ、あらゆる活動視点に戦略目標を取り入れる姿勢を見せているのだ。これは助成をおこなう側からの要請を具体化するための方策である。そして、多額の助成金を受けて活動をする芸術文化団体が、組織を構成する一人ひとりに公的助成を受ける立場としての意識づけをおこなうプロセスである。大規模な団体の組織運営において、公的支援を受け続けることへの国民に対するアピールだと考えてよいであろう。

　一国を代表する芸術文化組織であっても、そして助成側と被助成側がそれぞれ互いの歴史と役割を尊重し合うことが大前提とはいえ、聖域はない。

3）公的助成への意識

　ROHは、英国を代表する歌劇場であり続けてきた。しかしながら、同時に、ACEからの助成金が配分される800以上あるNPO団体の1つという位置づけでもある。地域や分野、享受する人等に多様性が必須とされる状況下で、いかに自らが受けている多額の公的助成の正当性を説明していくのか。ROHの組織内部での意識づけは徹底していた。それでもなお、常に国民からの厳しい眼にさらされている。

　政治的にも経済的にも不安定な社会情勢の中で、経済的な見通しが立ちにくい企業や個人の資産を頼りにする寄付金収入だけではなく、ましてや限られた数の観客からのチケット収入だけではない活路をどこに見いだすのか。この知恵の出し方が、大規模な歌劇場の生き残りをかけた戦いの成否を分ける。

　さらに、COVID-19の感染拡大による芸術文化機関の休止の波は避けがたくROHなどのNPO団体にも押し寄せた。助成金に頼りすぎない収入構造の確保に努めてきた英国の各組織は、逆に一気に収入源を断たれ、いずれも苦境に立たされている。いかに再開の道を探るのか、世界の芸術文化組織共通の課題に直面している。

第3節　グラインドボーン音楽祭 ―民間の音楽祭運営―

　ここからは、グラインドボーン音楽祭を取り上げて、公的助成を受けないことを選択している大規模な芸術文化組織の運営を検証する。何がそれを可能にしているのか、その歴史的経緯と環境にヒントがある。

1．グラインドボーン音楽祭の運営体制
1）グラインドボーン音楽祭のプロフィール

　グラインドホーン音楽祭 Glyndebourne Festival Opera は、個人経営の民間のオペラ・フェスティバルである。オペラ・フェスティバルの中でも、すでに優れた実績を持つ著名な演出家や指揮者の起用による高水準の舞台創造活動で知られている。

　ロンドン中心部から車で2時間弱、イングランド南東部に位置するイースト・サセックスのグラインドボーンでは、毎年5月半ばから8月末まで、クリスティ家の敷地内、屋敷に併設された歌劇場でオペラが上演されている。クリスティ家は同地に広大な私有地を持つ資産家である。グラインドボーン音楽祭は、1934年に当時クリスティ家の当主だったジョン・クリスティ John Christie（1882–1962）によって開始された。最初の演目はモーツアルト作曲《フィガロの結婚》である。私邸内のパイプ・オルガンが設置されたオルガン・ルームと呼ばれる部屋での上演だった。その時にスザンナ役を務めたソプラノ歌手オードリー・マイルドメイ Audrey Mildmay（1900–1953）は、ジョンと結婚する。この二人が、2021年現在のクリスティ家当主で、音楽祭理事長のガス・クリスティ Gus Christie の、祖父と祖母にあたる。

　オペラ上演のための300席ほどの歌劇場の設置に始まり、1977年までには私邸に併設する形で約850席の歌劇場が建設された。その後、音楽祭の評判の高まりとともに、より多くの座席を設置する必要性が出てきたため、1994年には1200席強の歌劇場に改築されて現在に至っている[18]。

　会場を取り巻く自然環境は特徴的だ。美しい芝生の庭が広がり、自然の池や整えられた花園なども点在する。比較的早い午後の時間帯に開始される公演には、幕間に1時間を超える休憩時間が設けられる。観客たちは、その時間にクリスティ家の保有する広大な美しい庭を散策し、芝生の上で自分たちの用意してき

た料理や飲み物を広げてピクニックを楽しんだり、あるいは音楽祭のサイトで予約できる料理や飲み物等を味わったりして、大いに語らい、のんびりと時間を過ごすのである。休憩時間の長さは、劇場周辺の自然環境を楽しむために、観客へのサービスとして提供するという意味がある。こうして、音楽祭が開催されるクリスティ家の館と整備された庭園、併設された程よい規模の劇場という特別な時間と空間を確保して、音楽祭を特別な存在にしている。

　同時に、この時間と空間こそが、音楽祭の事業収入を支える戦略となっている。音楽祭のレストランなどで提供する食事や、庭で楽しめるように貸し出されるピクニックセットは彼らの収入源として重要だ。さらに、グラインドボーン音楽祭のロゴの入ったオリジナル・グッズを販売するショップでの売り上げも、音楽祭の事業収入に大いに貢献している。

　音楽祭のブランド価値を高めることは、組織の収入を確保する最も重要な手段でもある。高いクオリティの上演が、観客を惹きつけ、芸術文化組織の足腰となるチケット収入や友の会の会費収入などの確保につながる。観客たちが上演のために集い、そこで購入する様々な物品の収入もある。そして、企業や個人からの音楽祭への寄付金収入は、音楽祭のブランドとの関係構築による価値を期待してのものである。音楽祭を取り巻く空間がブランド戦略に直結、収入を確保して、グラインドボーン音楽祭の経営を支えている。

2）グラインドボーン音楽祭の運営体制

　2016 年には音楽祭の組織体制が新しくなった。音楽祭の第 3 代理事長のガス・クリスティの下で、2016 年 5 月に、セバスチャン・シュヴァルツ Sebastian Schwarz 総監督、エリック・ガトロン Eric Gautron 技術監督が就任したのである。前任のデイヴィッド・ピッカード David Pickard 総監督は、BBC プロムスの総監督に転身している。

　シュヴァルツ総監督は 1974 年生まれ、ドイツ出身で、前職はテアター・アン・デア・ウィーンの芸術監督だった。2015 年にグラインドボーン音楽祭の次期総監督に任命されて音楽祭運営の準備を始め、2016 年シーズンの運営に関与を開始、2017 年シーズンからはプログラミングも含め、音楽祭の総監督の任にあたっ

た[19]。音楽監督は、ロンドン出身のロビン・ティチアーティRobin Ticciatiである。ガトロンはカナダ出身の技術監督であり、さらに製作スタッフには、日本や東欧出身の人材が常勤するなど、多様な地域や国の出身者によって組織が構成されていて、現代の舞台芸術制作の状況を象徴する現場となっている。ACEから本公演に助成金を受けていない中、ACEが各芸術文化組織に対して強く要請している、出身地に関するスタッフの多様性が自然に実現しているのは興味深い。

　2018年には、さらに運営体制が新しくなった。引き続き、音楽祭の顔としてのクリスティ理事長のもと、2021年現在、芸術監督はステファン・ラングリッジStephen Langridgeが務め、事務局長は2018年からサラ・ホープウッドSarah Hopwood、音楽監督は2014年からロビン・ティチアーティが引き続き務めている。

3）グラインドボーン音楽祭のアーティスト起用

　グラインドボーン音楽祭は、毎年の著名な演出家、指揮者の起用で知られる。

　2018年シーズンの本公演には6つのプロダクションがおこなわれた。サミュエル・バーバー作曲の《ヴァネッサ》はヤクブ・フルシャ指揮、キース・ウォーナー演出、ドビュッシー作曲の《ペレアスとメリザンド》は音楽監督のロビン・ティチアーティ指揮、シュテファン・ヘアハイム演出だ。このほかにも、R.シュトラウス作曲の《ばらの騎士》はティチアーティ指揮、リチャード・ジョーンズ演出、ヘンデル作曲の《ジューリオ・チェーザレ》はウィリアム・クリスティ指揮、デイヴィッド・マクヴィガー演出だった。

　キース・ウォーナーは、新国立劇場が最初に制作したワーグナー作曲「ニーベルングの指環」の演出家として記憶される。ジョーンズ演出の《ばらの騎士》は、2017年に日本でも上演されたプロダクションである。リチャード・ジョーンズは美学に貫かれた優れた色彩感覚や人間描写で美しい舞台を生み続けてきた演出家として、世界中で多くのファンを魅了している。《ジューリオ・チェーザレ》はDVDも発売されている人気のプロダクションで、この映像では、バロック音楽の泰斗、ウィリアム・クリスティのバロック演奏が上演を支えている。

　このようなオペラ界の重鎮から若手までの人気指揮者や演出家たちがグラインドボーン音楽祭に登場し続けているのはなぜだろうか。これらの著名アーティス

トを起用できる理由は、一つにはグラインドボーン音楽祭の立地と制作環境が大いに影響している。歌劇場を併設しているクリスティ家の邸宅に滞在しながら、長期間じっくりと舞台制作に携われる点がアーティストにとって魅力の一つであるのは間違いない。加えて、ロンドンから片道2時間弱で日帰りが可能だという地の利もある。これまでにも多くのスター歌手たちも含めた人材がオペラ上演に参加してきた。オーケストラ演奏は、ロンドン・フィルハーモニー管弦楽団が務め、バロック作品は、エイジ・オブ・エンライトゥンメント管弦楽団が出演している。

　一方で、若手アーティストの積極的な起用でも知られていて、これまでにもソリストとしてのキャリアを開始したばかりの段階でこの音楽祭に出演していた歌手が、今では世界的な名声を獲得しているケースも多い。例えばサー・トーマス・アレンは、20代のうちにグラインドボーン音楽祭の《魔笛》のパパゲーノ役でデビューを果たしている。英国でのオペラデビューがグラインドボーン音楽祭という歌手も多い。1960年代にはモンセラ・カヴァリエ、1980年代にはロベルト・アラーニャ、1990年代にはルネ・フレミングなどがグラインドボーンで歌っている。この理由には、歌劇場が中規模で音響がよくリハーサルの時間が充分にとれるなど、若手歌手が舞台経験を積むには最適の環境であることがあげられる。合唱団のメンバーは、毎年音楽大学の卒業生などを対象にしたオーディションで選ばれ、アレンやフェリシティ・ロットも合唱団に加わっていた[20]。

　また、2018年から開始された「グラインドボーン・オペラ・カップ」という名称のコンクールが、若手歌手たちの登竜門となっている。第1回の優勝者はアメリカ出身のメゾ・ソプラノのサマンサ・ハンキーで、その年のうちにメトロポリタン歌劇場でのデビューを果たしている。こうして、世界の舞台に続く道が開かれてくるのである。

2．芸術文化助成を受けないという選択
1）助成を受けない選択を可能にする背景
　グラインドボーン音楽祭は、本公演に公的な助成を受けないという選択をしている。公的な助成を受けなくても音楽祭が成立するのは、音楽祭の資源を生かして収入を確保できる状況をつくっているからだと言える。民間からの寄付金や入

図表6-5　グラインドボーン音楽祭の収入構造（単位：百万ポンド）

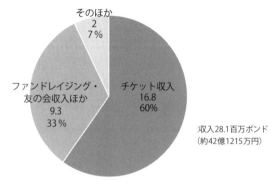

出典：Glyndebourne Festival, *Annual Reports 2018*

場料などで収入確保できていることを強みとしながら、積極的な理由から、公的助成を受けずに運営がおこなわれている。公的助成の意向に影響されずに、自分たちで独自に判断できるということが理由である。ACEを通じた芸術文化助成制度において、アームズ・レングスの原則が掲げられていても、RMなどを通じたACEによるリスク・モニタリングや報告の義務などを通じて、一定の関与があることへの懸念を物語っている。一方で、自立には財政面に対する責任も生まれるとされた[21]。

　そのため、ファンドレイジング、友の会収入獲得には積極的に活動をしており、さらにそのほかのグッズ販売や音楽祭期間中に観客に提供するケータリングなどの収入を重要視している。

　図表6-5の通り、2018年のグラインドボーン音楽祭の総収入は、2808万1000ポンド（約42億1215万円）である[22]。そのうちチケット収入が1675万6000ポンド（25億1340万円、60％）、寄付や友の会収入[23]が932万9000ポンド（約13億9935万円、33％）、そのほかの事業収入199万6000ポンド（約2億9940万円、7％）という構造となっている。

　チケット収入の比率が高くなる理由を考えてみよう。

　たとえば2020年に予定されていたストラヴィンスキー作曲《放蕩者のなりゆき》のチケット価格は、最高で308ポンド（約4万6200円）だった。音楽祭のチケットは、高額であるにもかかわらず完売が続いてきた。

これは音楽祭が積み重ねてきた歴史的経緯が影響している。1994年に劇場がリノヴェーションされて約1200席の座席を持つに至る前の劇場は先述のとおり850席ほどしかなく、入場券の入手が大変難しい状況にあった[24]。「チケットが取りにくいプライベートな音楽祭」との評判はとりわけ人を駆り立てるものだ。こうして音楽祭がブランド力を高めてきたことが、高額のチケット価格に結び付いている。

　5月半ばから8月末まで3か月半の間、毎シーズン5～6作品制作されるプロダクションは合計120公演ほどおこなわれる。話題性に富み、出演するアーティストたちも、若くて才能のある人材が集まっている。それに加えて演出家や指揮者は、ヴェテランだけでなく、若手・中堅の中でも話題の人材などがうまく組み合わされている。

　シュヴァルツ前監督によれば、音楽祭の友の会に入会するには8年待ちの状況だと言う。優先的にチケットを購入できるなどの特典があるために人気があるのだ。寄付をしようとする個人や企業には、音楽祭の芸術性の高さや特別な雰囲気から生まれるブランド・イメージに重ね合わせて、自らの企業、あるいは個人のブランド力を高めようとするインセンティヴが働いている。

　音楽祭のブランド力が多くの寄付者を引き寄せ、ほかの音楽祭や歌劇場にはない独特の環境を提供し得ることで、優れた演出家や指揮者を惹きつけ、さらにそれが若手を中心とする優れたアーティストの起用につながる。結果として、一層その創造活動の評価が高まる。こうした循環こそ、同音楽祭が公的助成を受けずに上演を継続できる理由だと言えるだろう。

2）公的助成の活用

　グラインドボーン音楽祭がいくら民間組織だと言っても、芸術文化団体に対して多様性や社会包摂を重視する英国の社会的傾向と無縁ではいられない。

　グラインドボーン音楽祭は、英国内数か所をツアーするグラインドボーン・オン・ツアー Glyndebourne on Tour（以下、GOT）を毎年実施している。8月末にシーズンが終わって一息ついた10月に、本公演と同じプロダクションをリダクション[25]して、英国内の数か所をツアーする。出演する歌手たちは、本公演とは異なる若

手が中心である。ここで若手アーティストを起用することが、次の世代を育成する機会となっている。

　高いブランド力ならびに高い上演水準を誇るグラインドボーン音楽祭は、1957年にルイス刑務所でのリサイタルを実施するなど、地域社会と関わるプロジェクトに取り組んできた。さらに、近年ユースプロジェクトにも力を入れていて、2006年におこなわれたヒップホップ版のモーツアルト作曲《コジ・ファン・トゥッテ》上演は、ヒップホップ・アーティストの起用などにより、あらたな創造活動につなげようという教育プログラムとしての試みであった。加えて、グラインドボーン音楽祭のあるルイス市街の内外に居住する子どもや若者たち、あるいは高齢者が出演する教育プログラムなども近隣住民が中心となって実施されている。

　GOTと教育プログラムでは、ACEの資金を活用しながら公演がおこなわれている。ACEの資金が入るようになったのは、2014年からと最近である。GOTと参加型の教育プログラムは、グラインドボーン音楽祭の資源を英国国内で共有する社会との接点となるだけではなく、若手歌手、指揮者、演出家等のアーティストにとっても、機会の確保として重要となっている。

3. ブランド価値の活用

　グラインドボーン音楽祭にとって、チケット収入の次に大きな収入源は、寄付金収入、すなわちファンドレイジングおよび友の会収入である。寄付への動機づけとなるのは、音楽祭の魅力である。寄付者たちが組織の活動に自らの気持ちを惹きつけるストーリーを感じとることができれば、そのまま寄付につながる。卓越性と知名度を確保した著名な音楽祭が、企業からのイメージづくりへの寄与への期待や個人からの信頼を獲得、ハイブランドとしての魅力が認識され、互いの価値を高め合う存在ともなってきたのだと言えるだろう。

　とはいえファンドレイジングに関して、グラインドボーン音楽祭も努力は怠っていない。クリスティ理事長が自ら、グラインドボーンから出かけ、ロンドンでの制作発表会などを実施して、寄付者に対するプレゼンテーションをおこなう。こうした機会での民間企業や個人スポンサーに対するアピールを通じて、寄付金を集めているのだ。

さらに、アメリカ人の寄付者たちの窓口となる事務所を、アメリカ国内に設けていることも重要な戦略の一つである。グラインドボーン音楽祭は、アメリカ・グラインドボーン音楽祭協会 Glyndebourne Association America Inc. を1971年に設立、早くからアメリカでのファンドレイジングや広報活動などを実施してきた[26]。大規模な音楽祭などヨーロッパの芸術文化組織は、寄付集めのための事務所を同国内に置くケースが少なくない。アメリカの寄付税制に支えられた富裕層からの寄付金は重要な資金源となる。

英国に限らず世界中の多様な国にルーツを持ち、グローバルな展開をしている大企業が、グラインドボーン音楽祭の寄付者となっているのは、音楽祭のブランドに対する企業からの期待と、音楽祭の努力の成果であろう。大口寄付先として期待できる企業の国や業種は、時代の移りかわりや社会・経済の状況に応じて変化する可能性があるとはいえ、ブランド力のある有名な音楽祭などが、引き続き企業や個人の有力な寄付先となりうる点には変わりない。グラインドボーン音楽祭にとって、こうした企業や個人からの信頼維持のために、舞台の品質を高め、話題を集めることが最大の経営戦略となる。音楽祭の持つブランド価値の世界での認知が、組織の強みに直結しているのである。

第4節　芸術文化助成をめぐる組織運営のあり方

本章では、芸術文化助成を受けている一国を代表する大規模な歌劇場の事例と、芸術文化助成を受けていない民間の音楽祭の事例とを対比させた。組織規模や財政規模だけではなく、芸術文化助成をめぐる姿勢にみる社会における役割の違いは、2つの組織のあり方をそれぞれ際立たせるものである。

一国を代表する芸術文化団体に課されるのは、芸術文化そのもの、そして芸術文化活動の意義を説き、社会へのあらゆる効果の還元、あるいはあらゆる人々とのつながりを示す姿勢である。それを実践しているROHのあり方に、多くを学ぶことができる。自らのおこなう芸術文化活動に公的助成を入れることの意義を説明する行為は、社会に対して自分たちが果たしうる役割を示すことなのだとあらためて認識させられる。

一方、グラインドボーン音楽祭は、芸術文化助成を受けないという選択を通じ

て、独自のポジションを築き、公としてのあり方から一定の距離を置いてきたかのようである。そのかわりファンドレイジングに関しては注力していて、とりわけアメリカでの寄付金集めには早くから取り組んでいる。助成金に頼らない分、チケット収入だけではない収入源の確保に努めている。

　ところがその実、少しずつ社会における活動を拡げ、いまや地域で公共性を伴った活動をおこない、さらに英国国内でのツアーなどを通じて、幅広い観客層に自らの資源を提供するようにもなった。こうして、現代社会への課題解決にかかわる姿勢もみせている。それでも、チケット収入と民間からの資金を中心に運営がおこなわれていることには変わりない。

　このようにROHとグラインドボーン音楽祭は、歴史的経緯、上演スタイル、組織体制や財政規模などは全く異なるものの、共通する点がいくつもある。

　まず、それぞれの持つ歴史を背景に作りあげてきたポジションを、歴史的、社会的な文脈の中で現代社会においても引き続き実現させているということである。組織体制や周辺環境などを力にした卓越性の獲得が、両者に共通している。

　ROHは、国を代表し、海外からの観客を誘引する組織として活動をおこなっている。この巨大組織は、そうした活動のための専門人材を内包して、技術や制作人材の厚みに加え、圧倒的な芸術的リーダーを得て、現在の姿を維持しているのだ。

　一方で、グラインドボーン音楽祭は、若手アーティストや若手スタッフを期間中に起用することで、プライベートな空間でおこなわれる特別な環境での創造活動を継続している。そして、国内外にそのブランド力をアピールすることで、チケット収入や民間資金を集めている。スタイルは異なるとはいえ、卓越性とそれを支える考え方と手法が確立され、遂行する人材が確保されている点が彼らの創造活動を着実なものにしているのだ。

　次に、両者ともに、自らの創造活動のスタイルを維持し続けるために、戦略的に芸術文化助成をとらえていることが指摘できる。

　ROHは、公的な芸術文化助成を受けるために、組織の活動に徹底的に公共性を持たせている。そのために、教育活動や他機関をつなぐリーダーシップを発揮し、優れた創造者たちとの活動を通じ、次世代を担うアーティストなどの創造人材を育て、観客を拡げている。

グラインドボーン音楽祭による本公演には助成を受けないという選択も、アーティストや観客を確保するプロセスにおいて、民間からの収入の獲得努力があってのものだということが理解できる。

　こうした芸術文化助成をめぐる2つの組織の姿勢に、両者の矜持をみる思いである。

注

1　ROH, Annual Report 2017/2018, https://static.roh.org.uk/about/annual-review/pdfs/Annual-Report-2017-2018.pdf（2019年8月12日取得）アウトリーチや中小の催事は含んでいない。

2　前任のトニー・ホールは、ROHのCEOを務めた後、BBCの経営責任者に就任、2020年夏からはナショナル・ギャラリーの理事長に就任した。

3　リンゼイ・グレン Lindsey Glen への筆者のインタビュー（2019年11月25日）。彼女は、ROHのHead of Policy and Strategy の任にあり、ACE対応の責任者である。

4　同インタビュー（2019年11月25日）。

5　イェッテ・パーカー・ヤング・アーティスト・プログラム Yette Parker Young Artists Programme：2001年開始。現在は、オーク財団 Oak Foundation を通じて支援されている。2017年からのシーズンには、61か国から365人の歌手が受験し、5人の歌手が選ばれ新たなメンバーとして参加した。

6　英語を母語としない研修生には、英語のレッスンが設定されるなど、研修生のバックグラウンドに合わせたプログラムが組まれる。

7　日本人ソプラノの中村恵理は、2008–2010年の間、同プログラムに所属していた。そして同プログラムに所属していた2009年に、アンナ・ネトレプコの代役で、《カプレーティ家とモンテッキ家 I Capuleti e i Montecchi》のジュリエッタ役を急遽務めて大絶賛されたエピソードが知られている。

8　Jette Parker Young Artists 2019/20, https://www.roh.org.uk/about/jette-parker-young-artists-programme/jette-parker-young-artists-2019-20#link-artists（2020年3月21日取得）

9　ACE, Equality, Diversity and the Creative Case: A Data Report 2018-2019, 2020, pp. 28–82.

10　第3章の図表3–8の金額は、ブリッジ・オーガニゼーションとしての助成額などは除いて発表されているため、第6章の本文や図表6-2の数字とは一致しない。

11　ROHの Annual Report 各年度版を出典とする。事業収入には、広告、劇場外公演、劇場貸出、利息などを含んでいる。

12　ROH, Annual Report 2017/18, https://static.roh.org.uk/about/annual-review/pdfs/Annual-Report-2017-2018.pdf?_ga=2.39694883.1676602693.1604801154-747425329.1600150316, p. 2.

13　セクター・サポート・オーガニゼーション Sector Support Organisation（SSO）は、各ジャンルや芸術文化関連団体をつなぐ協会組織への助成、あるいはその助成を受ける被助成団体を指す。運営助成の対象となる。

14　ROH, Annual Report 2016/17, https://s3-eu-west-1.amazonaws.com/static.roh.org.uk/about/annual-review/pdfs/ROH-Annual-Report-16-17.pdf, p. 3, およびROH, Annual Report 2017/18, https://static.roh.org.uk/about/annual-review/pdfs/Annual-Report-2017-2018.pdf?_ga=2.179120748.916935306.1604844726-1125135223.150975447620, p. 20. 2016年度以降のAnnual Report 各年版収入には「Open Up」への寄付が別途記載されている。

15　リンゼイ・グレンへの筆者のインタビュー（2019年11月25日）。

16 『シンポジウム＝オペラ劇場運営の現在・イギリス＝英国におけるオペラ制作と技術運営～ロイヤル・オペラをめぐって　講義録』昭和音楽大学オペラ研究所、2005年、30頁。

17 ROH, *Annual Report 2017/18*, https://static.roh.org.uk/about/annual-review/pdfs/Annual-Report-2017-2018.pdf?_ga=2.39694883.1676602693.1604801154-747425329.1600150316, p. 12. およびリンゼイ・グレンへの筆者のインタビュー（2019年11月25日）。

18 Brigitte Lardinois and Val Williams, edit. With text by Sir George Christie. *Glyndebourne A Visual History*, 2009.

19 2017年12月に突然辞任が発表された。シュヴァルツ氏はその後2019年8月からトリノ歌劇場の総裁に就任。

20 「公開講座＝オペラ劇場運営の現在・イギリスⅡ＝オペラをめぐる祝祭、その今日的あり方Ⅱ～グラインドボーン音楽祭に学ぶ講義録」、昭和音楽大学オペラ研究所、2007年、23頁。

21 同上、21頁。

22 Glyndebourne, *Annual Report 2018*, https://s3-eu-west-1.amazonaws.com/glyndebourne-prod-assets/wp-content/uploads/2019/06/20144115/GLY-Annual-Report-2018_web1906-1.pdf.

23 この枠組には、ACEの助成金も算入されている。これは、限定的に、国内ツアーや教育プログラムのために入っているACEからの助成金である。

24 Michael Kennedy, *Glyndebourne A Short History*, 2010, pp. 16–17.

25 同じコンセプトではあるものの、舞台装置を簡易なものにして舞台上演をおこなっている。移動を伴うこと、さらに上演先の会場での舞台装置設営の簡略化が目的である。

26 寄付額によって、レベルの異なる特典が用意されている。最も多くの寄付額の設定となる5万ポンド以上の寄付者にはリハーサル見学だけではなく、出演者やアーティスティック・スタッフとの特別な機会 Exclusive Opportunities があることなどが発表されている。Glyndebourne America, *Glyndebourne Support*, 2019, https://issuu.com/glyndebourne/docs/gly_american_pages_1_

第7章

戦略的投資としての芸術文化助成

本章では、イングランドにおけるアーツカウンシル制度運用の実態の検証をふまえ、組織そのもの、加えて制度が何を目指しているのか整理してみよう。アーツカウンシルは、公的資金を投じ、戦略的な芸術文化助成制度の運用を通じて、広く芸術文化振興を担う機関として機能している。本章により、アーツカウンシルを通じて政策を実現する政府の意図、アーツカウンシルに関わる人たちや組織の方向性が理解できるだろう。

第1節　アーツカウンシル・イングランドのあり方を通して展望するアーツカウンシルの姿

　アーツカウンシルとは、戦略的投資としておこなわれる公的な芸術文化助成の執行機関であり、創造活動をおこなう組織と資金提供する側との間をつなぐ接点ともなる。自由な創意が創造活動の源となるとはいえ、受容する人びとの存在が前提となる以上、創造活動はその意義を社会に問いかけ、時代の要請に呼応しておこなわれるものである。アーツカウンシルは、政策に応じた助成事業などの実施を通じて、それらの創造活動に継続性を与え、次世代につないでいく役割を果たすのだ。

　芸術文化助成の専門機関としてのあり方が確保されたうえで、制度設計と適切な運用がおこなわれることを通じて、アーツカウンシルはこれからの芸術文化創造に不可欠な存在であり続けるだろう。そのために、アーツカウンシルの活動、さらに存在が今後どのように芸術文化の世界を切り開き、継続させる役割を担いうるのか、ACEのあり方を通して展望してみたい。

1．次の10年に向けて

　2020年1月に、ACEの新しい10年戦略がウェブサイトで発表された[1]。ACEでは、10年戦略が策定され、その戦略に基づいて助成事業が企図、運用されるプロセスが提示されていることは第1章で記した。

　助成する側は、10年戦略を通じて一定の指針を示し、助成事業を展開している。被助成団体は、助成申請にあたって、戦略目標やそれに基づいて示されている要請を十分に理解する必要がある一方、ACEの10年戦略で示された内容に

即して自らの活動の方向を明確化することに直接役立てている。それらを達成するために設定される自らの目標や、その達成度が自己評価の観点ともなる。

　こうして、芸術文化活動をおこなう者に対し助成を受けるために進むべき道がはっきり示されていることが、実際の活動の企図に直接役立つ。助成側が意図することを各団体が自身で探りながら進んでいくのは決して容易ではない。しかし、公的な資金提供を受けて実施される活動の場合は、公益に資するべきだということがもう一つ大きな前提として加わる。すなわち、公的助成を受けておこなわれる創造活動には、あらゆる人びとに対して彼らの優れた成果を提供し、資金をなんらかの方法で社会に還元していくことが義務づけられる。その還元方法を共有するためにも、公的資金を活用する方向性が助成機関あるいは政府から示されていることは極めて重要だと言えるだろう。

　そうした前提を踏まえ、ACEによって2020年1月末に発表された新10年戦略『レッツ・クリエイト！ *Let's Create !*』が、今後の文化政策、そして芸術文化助成の具体的な方向性を示す羅針盤としてどのように活用されるのかを見守りたい。ただ一方で、新10年戦略の発表直後に拡大したCOVID-19に起因する芸術文化関連組織やフリーランスではたらく人への支援が緊急課題となっている。この状況が、今後の文化政策の具体的な施策策定における難しさとなっていくのは間違いない。世界を覆うこうした危機において、芸術文化助成を執行する機関としてのアーツカウンシルには、現場でのリスク対応のみならず、新たな発想のもとで制度を企図し、実現に向けて運用することが求められている。

2．助成する側と助成を受ける側の関係性

　現代社会において、多額の芸術文化助成を受けて活動している芸術文化団体に対しては、いったい何が要請されているのだろうか。助成する側は彼らに何を要請しているのだろうか。これらの問いかけに対して、ACEに対するインタビューを通じて得られた示唆を参考に考えてみよう。ここで、公的な立場で助成をする側と公的な資金を受ける側のあるべき関係性が見えてくる。社会が変容する中にあって、継続的に芸術文化団体に助成をすることを説明していくためのヒントになるのではないだろうか。助成を受ける側にとっては、なぜ継続的な公的助成が必

要なのかということ、また自らの活動が公共性を持ち、それを通じて組織そのものも公共性を確保するのだということを、説明するためのヒントにもなる。そしてこれらの考え方は、日本においても共有すべき内容だと言えるだろう。

1）なぜ大規模な芸術文化団体に継続して助成をするのか

BIG10をはじめとするナショナル・ポートフォリオ・オーガニゼーション National Portfolio Organisation（以下、NPO）に対して、なぜ国が継続的に助成しているのか。この点が、英国国内で常に論点となっていることは、これまでにも述べた。日本でも同様の問いかけがある中で、英国では国民に対してどのように説明をしているのだろうか。

ACEのCOOリチャード・ラッセルへのインタビューでは、「BIG10に入る組織は英国の最も品質の高い芸術文化を体現する組織である。これらの組織は英国の芸術文化の卓越性のシンボルであり、政府としてもただ単に文化的に重要なものだから支援するというだけではなく、英国の優れた芸術文化水準を示すブランドとして、これらの組織をうまく活用したい。そのため、ブランドを通じた海外の人に対するマーケティング・ツールのような形で活用している」[2]のだとされた。

このように各芸術文化団体が国家戦略の一部として位置づけられ、戦略実現のための助成だと考えられている。これは、各芸術文化団体の活動のクオリティに対する確かな信頼があってこそ可能になっているものだと言える。

さらに、自助努力により、受けとる助成金を減らすべきだという財政当局に対して、どう説明するのかを問いかけた。

ACEのラッセルによれば、「創造活動をおこなっている組織である被助成団体は、公的な価値を生み出し、広範な人たちが芸術文化にアクセスできるようにしているのだと伝えている。例えば各組織が教育プログラムなどを通じて、特に子どもや若者たちがこれまで触れたことがなかったタイプの文化に触れる機会を提供している。どうしても幅広い人びとに質の高い芸術文化を提供しなければいけない。助成金が無くなってしまったら、あくまでもお金を持っている人たちだけのための芸術文化になる。質の高い芸術文化を多くの人たちに知ってもらい、届けるためには助成金が必要だ」[3]と説明しているとのことである。

芸術水準の向上を通じて公的な価値を生み出し、それは同時に各芸術文化団体による卓越性の確保につながり、さらに芸術文化を発信することで国の魅力を示すのだ、という点が語られた。そのうえで、あらゆる人のアクセシビリティの確保のために、公的な助成金が使われるとしているのである。この説明にも一定の説得力がある。人びとに等しく鑑賞機会を設定するため、芸術文化受容の環境整備のために助成が必要となるという考え方だ。

　しかしそれでもなお、芸術文化活動には継続的に多くの公的な助成金が不可欠なのだとステークホルダーに対して説明するには十分だとは言えないだろう。財政当局にも、多額の支援に必要な財源を確保するためにはあらゆるエビデンスを活用して、意義を説かなければならない。そして各国、各地域においても、芸術文化が社会になぜ必要なのかという資金確保に向けた説明の仕方については共有できる点があるだろう。本書でイングランドの一連の助成活動について詳細を見てきた理由はそこにある。一方で、歴史的経緯や社会状況などの違いを踏まえると、そのまま日本に適用できないということも事実だ。先行事例の手法を参照しつつ、自分たちの置かれた環境を踏まえて、適切なシナリオを描いていくことが必要となってくる。

2）芸術文化助成の制度設計

　芸術文化助成制度を設計する側には、被助成団体の運営のレジリエンスを引き出せるような戦略的な制度設計が課されていることも読み取れた。すなわち、被助成団体に対して活動の継続性と自律性の獲得をうながしていく制度設計と基盤となる長期的な未来像の提示が制度をつくる側にこそ求められているのだ。同時に、芸術文化助成の現場において、助成が導こうとする目的地、あるいは助成によって描き出す姿に至るまでの道筋が具体的に示されることが必要となる。そして裏づけとなる普遍的な理論形成が、さらに変化に対応していくための理論構築が、いまだ不十分であるという課題認識にも至る。

　芸術性の評価、芸術文化活動への公的助成の根拠の説明などについては、決定的な解決策が見いだせているとは言い切れない現状がある。しかしながら、芸術文化団体が継続的に創造活動をおこなうためには、芸術文化助成を通じて、組

織や個人が活動継続に対するレジリエンスを獲得すること、そして卓越した創造力を確保することこそ、助成事業における最終目標となると言ってよいであろう。

そのためにも、助成する側、助成を受ける側が互いの活動の意義を理解し合いながら、芸術文化助成に関する知見の蓄積を着実に重ねて、次世代へとその手法を継承していくことが肝要なのだと言える。

第2節　芸術文化助成の未来
1. 芸術文化助成を担う機関

アーツカウンシルとは何か。

これまでに幾度となく触れてきたように、芸術文化活動や芸術文化団体を育成する機関であるとする考え方が、アーツカウンシルのあり方をもっともよく表している。おそらく各国各地で展開されているアーツカウンシルの理念に通じるものとしてよいのではないだろうか。アーツカウンシルは、創造活動をする者に対して進むべき方向を示し、創造活動に適した組織づくりや個人の活動を支えるインキュベーターの役割を担っている。さらに、公的助成の役割を社会に対して説明する立場にもある。

創造活動をおこなう芸術文化団体や個人、さらに彼らの創造活動が、公的資金の投資を通じて継続性を獲得することが芸術文化助成の達成目標の一つである。創造活動の成果をあらゆる人びとが愉しみ、等しく機会が提供されるという状況も芸術文化助成が目指す最終的な到達目標の一つである。

そして、芸術文化団体が創造活動をおこない、素晴らしい体験を提供する場となるように見守り、励まし、育てる役割を担うというだけでなく、政治や経済、社会の変化から創造活動を守る機関こそが、アーツカウンシルなのだ。芸術文化助成が適切に活用されるために、アーツカウンシル制度に対する真の理解が求められているとも言える。

アーツカウンシルをいかに機能させるのか。

実は、この点が、芸術文化助成を通じた文化政策のもっとも重要な戦略の一つとなる。そこで目指される芸術文化助成の適切な運用が文化政策の成否を分ける。

芸術文化助成は国による政策の実現方法の一つである。アーツカウンシルはそれに基づいて策定された目標を明確に提示する。それらの目標の達成に向けて、政府から、そして創造現場からも一定の距離を置き、独立した組織として助成を企図、運用する。これこそ「アームズ・レングスの原則」に則ったアーツカウシルの姿なのである。関係する人びとや組織から十分な理解を得られるように努め、芸術文化助成事業を適切に運用することが、アーツカウンシルにかかわる人材の役割である。

　ACEの助成活動では、被助成団体との適切な関係構築への注力が見てとれる。また組織は、地域や人材の多様性など社会の要請の変化に応じて再構築されていき、芸術文化助成ならびに芸術文化振興に対する専門性を担保しうる人材群が獲得される。

　アーツカウンシルにかかわる人材は、創造活動に携わる人びとや組織から十分な理解を得られるように努め、芸術文化助成を戦略的に運用することがその役割となる。

　創造活動を担う芸術文化団体や個人などが、アーツカウンシルの要請への対応を通じて、創造活動や組織の継続性におけるレジリエンスを確保する。芸術文化を助成する側、助成を受ける側が、それぞれの活動や考え方を認め合って関係を構築していく。こうした一つひとつの事柄の積み重ねを通じて、芸術文化に公的資金を投入する意義を説明することが、広く人びとからの理解を得て、社会全体で芸術文化活動を支えようという機運を高め、具体的な成果の獲得につながるのである。

2．芸術文化助成とは何か

1）戦略的投資としての芸術文化助成

　本書では、芸術文化助成を、各活動に対する「投資」だとするACEの考え方を一貫して検証してきた。現在の芸術文化助成における考え方の中で、最も重要な事項の一つとされているととらえたからである。

　投資行動に対する経済的なリターンが期待できるものとして芸術文化活動を位置づけることができれば、芸術文化活動に対して公的助成をすることへの積極

的な意味づけが得られる。ただし、多くの芸術形態のなかでも、舞台芸術の世界をはじめ、構造的にそれが叶わない分野もある。とりわけ大規模な舞台芸術公演は、多くの出演者やスタッフ、大がかりな装置や会場などを要するため、多額の資金が必要となるにもかかわらず鑑賞者は限られる。そのために同じ舞台を各地でツアー興行して上演回数を増やしたり、有料のライブ・ストリーミングやライブ・ビューイングをしたりして、同じ舞台をいくつもの手法で鑑賞者に届けることで、収入増加の工夫がなされている。それでもやはり支出が収入を上回る構造を根本的に解決することにはならない。そして実は、舞台芸術公演の規模の大小にかかわらず、収入が支出を上回るような決定的な解決策は提示されていない。

　芸術文化の創造活動を支援するための資金投入は、そうした分野特性を前提としておこなわれる。加えて、公的資金が芸術文化活動や芸術文化関連の組織を育て、組織や個人、そして活動そのものが持続力を蓄える助けとなり、未来の活動や組織力確保につなげるためのものともなる。資金援助を受けて生まれた芸術文化活動に国内外から人びとが集い、コミュニティが共同の意識を強め、個人が生きる力を高めていく。芸術文化活動とは、幅広い地域や多くの人びとのくらしの質の向上につながる行為ととらえられる。そのための費用だとする考え方なのである。

　芸術文化助成の意図は、芸術文化団体の事業からの経済的なリターンを期待するというよりも、資金投入によって新たな活動を生み、地域を、国を、そして人びとの暮らしを活性させる点にある。さらに卓越した創造活動がおこなわれる組織の存在に人が集まり、観光効果も生み、地域や国の威信につながり、地域や国の文化の象徴として人びとの誇りともなる。これまでに創造されてきた多様な芸術文化を歴史的文脈の中でとらえ、さらに創造活動をコミュニティ活性化の手がかりにすることができるだろう。そして、芸術文化で世代間をつなぎ、次の世代へと創造活動のバトンを渡すことも可能になる。

　すなわち、公的資金を投入する対象としての芸術文化団体は、創造活動を通じて社会的な基盤を形づくる存在なのだ。人びとの健康や福祉、経済の活性化や幅広い交流などに対する役割を明確にして、社会的なリターンを可能にするのだとも言える。そのような成果を得るために、芸術文化団体やアーティスト個々の力

を一層成長させようとする考え方でもある。これらの目標の達成を、芸術文化への戦略的投資の目的とすることができるだろう。

２）戦略目標の提示と助成事業への反映

　本書では、ACE が戦略的な投資としての芸術文化助成運用のために、助成する側がどのような方針を掲げて実施しようとしているのかを明示する文書を策定し、それに基づいて事業展開している流れを検証してきた。イングランドでは、アーツカウンシルが戦略文書を発表し、関係組織や人に対して公的資金への意識を常に喚起している。被助成団体の具体的な事業の企画立案、助成する側の審査、評価などが同文書に書かれている内容に沿ったものとなることこそ、芸術文化助成の現場で関係者が共通認識を持つ方途として極めて重要だと考えられているのである。

　被助成団体にとって、戦略文書の中で言及されている戦略目標やその中に盛り込まれているキーワードは、助成活動における考え方を知る手がかりであり、助成申請や日ごろの活動のための指針となる。そのために文書を読み込んで、活動に反映させることが不可欠なのである。これから新たに助成を受けようとする組織は、戦略目標とそれに基づく助成方針への理解が必須となる。そのため一貫して、極めて簡明な表現となっていて、理解の促進には大変効果的である。助成する側は、戦略目標達成に向けた道筋を示し、評価指標の提示をはじめとして、あらゆる角度から説明したうえで助成制度に採り入れる。運用を通じて、助成を受ける側も内容を十分に理解し、戦略目標に基づく取り組みを示しながら活動している。こうした戦略目標の理解を通じて被助成団体側は活動方針も定めやすく、ACE 側は評価もしやすくなるのである。

　戦略目標とは、芸術文化組織にとって、そして政府やアーツカウンシルにとっても、文化政策の方向性を実現していくための道標となるものである。結果として、何が生み出せるのか、また 10 年後の自らの姿をどのようにプランするのか、そのシナリオを描く作業でもある。

3）「アームズ・レングスの原則」の実現

　アーツカウンシルとは、政治と芸術との間の距離を一定に保つという考え方である「アームズ・レングスの原則」に則った組織である。本書では、実際の現場での取り組みを詳細に把握してきた。政治の力学が芸術の世界になんらかの影響を与えてはならないのである。芸術文化活動にかかわる諸事の責任は、助成を受ける組織側にあり、助成する側は各組織のガバナンスの独立性を尊重する姿勢をとっていることが理解できた。

　公的助成をおこなう側と芸術文化関連組織が一定の距離を保ってかかわりあうという「アームズ・レングスの原則」は、国や地域が変わろうとも基本的な考え方に違いはないはずである。ただし本当に適した距離を保つためには、互いの信頼関係の構築と適切な制度設計とがおこなわれなければならない。同原則の実現手法について確認することは、現代の社会状況で、いまなお必要となっている。それを理由に、「アームズ・レングスの原則」が、現在の芸術文化助成の運用においても引き続き特徴となることを把握できたと考えている。

4）芸術文化団体の運営への助成

　芸術文化団体の運営への助成が、助成事業の中核をなす点もACEの特徴である。芸術文化団体や美術館・博物館、図書館といった組織に対して、複数年助成を実施している。金額的に最も多額の支援の枠組となる運営助成は、芸術文化団体等が実施する個別のプロジェクトに対する事業助成や戦略的事業助成などとは異なり、芸術文化活動をおこなう組織運営のために必要となる資金を団体やコンソーシアムが受け取る。助成にあたって、組織の助成適格性をはかるために、その前提となる条件や審査は厳しいものとならざるを得ないし、助成を受けとってからのアーツカウンシルとの関係性についてなど、被助成団体が対応すべき作業や制約はかなり厳格なものとなっている。

　公的資金投入の事実を受けて、アーツカウンシルからのリスク管理要請やモニタリングなどが日常的におこなわれる。そのうえで、芸術文化団体に対し、団体運営に使える資金を配分しているのである。

　運営助成を実施するためには、助成する側においても相応の体制整備が必須

となる。日ごろから個別の事業成果のみならず、財務、理事会の運営などあらゆる事項に対するモニタリングをおこない、リスク管理のための知識と経験を備えた人材配置が必須となるからだ。

運営への助成を着実におこなうためには、アーツカウンシルにおいても人材雇用などのための多額の費用負担、管理責任の所在などについても覚悟しなければならない。アーツカウンシルは、公的助成を担う組織として、芸術文化団体が公の存在として運営していけるように傍でしっかりと見守る役割なのである。

5）芸術文化助成を担う専門人材の存在

英国には、芸術文化助成の現場で知識と経験を積んで、芸術文化振興にかかわる専門性を持った人材が一定数存在している。彼らの存在および働きを通じて芸術文化助成が効果的に機能する状況の実現が、アーツカウンシル制度をとる意義である。

特定の分野の専門性を持ちながら芸術文化助成に携わる人材が、芸術文化の創造活動の展開に直接の役割を果たしているのだ。公的助成に関する知識と経験を積んだ人材が立場をかえながら、芸術文化助成、あるいは芸術文化創造の現場を支え、文化政策の推進に力を尽くす様子が見て取れた。

アーツカウンシルを舞台に助成制度にかかわる人びとは、キャリア形成の過程において、助成する側の立場になる場合もあれば、被助成団体に身を置き、助成を受ける側の立場になる場合もある。芸術家、制作者などの立場で活動している人たちが、一定の期間、具体的に公的助成にかかわることもある。こうして公的な資金の配分や活用を通じて、芸術文化活動における公共性を獲得するプロセスを実感として持ったうえで、適切に活用できる人材が一定の数、確保され続けていくのだ。

芸術文化にかかわる多様なキャリア・パスを確保する場として、さらにキャリアを実質的に積み上げるプラットフォームとしてのアーツカウンシルという組織の役割も明らかになったと言えるだろう。

6) 芸術文化助成を通じたレジリエンスの確保

芸術文化助成がおこなわれる目的の一つには、芸術文化団体が、芸術文化活動や自らの運営に関するレジリエンスを獲得することがある。つまり、芸術文化団体が社会や経済の状況に柔軟に対応していく力を備えることが目指されるのだ。

芸術文化助成を受ける側は、公的資金投入に対して十分な意味づけへの要請がなされ、常に公共性への意識が問われている。同時に、芸術文化助成を企図する側にも、彼らの認識を引き出すように、政策意図を明確にしたうえで施策や事業をつくることが求められる。

被助成団体側が当該芸術文化助成の企図された背景を正しく理解し、一方で芸術文化助成へのニーズを制度設計する側が効果的に制度に反映させていく。これらが互いにバランスよく作用し合うためには、両者による日常的なコミュニケーションが成立していることが肝要となる。丁寧なコンタクトが理解につながるため、それぞれ適切な人材を配置して相応の時間をかける必要がある。

こうしてアーツカウンシルによる芸術文化助成の持つ公共性が芸術文化創造の現場全体に浸透し、芸術文化創造と芸術文化団体のレジリエンス獲得が実現する。このことこそ助成制度の設計と執行機関としてのアーツカウンシルの意義であり、芸術文化振興の目指すべき方向性だと言えるだろう。

3. 戦略的投資としての芸術文化助成の実現に向けて

これまでに述べてきた事項を通じ、芸術文化支援の理想と現実、さらに助成を受ける行為によって、現代社会で芸術文化助成にかかわる人材や機関に求められる考え方や姿勢などについて、多くの事柄を理解していただけたのではないだろうか。

芸術文化活動の機会を創出して創造現場を支え、芸術文化を担う人を育てる役割を担うイングランドのアーツカウンシルは確かな存在だった。芸術文化助成の現場において積み上げられてきた知見をもとに制度設計がおこなわれ、実際に助成事業を実施して危機に対応するのは、芸術文化振興にかかわる人びとでもあった。アーツカウンシルは、本来的には芸術文化活動をおこなう団体を育成する組織として位置づけられるが、加えて芸術文化振興にかかわる人材を育成す

る組織としてもとらえられる。

　われわれが芸術文化活動をおこなう際には、公的助成を受けていようと受けていまいと、社会を構成する一員として芸術文化活動における公共性を問いかける姿勢が常に必要となる。そして今ほど、芸術文化を創造する活動に関して意識的に向き合う姿勢、さらに芸術文化をあらゆる人びとに届ける行為が世界中で必要とされている時はないだろう。そして、それらの活動を支えるアーツカウンシルのあり方をあらためて考える時でもあるのだ。

第 3 節　アーツカウンシル制度にみる芸術文化振興のあり方

1. アーツカウンシルとは芸術文化創造のインキュベーターである

　アーツカウンシルとは、公的助成事業をおこなう機関であり、自由な発想に基づいた芸術文化創造の実現のための各組織や個人の活動を見守る存在だ。これまで芸術文化振興に携わる者は、芸術文化を支援する意味がどこにあるのかを説明し続けてきた。現代社会において創造活動を支援することへの問いかけが、人びとのくらしの中で芸術文化がなぜ必要なのかという根源的な問いかけと、同じ方向性を持つものであると言うこともできるのではないだろうか。これこそ、アーツカウンシル制度を推進する考え方の基盤をなす。

　アーツカウンシルの役割は、芸術文化団体と政府、アーティストと鑑賞者、これらの関係の間に存在し、いま産声をあげようとする芸術文化に対して社会における身体性を確保したうえで、芸術文化組織に対しては、社会での姿の見せ方をアドバイスすることにある。そして、アーツカウンシルではたらく人たちは、その仕事を通じて、芸術文化という生身の存在に社会性という衣を一枚、二枚と纏わせる役割を担う。さらに、創造活動をおこなう者たちが、その生き様を描くために適切な場を得る手助けをする。そして、現代社会に生きる人びとに対しては、芸術が生まれ出る瞬間に立ち会う喜びを享受する機会を確保する。こうすることで、芸術文化創造のインキュベーターとして、創造活動を担う組織や個人にとって、時に真の友として厳しく、あるいは師のように温かく見守る存在となるのである。

　アーツカウンシルは、芸術文化団体を育成する機関であるだけではなく、同時

に芸術文化振興に関わる人びとを育成する機関でもある。芸術文化助成現場の最前線ではたらく人材をたばね、彼らが組織に身を置いて助成制度の運用と改善に携わることを通じ、芸術文化振興にかかわる知見と経験を蓄積していき、その役割を次の世代に繋いでいくのだ。

　社会、経済、政治の動向をとらえ、それらを背景としながら長期的なビジョンを示しつつ、実現すべき芸術文化振興を実現するために、助成制度を支え、整え、さらに改革する役割を担う専門家集団として、アーツカウンシルは機能していく。大きな社会変革の時にあって、芸術文化がそのあり方を見失わずに継続への方途を見いだすには、圧倒的で巨大な負荷に柔軟に対応する力と新たな一歩を踏み出す意思が必要となる。いま、われわれに最も求められる勇気だ。

　アーツカウンシルが、創造活動や創造者たちに寄り添う役割であるということは疑う余地がない。とはいえストーリーもなく突然何かを生み出す魔法の箱ではないし、特効薬にもなり得ない。社会の構造変化への対応が必要となったいま、芸術文化はわれわれにどのような世界を見せてくれるのか。その時、社会は芸術文化をどのようにとらえるのだろう。こうした時に力のある言葉で声を上げられるリーダーがいれば、社会に強いメッセージが伝わるのは確かだ。象徴として人びとを突き動かす原動力ともなりうる。

　ただやはり芸術文化がこの困難な時代に立ち向かうために必要となる唯一無二の存在は、個々の創造者たちであり、彼らを支える人材や組織、場である。本来、劇場や美術館・博物館とは、鑑賞した人が作品から受けた感動が冷めないうちに新たな創造への期待を生み出す空間でもある。そうした温もりの循環を継続させ、そして創造者たちが突き進もうとする歩みに継続性を与えるために、想いを共有して推進する力が必要となっている。その推進力の一つとなりうるのが芸術文化への公的支援であり、中心的な役割を担う機関がアーツカウンシルなのだと、その意味をとらえたい。

　アーツカウンシルは、社会の大きな構造転換の時にあっても、継続的な制度設計と運用とが要請される存在だ。実際に必要となる施策について、具体的に示すことができる知識と経験を獲得した人材が不可欠でもある。そうした人材で構成されることを通じて、適格な判断力を備えた組織が芸術文化活動をリードし、現

代社会における創造活動を確保して、それらを担う個人や組織の活動継続のサポートに至るのである。

　本書の第6章でとりあげたACEとROHとの関係は象徴的であった。英国を代表する芸術文化組織の一つであるROHは、オペラ劇場運営研究の立場からみると、大陸ヨーロッパ型のドイツやフランスとは異なる発展の仕方で歴史を重ねてきた。活動規模に比して公的助成が潤沢とは言えない状況にあっても、運営に関する発想や工夫は見事なもので、いまや音楽監督にカリスマを得て圧倒的な存在感を示している。ただし、この状況は一夜にしてつくられたものではない。彼らの経営が常に社会から厳しい眼にさらされ続けてきたことは、この世界にいる者には周知の事実だ。

　今回の調査では、ROHのように一国を代表するような大規模な芸術文化組織であっても、助成を受ける多くの団体のうちの一つとしてみなされてきた様子がよく理解できたし、特別な扱いにはならないのだという点も、驚きと共に理解するに至った。しかしやはり、英国を代表する組織としての歴史と現在の創造活動への尊敬がそこにはあった。助成側と被助成側との関係が、特別な緊張感と距離感を持って構築されていることが確認できたのである。

2. いま、なぜアーツカウンシルの意義を問いかけるのか

　2020年に入って社会の様相が一気に変化している。本書では一部速報性に重きを置いて扱った情報はあるものの検証はこれからだ。この年が、大きな転換点となるのは間違いない。突然世界を襲ったCOVID-19禍によって、各芸術文化組織や個人は例外なく厳しい状況に追い込まれている。英国では、2020年3月16日に各劇場やコンサートホールなどの閉鎖が発表され、美術館や博物館も閉館した。その後、3月末の段階で即座に団体や個人に向けた救済策が迅速に発表され、4月には第1回の緊急助成への申請が始まるなどDCMSやACEの対応が報道された。大規模な団体に対する助成が、事業助成ではなく運営助成である点や、事業助成などのためにプールしていた資金活用が組織運営を一定程度援けるものとなったには違いない。ただし、予測不可能で収束の見えない今回の危機において、こうしたリスク対応のシステムや施策がどこまで実効性を持ち、耐

久力のあるものとなるのかは未知数である。

　COVID-19感染拡大の影響を受け芸術文化の世界は2021年に入っても引き続き大変厳しい状況に置かれていて、日本においても業界構造の弱点があらわになっている。たとえば芸術文化の世界の労働環境がそれである。これまでにも創造にかかわる人びとの職業とその専門性については盛んに語られてきた。すなわち作り手側のアーティスト、支える側のプロデューサー、マネージャー、舞台技術者、学芸員などである。ところが今回明らかになったのは、とりわけフリーランスで活動する人たちの身分保障にかかる制度の不備であり、彼らの働き方の社会的な位置づけに対する認識の不足である。芸術文化創造にかかる技の継承の危機にもつながる現状には直ちに対応しなければならない。

　社会のシステム全体を揺るがす極めて大きな世界的危機が、創造活動の息の根を止めないように、芸術文化の灯が絶えないように一人ひとりに何ができるのか。われわれが自身で冷静に考え、対応するほかには方法はないだろう。

　今ほど、芸術文化助成のあり方が問われている時もない。アーツカウンシル制度や組織の真の姿への理解が要請されているとも言える。理解が進むほどに、われわれはあらためて、アーツカウンシルが芸術文化支援のための制度を運用する最前線なのだと認識するに至る。芸術文化創造の現場で何が必要とされているのか、正確な事実をとらえて社会に発信し、そして芸術文化を支える意義を長いスパンで見通すことが肝要なのだ。

注
1　ACE, *So Now, Let's Create!*, https://www.artscouncil.org.uk/so-now-lets-create（2020年2月28日取得）
2　ACE、リチャード・ラッセルに対する筆者のインタビューによる（2019年11月20日）。この時は、「大規模な芸術文化団体への継続助成をどのように財政当局に説明をするのか」など、日本においても同じ課題があると前置きしたうえでの質問となった。
3　同インタビューによる（2019年11月20日）。

参考文献

欧文文献

Arts Council England, *The Annual Report 1994/95*, 1995.

————, *Achieving Great Art for Everyone*, 2010.

————, *Culture, Knowledge and Understanding: Great Museums and Libraries for Everyone*, London: Arts Council England, 2011.

————, *Great Art and Culture for Everyone*, Manchester: Arts Council England, 2013.

————, *Catalyst: Evolve Year 1 Report*, BOP Consulting, 2018.

————, *Corporate Plan 2018–20*, Manchester: Arts Council England, 2018.

———— *Grant-in-Aid and National Lottery Distribution 2017/18 Annual Report & Accounts for the Year Ended 31 March 2018*, Manchester: Arts Council England, 2018.

————, *Shaping the next ten years: Developing a new strategy for Arts Council England 2020–2030*, 2018.

————, *Grant-in-Aid and National Lottery Distribution 2018/19 Annual Report & Accounts for the Year Ended 31 March 2019*, Manchester: Arts Council England, 2019.

————, *Join Our Team*, 2019.

————, *Shaping the next ten years: Consultation 1 July to 23 September 2019*, 2019.

————, *About Us, Equality, Diversity and the Creative Case, Data Report*, 17 Feb.2020.

————, *Let's Create! :2020–2030*, 2020.

————, *Equality, Diversity and the Creative Case: A Data Report 2018–2019*, 2020.

Creative Scotland, *Unlocking Potential, Embracing Ambition a Shared Plan for the Arts, Screen and Creative Industries 2014–2024*, 2014.

Department for Digital, Culture, Media & Sport, *Creative Industries Mapping Document*, 1998.

DCMS, *Creative Industries Mapping Documents 2001*, 2001.

————, *Creative Industries Economic Estimates January 2015*, 2015.

————, *Culture White Paper*, 2016.

————, *Tailored Review of Arts Council England Annexes to Main Report*, 2017.

————, *Annual report and accounts 2018–2019*, 2019.

Fautley, Martin. and Whittaker, Dr Adam., *Key Data on Music Education Hubs 2018*, Birmingham: Birmingham City University, 2018.

Flew, Terry., *The Creative Industries: Culture and Policy*, London: Sage Publication Ltd., 2012.

Florida, Richard., *The Flight of the Creative Class*, Harper Business, 2005（リチャード・フロリダ『クリエイティブ・クラスの世紀』井口典夫訳、ダイヤモンド社、2007年）.

————, *The Rise of the Creative Class*, 2002（リチャード・フロリダ『クリエイティブ資本論』井口典夫訳、ダイヤモンド社、2008年）.

————, *Who's your City?*, Basic Books, 2008（リチャード・フロリダ『クリエイティブ都市論』井口典夫訳、ダイヤモンド社、2009年）.

Glyndebourne Festival Opera, *Glyndebourne A Visual History*, 2009.

Gulroy, Paul., *There Ain't No Black in the Union Jack: The Cultural Politics of Race and Nation*, Routledge, 2002（ポール・ギルロイ『ユニオンジャックに黒はない』田中東子、山本敦久、井上弘貴訳、月曜社、2017年）.

Gratton, Lynda., *The Key: How Corporations Succeed by Solving the World's Toughest Problems*, McGraw-Hill Education, 2014（リンダ・グラットン『未来企業』吉田晋治訳、プレジデント社、

2014年).

Keynes, John Maynard. *The Collected Writings of John Maynard Keynes: Social, Political and Literary Writings*, Vol. 28, Cambridge University Press; Reprint, 2012（ドナルド・モグリッジ編、那須正彦訳、東洋経済新報社、2013年［ケインズ全集 第28巻］）.

Hewison, Robert., *Cultural Capital*, Verso, 2014（ロバート・ヒューイソン『文化資本——クリエイティブ・ブリテンの盛衰』小林真理訳、美学出版、2017年）.

Holling, Crawford. S., *Resilience and stability of ecological systems, Annual Review of Ecology and Systematics*, Vol. 4, pp.1–23, 1973.

Kennedy, Michael., *Glyndebourne A Short History*, Shire Library, 2010.

Keynes, John Maynard., *The Collected Writings of John Maynard Keynes, Activities 1922–1932: The End of Reparations*, Vol. 18, Cambridge: Cambridge University Press; Reprint, 2012.

―――, *The Collected Writings of John Maynard Keynes: Social, Political and Literary Writings*, Vol. 28, Cambridge: Cambridge University Press; Reprint, 2012.

McMaster, Sir Brian., *Supporting the Excellence in the Arts*, London: DCMS, 2008.

Mendoza, Neil., *The Mendoza Review: An Independent Review of Museums in England*, London: DCMS, 2017.

National Audit Office, *Office of Arts and Libraries: Review of the Arts Council of Great Britain*, London: National Audit Office, 1990.

Royal Opera House, *Promise Fulfilled, Annual Review 2005/06*, 2006.

―――, *Annual Report 2016/17*, 2017.

―――, *Annual Report 2017/18*, 2018.

Throsby, David., *The Economics of Cultural Policy*, Cambridge University Press, 2010（デイヴィッド・スロスビー『文化政策の経済学』後藤和子 / 阪本崇訳、ミネルヴァ書房、2014年）.

Wilding, Richard., *Supporting the Arts, A review of the Structure of Arts Funding, presented to the Minister for the Arts*, London: DCMS, 1989.

ウェブサイト（以下、2021年3月15日最終参照）

Arts Council England, *Catalyst: Evolve-Guidance for applicants*, https://www.artscouncil.org.uk/sites/default/files/download-file/Catalyst_Evolve_guidance.pdf., 2016.

―――, *Arts Council National Lottery Development Funds: New Creative People and Places (Round two): Guidance for Applicants*, https://www.artscouncil.org.uk/sites/default/files/download-file/Creative_People&places_guidance_round2_13122019%20.pdf., 2018.

―――, *Management Agreement 2016–2020, Final Version*, https://www.artscouncil.org.uk/sites/default/files/download-file/Final%20DCMS%20ACE%20Management%20Agreement.pdf., 2018.

―――, *National Portfolio Investment Programme 2018-22: Relationship Framework*, https://www.artscouncil.org.uk/sites/default/files/download-file/NPO_2018-22_Relationship_Framework.pdf.

―――, *Our National Portfolio in numbers, 2018–22*, https://www.artscouncil.org.uk/sites/default/files/download-file/Investment__factsheet_14062019_0.pdf., 2018.

―――, *Standard terms and conditions for National Portfolio Organisations*, https://www.artscouncil.org.uk/sites/default/files/download-file/FINAL_NPO_Standard_Terms_Conditions_2018_22.pdf., 2018.

―――, *Covid-19: More information*, https://www.artscouncil.org.uk/covid-19/covid-19-more-information#section-1., 2020.

―――, *Arts Council National Lottery Project Grants awards made between 01 April 2019 – 31 March*

2020, https://www.artscouncil.org.uk/national-lottery-project-grants/project-grants-data.

——, *The National Portfolio Investment Programme 2018–22: Monitoring Prompts for Band 3 Organisations*, https://www.artscouncil.org.uk/sites/default/files/download-file/ACE_Monitoring_Band_3_18062020_0.pdf., 2016.

——, *Creative Case for Diversity*, https://www.artscouncil.org.uk/npompm-funding-relationships-2018-22/npompm-funding-requirments#section-8., 2020.

——, *Jobs and careers*, https://www.artscouncil.org.uk/news-and-jobs/jobs-and-careers-0, 2020.

——, *Music Education Hubs survey, Music Education Hubs Data-Data 2017/18*, https://www.artscouncil.org.uk/children-and-young-people/music-education-hubs-survey.

——, *2020–21 Music Education Hubs (MEH)*, https://www.artscouncil.org.uk/music-education/music-education-hubs#section-1.

Britain Thinks, *Arts Council England: The Conversation*, https://www.artscouncil.org.uk/sites/default/files/download-file/ACE_10YSConversation%20Findings%20Report_19July18_0.pdf., 2018.

Gross, Jonathan. *The Birth of the Creative Industries Revisited: An Oral History of the 1998 DCMS Mapping Document*, King's College London, https://www.kcl.ac.uk/cultural/resources/reports/the-birth-of-the-creative-industries- revisited.pdf., 2020.

ROH, *Jette Parker Young Artists 2019/20*, https://www.roh.org.uk/about/jette-parker-young-artists-programme/jette-parker-young-artists-2019-20#link-artists., 2020.

Scottish Government, *Culture, Tourism and Major Events Directorate*, https://www.gov.scot/about/how-government-is-run/directorates/culture-tourism-major-events-directorate/

South Bank Centre, *Highlights September 2017-December 2018*, https://issuu.com/southbank_centre/docs/21901.4_annual_review_2018_19_hi_re?e=7882842/66489560.

UK Parliament, *Funding of the Arts and Heritage - Culture, Media and Sport Committee*, https://publications.parliament.uk/pa/cm201011/cmselect/cmcumeds/464/46405.htm.

新聞

Brown, Mark, *Arts bodies could lose funding under robust measures to increase diversity*, The Guardian, Feb. 18, 2020.

邦文文献

梅川正美・阪野智一・力久昌幸編著『イギリス現代政治史［第2版］』ミネルヴァ書房、2016年。

太下義之『アーツカウンシル ——アームズ・レングスの現実を超えて』水曜社、2017年。

川端康雄・大貫隆史・河野真太郎・佐藤元状・秦邦生編『愛と戦いのイギリス文化史 —— 1951–2010年』慶応義塾大学出版会、2011年。

金澤周作『チャリティとイギリス』京都大学学術出版会、2008年。

金武創「芸術支援政策の財政問題 (2) イギリス芸術評議会 (ACGB) の財政分析」『経済論叢』第158巻第1号、京都大学、1996年、77–92頁。

倉林義正「ケインズとアーツカウンシル」『文化経済学会論文集』第1号、1995年。

公益法人協会編『英国チャリティ ——その変容と日本への示唆』弘文堂、2015年。

河野哲也『境界の現象学 ——始原の海から流体の存在論へ』、筑摩書房、2014年。

後藤和子『クリエイティブ産業の経済学 ——契約, 著作権, 税制のインセンティブ設計』有斐閣、2013年。

小林真理編『行政改革と文化創造のイニシアティヴ ——新しい共創の模索』美学出版、2013年。

近藤康史『分解するイギリス ——民主主義モデルの漂流』ちくま新書、2017年。

笹島秀晃「SoHoにおける芸術家街の形成とジェントリフィケーション」『日本都市社会学会年報』32、

2014、65–80頁。

菅幹雄・森博美「日本と英国のビジネスデモグラフィーの比較分析」『総務省統計研修所リサーチペーパー』第33号、2014年。

惣脇宏「英国におけるエビデンスに基づく教育政策の展開」『国立教育政策研究所紀要』第139集、2010年、153–168頁。

中矢俊博『ケインズとケンブリッジ芸術劇場——リディアとブルームズベリーグループ』同文舘出版、2008年。

袴田麻祐子「アーツカウンシル・イングランドの「自己評価ツールキット」を読み解く——その位置づけと目的からみる評価の土壌」『音楽芸術マネジメント』第12号、2021年、29–39頁。

文化経済学会〈日本〉編『文化経済学——軌跡と展望』ミネルヴァ書房、2016年。

松尾秀哉ほか『教養としてのヨーロッパ政治』ミネルヴァ書房、2019年。

力久昌幸「地域分権と小政党——権限移譲改革と分離独立問題に対するスコットランド自由民主党の適応」『同志社法學』68巻5号、2016年、1509–1545頁。

———『スコットランドの選択』木鐸社、2017年。

邦文調査報告書等

昭和音楽大学オペラ研究所『シンポジウム＝オペラ劇場運営の現在・イギリス＝英国におけるオペラ制作と技術運営——ロイヤル・オペラをめぐって 講義録』、2005年。

———『公開講座＝オペラ劇場運営の現在・イギリスⅡ＝オペラをめぐる祝祭、その今日的あり方Ⅱ——グラインドボーン音楽祭に学ぶ 講義録』、2007年。

昭和音楽大学舞台芸術センターオペラ研究所『オペラ劇場における人材育成システムに関する研究 研究成果報告書』、2012年。

日本芸術文化振興会『芸術文化活動に対する助成制度に関する調査分析事業』、2013年。

———『イングランド及びスコットランドにおける文化芸術活動に対する助成システム等に関する実態調査 報告書』東成学園、2018年。

———『イングランド及びスコットランドにおける文化芸術活動に対する助成システム等に関する実態調査 報告書別冊』東成学園、2018年。

———『オーストラリアにおける文化芸術活動に対する助成システムに関する実態調査 報告書』2020年。

———『オーストラリアにおける文化芸術活動に対する助成システムに関する実態調査 別冊』2020年。

文化庁『「我が国の現代美術の海外発信事業」美術品等の寄附税制等に関する調査研究事業』日本総研、2018年。

文化庁地域創生本部『諸外国における文化政策等の比較調査研究事業報告書』シィー・ディー・アイ、2018年。

———『諸外国における文化政策等の比較調査研究事業報告書 概要版』、2019年。

———『ダイバーシティと文化政策に関するレポート 文化行政調査研究』、2019年。

———『諸外国における文化政策等の比較調査研究事業 報告書』シィー・ディー・アイ、2020年。

あとがき

　本書は、イングランドのアーツカウンシル制度の実態をとらえることによって、芸術文化助成のあり方を描き出そうとしたものだ。

　2011年に日本にアーツカウンシルという名称で、その制度が試行的に導入されてから、2021年でちょうど10年目を迎える。その制度運用に実際にかかわりながら、芸術文化助成のあり方や助成に携わる人材などについて少しずつ考えをまとめてきた。

　並行して、独立行政法人日本芸術文化振興会委託により学校法人東成学園が実施した「イングランド及びスコットランドにおける文化芸術活動に対する助成システム等に関する実態調査」(2017–2018年)の読み取りをおこない、さらに考察を進めたものである。

　加えて、科学研究費補助金(C)「芸術団体の創造活動の自律性を高める助成のありかた —— 英国のアーツカウンシル制度研究」(研究代表者：石田麻子、研究分担者：袴田麻祐子、課題番号19 K 00260、2019年度〜)で実施してきた数々のインタビューの成果などから、現時点までに得られた新たな知見を加えている。同研究では英国内のアーツカウンシルの中でも、特にアーツカウンシル・イングランド(以下、ACE)の制度運用研究を主な手法としている。それらを通じて芸術文化団体の創造活動の自律性を高め、柔軟で強靭な組織体制の獲得を実現するための助成制度のあり方や組織の理念、アーツカウンシルの制度設計や運用、体制について、実態と考え方を一層明らかにする過程にある。さらに、科学研究費補助金(C)「芸術文化団体の経営力向上を目指した会計情報活用の研究」(研究代表者：城多努、研究分担者：石田麻子、課題番号19K00226、2019年度〜)においても、国内外の劇場など芸術文化団体の経営に関する情報を蓄積しているところである。

　これまでの調査活動を通じて、芸術文化助成の現場に関する理解がどれほど大事なことか、外から見ただけではわからない事実や考え方がいかに多いかという点を痛感してきた。研究者の立場としては、中に入り込みすぎず、対象を相対化し、全体像をとらえたうえで、その本質を掬いとる作業をすべきなのだろう。ただ

私は、現場に身を置き、相手の懐に入り込んで、その姿を描き出す研究スタイルをとる。日本で公的支援の現場に携わり、そのあり方を考える立場からの思いが、本書の生まれる背景となっている。

そのため全体として、批判的な精神というものは薄いかもしれない。それよりも芸術文化の振興に骨身を削ってはたらく人たちへの共感や、創造活動をする仲間への意識が強くなっているとも思う。それは私のいまの立ち位置がそうさせるのであって、なぜこうしたシステムがつくられ、どうして彼らのような活動が可能なのかといった点への興味に専らよっている。その視座は、創造活動をおこなう人たち、活動を支える人たちの姿と彼らの活動総体をとらえることに定まっている。

調査の実施過程では、実際の助成の現場にいる立場で理解し合える内容が多いとも感じた。それほどACEやROHでのインタビューは手ごたえを感じさせてくれるものだった。各担当者たちからも、自分たちの活動の本質的な考え方を、積極的に話してくれようとする反応があった。同様の立場で働き、創造活動支援の現場を知る者同士の共通の感覚が役立ったと言える。このように本書をまとめる作業は、複数のインタビューの成果を基礎としながら、さらに筆者の日ごろの活動を重ね合わせて、芸術文化助成とは、芸術文化振興とはなにかという問いかけとなった。

本書は2018年から長い時間をかけて準備したものである。2019年の公的助成に関する日本国内の動き、さらに2020年になりCOVID-19禍に見舞われた芸術文化活動が危機にさらされる過程で、芸術文化支援に関する考え方をしっかりと持たなければならないと痛切に感じながらの作業となった。

本書を構想してから準備する過程で、多くの方々にお世話になっている。

ACEのリチャード・ラッセルさんをはじめとするスタッフの皆様やスコットランド政府の方々は、芸術文化助成に直接携わる者同士、同じ目線からの問いかけに親身に応じてくださった。また、劇場運営の世界からは、オペラ・ヨーロッパ事務局長のニコラス・ペインさん、ROHやグラインドボーン音楽祭のスタッフの方々も、日頃からの意見交換を通じて多くの情報と考え方を提供してくれた。

袴田麻祐子さんは、研究仲間としてメンターのようにアドバイスをし続けることで、本書が誕生する原動力となってくれた。堀川裕介さん、渡部春佳さん、岡沢

亮さんは、文字通りクリティカル・フレンドのような存在だった。彼らのおかげで、内容や表現に関する数多くの意見交換を通じ、これまで取り組んできたテーマを改めてとらえなおすことができた。美学出版の黒田結花さんは、実に長い間、辛抱強くお待ちいただいただけではなく、的確なアドバイスをくださった。この場を借りて御礼を申し上げたい。

　そして、こうした大きな仕事に取り組むことができたのは、家族の支えがあったからこそだ。ここまで見守ってくれたことに改めて心からの感謝を伝えたい。

　2021年7月　　　　　　　　　　　　　　　　　　　　　　　　著　者

索引

著者紹介

石田麻子 (いしだ あさこ)

昭和音楽大学教授・学長補佐、オペラ研究所所長、舞台芸術政策研究所所長。東京藝術大学大学院音楽研究科オペラ専攻非常勤講師、「日本のオペラ年鑑」編纂委員長、科学技術・学術審議会学術分科会専門委員、文化審議会文化政策部会委員、神奈川県文化芸術振興審議会副会長、日本芸術文化振興会プログラムディレクター（調査研究）などを務めている。東京藝術大学博士課程修了、博士（学術）。近著に『デジタルアーカイブ・ベーシックス4：アートシーンを支える』（共著、勉誠出版）、『クラシック音楽家のためのセルフマネジメント・ハンドブック』(日本語版監修、アルテスパブリッシング) などがある。

芸術文化助成の考え方
アーツカウンシルの戦略的投資

2021年8月12日　初版第1刷発行

著　者 —— 石田麻子
発行所 —— 美学出版合同会社
　　　　　　〒113-0033 東京都文京区本郷2-16-10 ヒルトップ壱岐坂701
　　　　　　Tel. 03 (5937) 5466　Fax. 03 (5937) 5469
装　丁 —— 石澤康之
印刷・製本 —— 創栄図書印刷株式会社